光文社文庫

明日の記憶

荻原　浩

KOBUNSHA

JN262549

目次

明日の記憶

1

「誰だっけ。ほら、あの人」

最近、こんなせりふが多くなった。

「俳優だよ。あれに出てた。外国の俳優だ」

代名詞ばかりで、固有名詞が出てこない。会議室に並んだ顔が一斉に見つめてくるのだが、炭酸ガスのように頭の中から抜け出てしまった人名を、私はいっこうに思い出すことができなかった。その男優の姿形は浮かんでくるし、何年か前にヒットした主演映画のニュースや宣伝は嫌というほど目にしていたはずなのだが。最初のひと文字は「キ」？　いや違う、「ブ」だったっけ？

「昔の人ですか？」

私に向けられた顔のひとつがそう言った。すっかり年寄り扱いされちまっている。

「いやいや、まだ若い。童顔でさ。何年か前に映画がヒットしただろ。あの映画——」

まいったな。映画の題名までど忘れしてしまった。検索キーを押すようにこめかみを指で叩き、困惑した顔を向けてくる面々に、すがりつく視線を投げかけた。

「ほら、豪華客船が沈んじまう話」

私と同じ営業部の安藤が膝を叩いた。

「なんだ、タイタニックですか。もしかしてレオナルド・ディカプリオのこと?」

こともなげにすらすらと答える。うらやましいかぎりだ。最近、知っているはずの言葉がとっさに出なくなることが増えた。ことに横文字の固有名詞がいけない。

「そうそう、ディカプリオ。やれやれ、やっと出てきたよ」

私が安堵の息を吐いて、紙コップのコーヒーを手にとると、周囲から笑いが起きた。制作部《クリエイティブ》の人間たちだ。ＣＭプランナー、コピーライター、アートディレクター。みんなまだ若い。

「年々、物忘れが多くなってね。君らもあと二十年もすればわかるよ、な」

最後の「な」は、出席者の中では私についで年長のＣＤ——クリエイティブディレクター——に向けたものだ。四十そこそこの男は、私の視線から逃れるように身をよじって両手を振った。

「いえいえ、僕なんぞ佐伯《さえき》部長の域にはまだまだ」

彼の大げさなしぐさにまた笑い声。私も笑った。別に面白くはなかったが。

「じゃあ、僕はあと二十五年はだいじょうぶだな」

いちばん若そうな茶髪のアートディレクターが憎まれ口を叩く。広告代理店の人間、特に彼らのようなクリエイティブの若手は、上の人間を恐れずにずけずけものを言う。若い頃は上司によけいな媚《こ》びへつらいをする必要のない社風が好ましかったが、勝手なもので、自分が上の立場になると、つい、もう少しへつらってくれても構わないのだが、と思ってしまう。

まぁ、部長とはいえ、それほど偉いわけでもない。広告代理店の営業部門は、課長職を置かないのがふつうで、そのかわりにたくさんの部があり、部長がいる。対外的な信用を得るための誇大広告のようなものだ。

「部長もそろそろお年頃ってやつですかねぇ。後半のほうのお年頃」

安藤まで調子に乗って言う。

「馬鹿なこと言うなよ。まだ——」

四十九だと言いかけて、口をつぐむ。先月、ついに五十の大台に乗ったことを思い出したのだ。

近頃は自分の年齢すら忘れがちだ。何かの折に記入する時、ペンを止めて考えてしまうことがある。もちろんすぐに思い出すのだが、なぜか、自分の書いたその年齢が、いつも嘘のように思えてくる。

笑わせるつもりなど毛頭なかったのだが、おかげでアイデアが煮つまり、硬直していた会議室の空気が少しやわらいだ。私はまた忘れてしまわないうちに、「ディ」が「デ」にならないように注意して、一同に語りかけた。

「ディカプリオを今度のCMに出せないかな」

それまで場をしきっていたCMプランナーが不服そうな顔をする。

「いやぁ、いくらなんでもそれは……いま検討中のコンテに合いませんし」

それはわかっている。予算管理をしているアカウント・エグゼクティブが口を開く。

「ちょっと現実的ではないかもしれません。ディカプリオには単発でも三億は必要ですから。それすら、いまの彼には小遣い稼ぎだ。以前よそが缶コーヒーのCMに引っ張り出そうとして失敗したそうです」

それも承知の上だ。

「でも、ドカンと派手な花火が欲しいんだよな」

二週間後の競合プレゼンテーションのための企画会議だった。クライアントは、インターネットのプロバイダー。IT関連は、広告不況が続く現在、大きな広告予算を組んでくれる数少ない業界だ。業界五位前後をうろうろしている私の会社にとっては、ビッグ・クライアントを得るチャンスだった。

「ドカンとねぇ」

コピーライターのひとりが、私に旧石器人を眺める目を向けてくる。いかにも営業のオヤジが考えそうな古臭い発想だ、という顔だった。クリエイティブの人間は、ギャラが制作費を圧迫し、制約が多く、彼らの言うところの「いい作品」ができないタレント広告をあまり好きではない。

制作企画会議では、営業は「お客さん」だ。出席するのは、今日のような立ち上がり時か、最終段階。基本的にはよけいな口ははさまない。しかし、私は制作の若い連中に嫌な顔をされるのを承知で、クリエイターたちが牽制し合って泥沼化しつつある会議へ、あえて石を投げた。

「考えても損はないと思うよ。今回は一社二案まで提出できるわけだし」

予算的に大物タレント、まして外タレを起用するのは現実不可能に近いことは、もちろんわかっている。しかし同時にクライアントのこともよくわかっているつもりだった。

クライアントのプロバイダー〝ギガフォース〟は、家電メーカーが立ち上げた会社だ。私はもともと親会社の担当営業だった。そこで一緒に仕事をしていた人物のひとりが、半年前、ギガフォースの宣伝部へ課長として出向になったのをきっかけに通いつめ、小さな仕事を貰うようになった。大手家電で大じかけの広告制作をしていたことを勲章にしている宣伝課長は、派手な企画には必ず食いついてくるはずだ。

コンテンツ紹介パンフレットや吊り革広告といった仕事をこまめに引き受け、難物の宣伝課長のキャバクラ通いに五十面を下げてつきあって、ようやく参加資格をつかんだのだ。電通や博報堂も参入している六社競合のプレゼンテーションに、自分たちのセンスや斬新な発想だけで勝てると思いこんでいる連中が、私には歯がゆくてならなかった。

「外タレの線も考えてみるか」

クリエイティブディレクターがとりなすように言うと、しぶしぶというふうに一同が頷く。

「ジャン・レノは？　あの人、ハリウッドじゃないから、ギャラ安いでしょ」

「最近、出すぎ。手垢べたべただよ」

「オーランド・ブルームとか？」

「オーランドなら、ジョニー・デップでしょうに」

「そうそう、パイレーツ・オブ・カリビアンじゃなくて、スリーピー・ホロウの時の雰囲気」

クリエイターたちが私には理解できない言語で話しはじめた。今度はど忘れではなく、本当に聞いたこともない名前。誰だ？　なんて言おうものなら、旧石器人どころか、恐竜の化石を見る目を向けられそうだ。

意を決して、もう一度、会議に石を投げた。

「なぁ、インターネットはもう一部の人間のものじゃない。最近は主婦層がプロバイダーの決定権を握ってることも多いんだ。もう少しメジャーな人間をあげてみてくれないか」

化石みたいな石だが、映画談義になりつつあった企画会議を現実に戻すぐらいの効果はあった。コピーライターが口を尖《とが》らせる。

「ジョニー・デップ、めちゃめちゃメジャーじゃないですか」

私は若い連中を説得する時のきめゼリフのひとつを口にする。

「いや、もっと普通の、俺でも知ってるようなのを頼む」

「それが、ディカプリオ、ですか？」

「まぁ、それはあくまでも例えばだ。財布のひもを握っている世代が知ってる名前だよ。うーん、そうだな、ダスティン・ホフマンとか」

新しい名前が覚えられないかわりに、昔、覚えた名前はなぜか忘れない。だが、今度は並んでいる若い顔の半分ぐらいに首をひねられてしまった。

「誰です、それ？」

「ほら、『卒業』や『真夜中のカーボーイ』に出てた人。最近だと何に出てたっけ、ほら、あの人と――」

まただよ。頭ではわかっているはずなのに、言葉が出てこない。

「えーと、今度公開する映画――ラストサムライだったっけ――あの主演男優と共演してた人。兄弟で旅に出る話」

「トム・クルーズの映画？　レインマンですか？」

答えた女に思わず指を突きつけてしまった。

「そうそう、レインマン。レインマンの兄のほう」

「レインマン……ってそうとう昔の映画だよな……」

「最近とは言えないですよね」

「ダスティン・ホフマンか、佐伯部長、渋いっすねぇ」

「というか古すぎ」

この社風、なんとかならんものか。

2

「あなた、急がないと」

「ちょっと待ってくれ」

あれこれ悩んだ末に、紺色のスーツを選び、ネクタイを結びはじめた私に、妻の枝実子《えみこ》が呆《あき》れ顔をする。

「そんなきちんとした格好しなくたって」

「そうはいかない」

近頃は、休日にどんな格好をして外出すればいいのかわからなくて、苦労することが多い。Tシャツのすそをベルトの中に入れて歩くほどオヤジではないつもりだが、アイビー全盛期に色気づいたせいか、えり付きシャツのすそまで外へ出す若い連中のスタイルにはなじめない。

鏡の前では試してみるのだが、真似をしようにも、そもそも私の持っているボタンダウンシャツは、そういう格好をするようには出来ていないらしい。

結局、スーツにした。私にはいちばん落ち着く服だ。スポーツ選手のユニフォームのようなもの。自己主張に疲れることがないし、自分が何者であるかを気取られる心配もない。サラリーマンになりたての頃は、ネクタイをとった瞬間に本来の自分へ戻った気になったものだが、いまでは逆だ。

今日は、去年からひとり暮らしを始めた娘の梨恵《りえ》と久しぶりに会う日だった。婚約者の男とも。紹介されたのはほんの一カ月前。男が型通りの挨拶に来た時には、枝実子とは顔なじみで、もうすっかり話は決まっていた。設計事務所を持つ建築家だというその男に、舐《な》められたくなかった。結婚を百パーセント許したわけじゃない、今日が最終面接だ。私は意地悪くそう考えている。

娘は嫁にやらないと頑固に主張し、結婚式ともなれば平然としている妻の隣で男泣きをする。そんな父親に世間は微笑《ほほえ》みまじりの視線を向けるが、じつはあれは精神的な近親相姦だ。

私はそう考えている。だからやみくもに反対しているわけじゃない。

梨恵はまだ二十四歳だ。昔ならともかく、いまのご時世では早すぎる。私は自分が、三十を過ぎても娘が嫁に行かない、と嘆く親になると予想していたのだ。

相手の男は九つ上。しかもお腹《なか》にはすでに子どもがいるという。枝実子と梨恵が、臨月になる前に式をと、共同戦線を張りつつあるのも、なんとなく面白くない。

玄関に立ち、ポケットを探って、あるべきものがきちんとあるかを確かめる。持ち物を習慣的に同じ場所へ収納できる点も、スーツの利点だ。財布、よし。ハンカチ、よし。迷った末に忍ばせることにした老眼鏡、よし。――ん？

「あれは、どうしたっけ。あそこに置いてあったはずなんだけど」

私がそう言うと、枝実子が即答した。

「クルマのキー？　さっきテーブルの上にお財布と一緒に置いてあったわよ」

多少、口うるさくても妻はありがたい。「あれ」や「あそこ」だけで会話が通じる。

「いや、あそこにはなかった」

いつもズボンの右ポケットに入れるのだ。すべてのポケットを調べ、裏返しにまでしたが、ない。ダイニングに戻ってテーブルを見た。ない。小物を置いておくローボードの上を見た。やはりない。さんざん探して、ようやく見つけた。服を選ぶ時、試しに着てみたジャケットの中だった。

枝実子はもう玄関先に立ってドアノブを握っている。外出する時には、いつもじゅうぶん過ぎるほどの余裕をみる、婆さんみたいな性分なのだ。

「まったく、もう。早くから準備してたって、これだもの」

靴べらをとってあがり框《かまち》に腰を落としたとたん、鈍い音がした。結んでいた靴ひもが切れた音だと思ったのだが、それは頭の中からだった。

「痛たたたっ」

「今度はなに？」

「頭が痛くなってきた」

「昨夜《ゆうべ》、お酒を飲みすぎたからよ」

「いや、量はいつもと同じ」

酒は毎晩だ。つきあいがない日でも家で飲む。飲まないと眠れないのだ。どちらかと言えば、睡眠不足のせいかもしれない。二日酔いのぼんやりした疼痛ではなく、小さな無数の針で頭蓋骨の内側をつつかれているような痛みだった。

「久しぶりだな、頭痛なんて」

「信じられない。私なんか週に三日は偏頭痛よ。あれだけ不摂生してるのに、あなたのほうが健康だなんて、許せない、あなた、便秘したこともないでしょ」

「便秘は関係ないだろ、いまは」

「あるわよ、私、もう五日目よ。肌があれちゃって、お化粧がぜんぜんのらない」

「別にお前の化粧ののりが悪くたって、梨恵の相手が逃げるわけじゃないだろう」

「うるさいわね。どう、だいぶ痛む？　薬持ってこようか」

「いや、だいじょうぶ。治まってきた。だけど、なんだか節々も痛いんだ。風邪かもしれない。今日はやめようか。あいつらだって、どうせ本当は二人っきりのほうがいいんだろ」

「なに言ってるの、いまさら。二人が気をきかせて誘ってくれたんじゃない」

「腰も痛い」

「あなた、わざとやってない？」

「いや、別に」そうかもしれない。気が進まなかった。残業続きのせいか、たまさかの休日はいつも「寝たきり中年」と枝実子に揶揄《やゆ》されているほど体がだるく、外出がおっくうなのだが、今日はとくに体が重い気がする。心が重いのだろうか。

「働きすぎよ。気をつけなくちゃ。もう若くないんだから」

もう若くない——そう言われているうちが華かもしれない。いまや、そう言ってくれるのは私がかつて若かったことを知っている自分の妻だけだ。

「今日は、リラックスね。仕事のことは忘れて、お食事を楽しみましょ」

「帰りはお前が運転してくれる？」

「また電信柱でこすっちゃってもいいならね。お酒はやめてね」

「イタリアンレストランかぁ。俺はざるそばがいい」

「いい加減にしなさい」

玄関のドアを閉じられてしまった。枝実子は私と違ってせっかちで几帳面だ。四つ年下だが、精神年齢はたぶん私より四つほど上。去年、銀婚式をすませた妻とは、まぁまぁうまくやっていると自分では思っている。破《わ》れ鍋にとじ蓋というやつか。

玄関を出て、家の鍵をかけ、ガレージのクルマにリモコン・キーを向けた。助手席の前で待っていた枝実子が、手首をくねらせて腕時計に目を走らせる。

「ねぇ、急ぎましょう。道が混《こ》んでたら、待たせることになっちゃう」

「少しは待たせればいいんだ」

前回、初めて会った時、男は約束の時間に五分遅れてやってきた。平日の夜だ。言い訳はせず、謝罪の言葉だけを口にしたが、仕事の都合だということはすぐにわかった。それが、サラリーマンである私と違って、経営者である自分には代わりの人間がいないのだ、という優越感を気取られないためであるように思えて、なんとなく腹立たしかった。

今日はこっちが先に着きたくない。枝実子にそれを言えば、子どもみたいだと笑われてしまうだろうから、私はことさらゆっくりとシートベルトを締め、ミラーの位置を何度も確認した。

枝実子に叱られて、イグニッション・キーを回したところで、ふいに胸が底冷えした。

「ちょっと待ってくれ」

「まったく、もう、今度はなに？」

「俺、鍵をかけたっけ？」

「家の鍵？　かけたでしょうに。ノブをがちゃがちゃしてた音、聞こえたわよ」

「いや、覚えがないんだ」

頭の中に白紙を一枚差し入れられた気分だった。梨恵が家を出てからは夫婦二人きりだから、私が戸締まりをする機会がふえた。慣れすぎて無意識に手が動くせいだろうか。鍵をかけたかどうか、ときどき家を出てから不安になることがある。

「見てくる」

「ねぇ、あなた、時間が――」

一度、不安に囚《とら》われると、もうだめだ。枝実子の声を背中に聞いて、私はクルマを出た。

戻ってきた私に枝実子が呆れ半分、同情半分の声をかけてくる。

「ね、だいじょうぶだったでしょ。私もよくある。コンロは消したっけ、水道が出しっぱなしじゃないかって、急に不安になったりするの。でも、実際にはちゃんと消えてるし、止まっているのよね」

枝実子の言葉は半分しか耳に入っていなかった。ハンドルを握った私は、再び不安になっていたのだ。

いま確かめに行った時、やっぱり鍵を忘れていて、自分はそれをかけ直したのだろうか。それともノブを回して、ちゃんとかかっていることを確認しただけだったのか——ガレージまで歩く短い距離のどこかに、またもぽとりと記憶を落としてしまっていた。

もう一度確かめてくるとはさすがに言い出せなかったが、アクセルを踏み出してからも、私はえり首をつかまれて家に引き戻される気分を残したままで、依然として頭の中にある真っ白な紙について考え続けた。

3

相手が切るのを待って、受話器を置いた。クライアントからのプレゼンテーションの結果を知らせる電話だった。

電話を取った新人の生野《いくの》が私の名を呼び、相手を告げた時から、部内には緊張が走っている。誰もが私の顔を見つめ、口を開くのを待っていた。朝早い時間だったから、五人の部員全員が揃っている。

私は一人一人の顔を眺めて、それから深くため息をついた。女性の意見を聞きたくて、安藤とともにプレゼンチームに加えていた生野が、がくりと首を折り、長い髪で顔を隠した。

安藤がにやにや笑いを向けてくる。入社以来、ずっと私の下についているこの男とは、部員の中ではいちばんつきあいが長い。

「やりましたね、部長」

訝《いぶか》しげな表情の生野に安藤が説明していた。

「佐伯部長はいつもそうなのよ。いい知らせがあると、ああやってみんなをからかおうとするんだ。ほら、見てみ、本当のことが言いたくて頬がひくひくしてる。素直じゃないんだよね、お年寄りだから」

「おい、年寄りってのは、誰のことだ」

五十歳になったばかりの人間をつかまえて「年寄り」は心外だが、制作部同様、営業局も二、三十代が中心の職場だ。まだまだ若い、いまが働きざかりなどと思っているのは、自分だけかもしれない。社内資料管理課へ行けば、私でも若手で通るのに。

「そんなに若いのが自慢なら、もっとこき使ってやる」

安藤へ返した言葉は、迫力にかけていた。声が笑ってしまっていたからだ。安藤の言うとおり、グッドニュースだった。

「明日から、キャンペーンの計画書をつくれ。企画書じゃなくて計画書だぞ」

安藤が雄叫《おたけ》びをあげた。

「よっしゃあ〜」

生野が胸の前で小さくガッツポーズをつくる。これから営業活動に参加してもらうことになる部員たちが、安藤とハイタッチを交わしていた。

私もハイタッチをして欲しくて、腕をあげた。生野だけがしてくれた。

何事かと隣の部の人間が首を伸ばしてこっちを見ている。局次長が眉をひそめていたが、構うものか。たまにはこんなこともなければ、サラリーマンなんかやってられない。

「喜ぶのはまだ早いぞ。媒体の扱いはうちで一括というわけにはいかない。しかも決まったのはB案だ」

「なんでもいいですよ。俺、プレゼンに勝ったのは、久しぶりだ。ねぇねぇ、クリエイティブの連中にも早く教えてやりましょうよ」

「おお、そうだな、さぁ、忙しくなるぞ。びしっといこう」

とりあえずクリエイティブディレクターに連絡をとることにする。これから忙しくなるのは彼らも一緒だ。

机の上をしばらく漁《あさ》ったが、探し物は見つからなかった。

「誰か知らないか、俺の、あれ――」

また言っちまった。「あれ」とは社内回線一覧のことだが、しばらく前に社内での呼称が変わっていて、こちらに首をかしげている生野には通じない。私は両手で四角をつくってみせた。

「内線番号、書いたやつ」

「エクステンション・リストですか?」

「そう、それ。誰か俺の机から持っていかなかったか?」

書類が山脈になっている左手のデスクに疑いのまなざしを走らせたが、安藤は両手を顔の前で振った。

「俺じゃないですよ」

部員の一人が私のデスクを指さした。

「ほら、そこです」

「あ、ほんとだ。悪い悪い」

なんのことはない、ファイルケースの脇に立てかけてあった。

制作二部を呼び出した。徹夜明けなのか、電話に出た若い男の声は眠そうだった。

「もしもし第二営業局、佐伯です。えー」

そこで私は言葉を失った。回線が不調だと思ったのか、電話の向こうから逆に呼びかけられた。

——もしもし、もしもし?

いかん。相手の名前を忘れてしまった。しかたなく、こう言う。

「えー、ギガフォースのプレゼン担当のCDを——」

——ギガフォース? 誰でしょう。僕はちょっとわからないんですが。

朝の遅い制作部には人が少なく、他の部署の人間が電話をとったらしい。

「ほら、丸眼鏡で髭を生やした……パーティ・グッズのお面みたいな顔の……」

苦しまぎれの私の言葉に、相手は笑いだした。

——ああ、粟野《あわの》CDですね、会議室にいます。お待ちください。

そうだった。アワノだ。粟野と仕事をするのは初めてじゃない。天才肌ではないが、手堅い仕事をする常識人で、営業としては組みやすく、何度か家電メーカーの仕事を依頼していた。よく得意先でクリノと名を読み間違えられ、そのたびに私が訂正し、打ち合わせの前の軽いジョークのネタにしたりしていたのに、すっかり忘れていた。

私の言葉をそのまま伝えたらしい、電話に出た粟野が心外だという声をあげる。

「ひどいじゃないですか、僕の名前を忘れるなんて。誰がパーティ・グッズのお面ですって?」

「すまん、冗談だよ」

「朝っぱらから聞きたいジョークじゃあないですね、なんですか」

冗談めかした口調だったが、あきらかに気分を害しているのがわかった。申しわけないことをした。個人の力量で仕事を請け負っている彼らにとっては、名前が肩書だ。しかし、粟野の不機嫌さは、私の次のひと言で吹っ飛んだ。

「とったよ、プレゼン」

「うぉううぉぅうぉ〜ぅ」

粟野が電話の向こうで森林オオカミのように遠吠えをする。常識人というのは、あくまでもクリエイティブの人間にしては、という意味だ。

「ただし、B案のほうだ」

予想どおりだが、採用されたのは、打ち上げ花火の外タレ案ではなく、もうひとつの、お笑いタレント二人組と素人をからめたほうのアイデアだった。

「ああ、やっぱり。でも、かえってよかったですよ。A案じゃあ大変だったと思いますよ。アートディレクターの大島さんから噂を聞いたんです。彼の事務所があのヒトとやった時は、映画を撮影してるニュージーランドまで行って、もらえた時間は三時間だったとか。一時間、一億。アレックス・ロドリゲス以上のぼったくりだな」

メジャーリーグの高額年俸選手の名をあげて毒づいてみせるが、口調は明るい。

「さっそく先方に、指名してもらったお礼に行きたい。君も来てくれるかな」

「いいとも〜」

電話を切り、笑顔で私の顔をのぞきこんでくる安藤に、微笑みを張りつけた顔を返したが、すぐにこめかみに指を当てた。頭の中身を絞り出すように。

まずいな。外国の俳優だけじゃない。職場の人間の名前まで忘れちまうなんて。どうなってるんだ。

「うおぅうおぅうお〜ぅ」

昨日も梨恵たちと待ち合わせた店に、十五分も遅刻した。先に着きたくなくて時間稼ぎをしたわけじゃない。道を間違えてしまったのだ。自宅がある神奈川から東京方面へ行く慣れた道だったのだが。やはり体調が悪いのだろうか。頭痛はあれからすぐに治ったが、関節の痛みと、濡れたコートを羽織っているようなだるさは、いまも続いている。

枝実子は怒るより心配していた。

「疲れてるのよ。最近、毎晩遅いから」

梨恵の婚約者は控えめな口調で私を慰めようとした。

「僕はしょっちゅうです。方向音痴なんでクルマにはナビがかかせません」

悪いが私は方向音痴ではない。ナビゲーション・システムなどというものがなかった若い頃は、ドライブのたびにオオハクチョウ並みの帰巣本能を発揮して仲間を唸らせたものだ。

梨恵の言葉が頭の中でリフレインする。

「もう歳《とし》なんだから、無理しちゃだめよ。お父さんは、もうすぐおじいちゃんになるんだもの」

おじいちゃん、か。

もう一度ため息をついた。今度は演技ではなく、心の底からのため息だった。

4

「モバイルサービス〝あっちこっちメール〟、ここ、ここが売りなんですよ」

ギガフォースの宣伝課長、河村氏がめくっていた分厚い書類の中の一ページを指で弾いた。

「ブロードバンドのことはCFで訴求してくれればいいから。ここでは〝あっちこっちメール〟ね。もちろんiモードでも、EZweb対応でもオーケー。携帯でいつものメールアドレスの送受信ができるわけ。例えばURLを携帯に送ろうとするでしょ――」

「なるほど」あいづちは打ったものの、途中でわけがわからなくなってきた。ここの仕事を始めて半年が経《た》つが、親会社のほうでは電子レンジや炊飯器といったキッチン事業部との仕事ばかりだったから、私はいまだに用語を覚えられないでいる。「電磁加熱高出力の時系列的熱効率」や「IH炊飯器におけるペースメーカーへの影響度」などにはちょっとうるさいのだが。私の隣では生野が熱心にメモをとっている。連れてきてほんとうによかった。

「だから販促用パッケージにも、あっちこっちメールのロゴを大きく入れて欲しいんだな。キャッチフレーズは入れなくていいからさ」

今日の打ち合わせは、キャンペーンの一環として行なわれる街頭での販促ツールに関してだ。代理店の仕事の中では比較的楽な仕事だから、そろそろ独り立ちさせようと思っている生野に全面的にまかせたいのだが、河村課長はどんな小さな案件でも、毎回、私を呼びつける。

膝丈のスカートがミニに見えるほど長い生野の脚は気に入ったようだが、自分のところに、入社したての若い娘が一人で来ることは気に入らないらしい。だから今日もこうして私が立ち会っている。

「で、パッケージなんだけど、どこかみたいに大きな紙袋を渡したって、かえってみんな引くでしょう。だから、もう少しさりげない、かさばらないやつにしたいわけ。色も、もっと落ち着いた感じのほうがいいんじゃないかなぁ」

「これは今回のキャンペーンのイメージカラーですが」

「しょうがないじゃない。だって、このままじゃ、うちの次長のオーケー出ないよ」

河村課長が出入り業者に丁寧語で喋るのは打ち合わせの最初のうちだけだ。だんだんぞんざいな物言いになり、しまいには命令口調になる。

「いいね、わかったね」

「ええ、わかりました。検討してみます」

販促用パッケージのデザイン修正はこれで三回目。アートディレクターのふてくされ顔が目に浮かぶようだった。

ブロードバンド化を機にギガフォースの認知度と加入者のアップをめざす広告キャンペー

ンは、彼らの社内のあちこちからあがる声に合わせて、当初の企画へ小刻みに修正が入れられ、いまでは原形をとどめない状態になっている。

いったん決定したCMタレントにもギガフォースは難色を示しはじめていた。長期出張中でプレゼンの結果を後日知った専務が、そのタレントが嫌い、それだけの理由で。かわりに向こうが新しい候補として名前を挙げてきたのは、十年以上も前に親会社の洗濯機の広告に出たことのある女優。ギャラは約二倍。しかも撮影現場で絵コンテに身勝手な注文をつけてくることで有名で、広告業者から言わせると危険な人選だった。

地下鉄の真っ暗な車窓をぼんやり眺めていると、隣に座った生野がぽつりと言った。

「なんだか、ずいぶん話が違いますね。なんのためのプレゼンだったんでしょう」

彼女のほうから私に声をかけてくるのは珍しい。広告代理店の上げ底部長とはいえ、さすがに入社して半年の生野には、近寄りがたいのだろう。だからこっちもつい気を使ってしまう。安藤みたいにお気楽なジョークで笑わせることができればいいのだが、なかなかそうもいかない。なにせ自分の娘より年下なのだ。

「まぁ、広告の仕事っていうのは、こういうものなのさ。最初のアイデアどおりにいくことはまずない。あんなのだったら素人でも考えつく、なんて世間に思われるような広告が出ちまうのは、クリエイティブの人間の責任じゃない。自分でも考えつくと思いこんでる素人が押しつけてるんだよ」

クリエイター志望だったらしい彼女に、説教臭くならないように話したのだが、「はぁ」という生返事しか戻ってこなかった。

ギガフォースの本社があるビルから私たちの会社までは、地下鉄を乗り継いで三、四十分かかる。景気のいい頃はタクシー券が使えたが、最近は特別な時でないかぎり移動は電車だ。昼下がりの地下鉄は乗客がまばらで、朝夕のラッシュが嘘のように閑散としている。私たちの真向かいの席に座っているのは、赤ん坊をあやしている母親。金色の髪の母親はまだ若い。渋谷の繁華街を闊歩している少女たちとたいして変わらない年齢だろう。

結婚適齢期が年々高くなっている、そもそも結婚をする人間自体が減っている、という話はよく聞くが、その一方で、早婚の人間も増えているのだろうか。目を輝かせて赤ん坊を眺めている生野に聞いてみた。

「生野くんは、いま二十三だっけ」

「はい、一年浪人してますから、もうすぐ四になります」

「結婚とか考えたりすることはある」

「……いえ、まだ、とても」

「そうだよな、二十三じゃあな……」

またも会話は芽生えず。生野からは、それってセクハラですよ、という視線だけが返ってきた。

君と年の変わらない娘が結婚するんだ。もうすぐ孫もできちまう。そう言おうとしてやめた。河村課長のぶしつけな視線を涼しげな顔で無視していたこの娘には、彼と同様、男として見られていないことはわかっちゃいるが、じいさん扱いされるのは、まだ男のプライドが許さない。

5

『ギガの〝プログラ〟は自分のホームページを楽々簡単にするツール。ＨＴＭＬがわからなくてもオーケー。サイト作成もカスタマイズもすべてギガ・マスターにおまかせ――』

会社ではめったにかけない老眼鏡をはずし、目頭を揉みほぐした。ダイニングテーブルに広げたギガフォースの分厚いサービス・マニュアルは、まるで外国語の本だ。しかもアートディレクターがデザイン優先でそうしたらしい小さすぎる文字は、眼鏡屋で見栄を張ってしまったために度の若い老眼鏡しか持っていない私には、少々つらかった。

ＨＴＭＬってのはなんだっけ？　今度はパソコン用語辞典をひもとく。

『ＨＴＭＬは、ハイパーテキストをマークアップするための言語的ルール。ＨＴＭＬファイルとは拡張子がｈｔｍかｈｔｍｌのタグと呼ぶコマンドが混じったテキストファイルのことで――』

さっぱりわからない。ただでさえ新しいＩＴ用語が次々に生み出されているうえに、企業は自分たちの売り物を少しでも魅力的に見せるために、それぞれがてんでにネーミングをし、おびただしい数の関連語を生み出している。携帯電話会社やプロバイダー一社につき一冊ずつ用語辞典がつくれるに違いない。覚えてもすぐに言葉は消え、新しい言葉が生まれる。まぁ、私たちの仕事がその片棒を担いではいるのだが。

『〝プログラ〟なら五種類のドメイン名を組み合わせて、個性的なＵＲＬが選べるから、ブラウジングの時にも――』

だめだな、こりゃ。私はサービス・マニュアルを閉じ、水割りの残りを飲み干して、グラスの中へため息を落とした。

空になったグラスにウイスキーを注いで冷蔵庫へ歩き、氷をひとつかみ入れる。浄水器の水を足すつもりだったが、気が変わった。ダイニングテーブルへ戻って、氷だけのグラスにウイスキーを追加した。ひと口あおり、酔いで頭の中の固い芯がとろけてくるのを待った。

時刻は午前二時を回っている。夜、眠れないのはいまに始まったことじゃないが、以前は文庫本を手に二、三杯ナイトキャップを重ねれば眠ることができた。最近は、酒を飲んでも眠れない。ギガフォースのあっちこっちメールや、秋のコンテンツの解説は、眠気を誘うには格好の読み物なのだが、冴えきった頭には、いつまでたっても眠気は訪れなかった。

この頃は本を読むのも面倒になった。読みさしの本のストーリーを思い出すために前へ戻り、ようやく読み進めた場所までくると、今度は根気が続かなくなって放り出す。その繰り返しだ。

二階で寝ている枝実子を起こさないように、テレビをつけてみた。深夜だというのに騒々しくわめく色とりどりの髪の男女数人が映る。すぐに消した。

いつからなんだろう。リモコンを握った手の甲に年寄りじみたしみがぽつぽつ浮いていることに気づいた。思わずこすってしまったが、消えるはずもない。

テレビの脇、サイドボードの中に収まっているアルバムが目にとまった。もう何年も開いていないが、大判のファイル形式で、枝実子が年代順に整理し続けてきたものだ。全部で六冊。

グラスを手にしてサイドボードの前に座りこみ、いちばん古いアルバムの埃を払う。

最初に目に飛びこんできたのは、新婚旅行のスナップ。何度も見たはずなのに、初めて見る写真のようだった。二十五年以上前だ。すでに新婚旅行は海外が常識の時代になっていたが、私は結婚式当日の午前中まで得意先回りをするほど忙しく、二泊三日の国内旅行ですませてしまった。休暇がとれたら、ゆっくりヨーロッパにでも、などと言っているうちに二十五年が過ぎた。結局、私は仕事以外で海外へ行ったことは、いままでに一度もない。

夫婦二人きりで旅行をしたこともなかった。せいぜい日帰りの遠出ぐらい。誰に撮ってもらったんだっけ。吊り橋をバックに二人で並んでいる写真が一冊目の最後だ。

私たちはカメラに向かってピースサインをしている。あの頃のピースサインには、写真のためのポーズ以上の意味があった。オーバーオール姿の枝実子は、黒くて長かった髪をバンダナで包み、まだ板についていない七三分けの私は、服だけ学生時代のままの穿き古したジーンズ姿で、いまより十キロは痩せていた。

海外旅行が無期延期になってしまったのは、私の仕事のせいばかりじゃない。結婚した翌年に、子どもが生まれて、それどころではなくなったためでもあった。

二冊目のアルバムは、梨恵の誕生から始まる。巻頭を飾っているのは、私が撮った写真だ。病院のベッドで枝実子と並んでいる小さな赤い顔。

写真の下には私の字でキャプションが添えられている。『二千八百五十グラム。女子。まるでじゃがいも』

この日のことは、いまでもはっきり覚えている。

予定日より一週間早かった。「産まれるかもしれない」枝実子につきそってくれていた義母からの電話で、仕事を放り出して病院へすっ飛んでいった。まさに飛んでいったのだ。電車に乗っている間も座っていられずに、ずっと立っていた。足は確かに床からふわふわ浮いていた。

わが子と初めて対面した時の印象は「だいじょうぶなのか？」だった。産道を通ったばかかりの子どもの頭があんなに長く伸びるとは知らなかったのだ。「可愛い女の子ですよ」看護婦さんのお決まりの文句を耳にしていたのに、思わず指の数をかぞえてしまった。

以下、梨恵の成長記録が続く。梨恵を抱く枝実子。梨恵を肩車した私。夫婦で競うように子どもの写真を撮り合っていた時代だ。人間の記憶というのは曖昧なもので、背景はまるで写っていないのに、撮影場所やその日の出来事まで鮮明に思い出せる写真もあれば、いつ、どこで、何をしに行ったのか、さっぱり思い出せないものもある。

三冊目から夫婦のアルバムは、梨恵のためのアルバムになる。

七五三の写真。初めての口紅が気持ち悪かったようで、梨恵はひよこのように唇を突き出している。幼稚園の運動会。ビニール紐の腰みのをつけて、おサルの顔真似をしている。親馬鹿だが、可愛い子だった。あの赤いじゃがいもが、よくぞここまでと思うほど。将来は美人になるよ、周囲のその言葉は、私に似て少々えらが張ってしまった誤算以外は、ほぼ的中したと言えるだろう。

四冊目。梨恵は小学生になっている。入学式の記念写真の梨恵はなぜかおでこにバンソウ膏を貼っている。怪我をしたのだっけ。二回目の七五三に続いて、家族旅行の写真。私が久しぶりにゴールデン・ウィークをまるまる休めた年だった。場所は山間《やまあい》の牧場だ。匂いの記憶は短いという話を聞くが、あの時の干し藁《わら》の匂いまで蘇《よみがえ》ってくるようだった。

五冊目の途中、高校の入学式を最後に梨恵の写真がめっきり減った。梨恵の黒い髪は茶色に変わり、親類との集合写真や日常のスナップにときおり登場するその顔はふて腐れているふうにも見える。父親との会話がほとんどなくなってしまったことを、私自身も枝実子も気にかけていた頃だ。

いまでは会話は復活した。少々うるさいほど。いつどうやって、また話をするようになったんだっけ――。

そうだ。ある晩、私が自分の高校時代の話をしたのだ。優等生でも不良でもない、ごく平凡な高校生だった頃のことを包み隠さず、見栄も張らず。他愛もない話だったが、珍しく梨恵は最後まで聞いていた。父親にも自分と同じ時代があったなんて思ってもいなかったという顔をして。あれがすべてとは思わないが、確かにきっかけだった。私がコードでギターを弾けると言ったら、梨恵はとたんに目を輝かせた。あの時の顔は、いまでも脳裏に浮かぶ。

最後のアルバム。大人になった梨恵。私に味噌汁のつくり方を教えて、枝実子が梨恵と二人で行ったハワイ旅行の写真もある。「五日も休めるわけないだろう。職場に迷惑をかける」私は二人の誘いを一蹴したのだが、実際は私がいなくても会社は困らない。休んで困るのは私のほうだ。意地を張らずに一緒に行けばよかった。いま考えれば、これがわが家の最後の家族旅行になった。

アルバムは後半で白紙になる。枝実子は結婚式のアルバムは別に用意するだろうから、次に貼られる最初の写真は、孫の顔だろうか。

孫――信じられない。梨恵が生まれたのだって、ついこの間のように思えるのに。

あの赤じゃがいもの、そのまた子どもを抱く自分を想像してみた。

それほど悪い気分ではなかった。

歳をとり、未来が少なくなることは悪いことばかりじゃない。そのぶん、思い出が増える。

それに気づくと、ほんの少し心が軽くなった。

6

生野に販促ツールの見積書をつくらせてみたのだが、まだ早かったかもしれない。私はキーボードを叩いて、作り直しをしている。販促ツールには単価の安い印刷物や製作物が多く、それぞれをどこの業者に任せるかによって、数字が大きく変わってしまう。業者の出してくる料金もあってなきがごとし。いままでのつきあいや仕事の総量しだいで、上げ下げは、あうんの呼吸だ。印刷会社やデザイン会社が出してきた数字を正直に並べてある料金表を、私は長年の勘を頼りに修正していった。数字自体は単純。計算機能を使うまでもない。
単価20円×個数60万、　１２００万円
単価７円×個数60万、　４２０万円
単価16円×個数60万、

キーボードを叩こうとした手がとまった。あれ？

16×６００、０００は――。

六六《ろくろく》、三十六。三十六に何を足すんだっけ？

パソコンのモニター画面がぼやけ、数字が二重に見えてきた。時刻は午後一時半。昼食後のこの時間には、いつも慢性的な睡眠不足のつけが回ってくる。頭がぼんやりしてうまく働かない。頭の中で数字の6だけがぐるぐると渦巻く。いったん迷いはじめると、六六、三十六という暗算式まで疑わしく思えてくる。

寝惚《ねぼ》け眼《まなこ》をしばたたかせた瞬間、答えがわかった。

なんだ、１０６０万じゃないか。

簡単すぎる計算というのは、往々にして妙な迷宮に迷いこんでしまうことがあるものだ。キーボードにその数字を打ちこんでから、間違いに気づいた。

違う。９６０万だ。

誰が見ているわけでもないのに、ばつが悪くて、あわてて削除キーを押したとたん、画面が凍りついてしまった。まただ。今日はこれで二度目のフリーズ。

オフィスで私が使っているパソコンは、部員たちが持っているノートパソコンではなく、机の脇のパソコンデスクに置かれたデスクトップだ。

別に部長だからといって、偉そうにそうしているわけじゃない。部員たちのものに比べたら、かなり旧式だ。まだ会社が一人に一台を徹底していない頃から置かれているもので、庶務課からも再三交換を迫られ、強制撤去されるのも時間の問題のしろものだった。メイン・クライアントである家電メーカーのかつての主力製品だから。それを口実に私はいまでも使い続けている。

私のため息を聞きつけて、右手のデスクから園田が覗きこんできた。

「やっちまったよ」

「これ、ハードの問題ですよ。そろそろ替えたほうがいいんじゃないですか？」

「わかってるんだけどさ。最初にこれで覚えちゃったから、なかなか他のをっていう気になれないんだよな」

安藤がいたら、またジジイ扱いするのだろうが、幸いヤツは家電のほうの仕事で不在だった。部のチーフの園田は、安藤のような失礼なことは言わない。機械に弱い私を気づかって、かわりに修復作業を始めてくれる。しかし園田はパソコンには毒づいていた。

替えたほうがいいに決まっているのに、なかなか思い切れない。私とそう世代の変わらない河村課長は別にして、ギガフォースの宣伝部員たちは、大切な情報もメールで送るだけで、電話連絡をしてくれないことが多いから、たびたび具合が悪くなるこのパソコンは確かに危険ではあるのだが。

園田のおかげでパソコンは修復し、夕方には見積書の打ち直しが終わった。時計の針はまもなく午後五時半を指そうとしている。さて、どうしよう。

今日は他に仕事はなく、接待の予定もない。過密なスケジュールの中に突然生じたエア・ポケットのような日だった。このところ夜遅く帰るのが当たり前になっているから、急に体が空《あ》くと、かえって困惑してしまう。

たまには部の連中を誘って飲みに行くのも悪くないか。彼らも今日は早じまいのはずだ。部員たちと酒を飲んだのは、プレゼンに勝利した日が最後だ。酒好きの安藤と園田は夜遅くなっても酒場へ向かうが、私は誘われても、つきあうのは数回に一度にしている。義理だけで誘ってくれているわけではないだろうが、彼らだって毎度私と一緒では息が詰まるだろう。そもそも割り勘というわけにはいかないから、毎回ではふところがもたない。

安藤が戻ってきた。五時半を過ぎた時計と私の顔を見比べている。やつにとってはお財布がわりの私が、酒に誘ってくるかどうかを窺っているのかもしれない。しかし、その隣の吉沢は目を合わせてこない。たぶん今日はデートだろう。私の誘いどころか局次長の誘いですら、都合が悪いときっぱり断る安藤と違って、おとなしい吉沢は断らない。だから、飲みに行くのはやめにすることにした。部下だけじゃない。上司だって部下に気を使っているのだ。

まっすぐ帰るとするか。たまには枝実子と二人で夕飯を食おう。用意してあればだけれど。

「俺は帰るぞ」そう言って立ち上がろうとした時だ。生野が電話を回してきた。

「部長、一番、ギガフォースの河村さんからです」

まいったな。河村氏は四十を過ぎて覚えたキャバクラ遊びが大好きなのだ。

「どうも、今日はまた――」

私の言葉は途中で遮られた。

――佐伯さん、どうしたの？

「は？」

河村課長の声は不機嫌そのものだ。嫌な予感がした。またキャンペーンに何か不都合が起きたのだろうか。

――あんた、なんで、そこにいるの？

まさかとは思ったが、キャバクラから酔ってかけているのではないかと疑った。河村課長を接待すると、二軒目ではたいていこんな調子でからんでくる。

「あの、河村課長、どういうこと、ですか？」

――どういうことじゃないでしょうが。打ち合わせですよ。ずっと待っていたのに。今日、五時に来てくれって言ったでしょう。

椅子から飛び上がりそうになった。あわてて手帳を開き、スケジュール表に目を走らせる。

『PM5：00　G・F　河村氏　交通広告その他』

確かにメモが残っている。一瞬、頭が真っ白になったが、すぐに安堵の息を吐いた。

メモの日付けは明日だった。そう、確かに明日のはずだ。前回の打ち合わせの後、次回は金曜日の五時にしてくれと河村氏が言ったとたん、気が重くなったことを覚えている。彼が金曜の夕方を指定するのは、終わった後にどこかの店へ連れて行けという意思表示だからだ。

どうやら河村課長は勘違いをしているらしい。私は彼を傷つけないように、努めて軽い調子で答えた。

「寿命が縮まるかと思いましたよ。脅かさないでください、河村課長。嫌ですよ、その打ち合わせなら、明日だと思いますけど？」

よくあることですから気にしないで、言外にそんな意味をこめて言ったつもりだったのだが、相手の怒りの火に油を注いでしまったようだった。河村課長がおろし金でガラスを擦るような声をあげた。

――なに言ってるの、それはすぐに変更したじゃない。次長の都合が悪いから、一日前倒しにしてくれって。あの時、佐伯さん、オーケーだって言ったでしょ。

頭から血の気が引くのがわかった。私にはまるで覚えがない。だが、河村課長の怒りようからみて、水かけ論をしている場合ではなさそうだ。相手はクライアント。どちらが正しいかなど二の次で、とりあえず謝罪するのはこっちだ。

「申しわけありません。すぐに伺います」

受話器を握りながら深々と頭を下げ、椅子の背にかけてあった上着をつかんだ。部員たちが全員、私に顔を向けてくる。

――いいよ、もう。次長怒って帰っちまったから。そのかわり、明日朝一《アサイチ》。いいね、必ず朝一だよ。

もう一度、謝罪の言葉を口にしたが、途中で激しい音とともに電話が切れた。

「どうしたんです。また何かあったんですか?」

安藤が心配そうな顔で問いかけてくる。プレゼン前に請け負ったパンフレットの仕事で、安藤は大きな誤植を見逃したばかりだった。

「交通広告の打ち合わせ、明日だよなぁ。河村さん、今日だって言ってきかないんだよ。困っちまったな。行き違いがあったみたいだ」

安藤がぽかりと口を開ける。

「ん? どうした」

「……いや、部長、打ち合わせは今日ですよ」

思わず顔を見返した。

「あの日、俺も一緒だったでしょ。最初は確かに金曜だったんですよ。でも、ほら、帰りがけに呼びとめられて、日にちをずらしてくれって、河村さんが……俺、木曜はNGですってと部長に言ったら、部長は俺が一人で行くからって……そうおっしゃってませんでしたっけ。さっき戻った時、部長がデスクにいたから、俺は、あれ、また変更になったのかなって思っ

「俺が？　……一人で行くって……そう言った？」

「……ええ」

まったく覚えがなかった。

「河村さんも、ひどいんですよ。エレベーターのところにいたら、ドアから手招きして、いきなり変更しろ、だったじゃないですか。俺、ちょうど部長に話しかけてたところだったから、俺が混乱させちまったのかもしれない」

安藤にしては珍しく、私をけんめいにフォローしようとしていた。ぼんやり聞き流してしまって生返事をしたのだろうか。しかし、河村課長の言葉どころか、安藤に一人で行く、などと言った覚えもなかった。

「いや、お前は関係ない。俺のポカだ。大ポカ。すまん」

ショックだった。打ち合わせに大きく遅刻したことや、どうしても間に合わず、キャンセルしたことは何度もあるが、打ち合わせの約束を忘れたことなど三十年近いサラリーマン生活で初めてだった。いや、それ以上にショックだったのは、自分が言ったという言葉を覚えていないことだ。

泥酔して気づいた時には自分の家のベッドで寝ていた。そんな朝の身悶《みもだ》えしたくなる不快感が私の体を苛《さいな》んだ。

7

ギガフォースの朝一である九時半を二十五分過ぎたが、河村課長はいっこうに姿を現さない。

応接コーナーからはフロア右手の宣伝部が見通せるのだが、河村氏は、始業十分前からここに座っている私を無視して、のんびりとパソコンを立ち上げ、どこかへ電話をし、いまは朝の茶をすすっている。確かに悪いのは私だが、少々大人げなくはないだろうか。

ようやくやって来た河村氏はいつも以上にぞんざいに椅子へ腰を落とし、健康サンダルをつっかけた足を組む。IT関連の子会社に来たとはいえ、彼は『家電祭り・お買い得フェア』で新商品名の入ったハッピと鉢巻き姿で「量販店様」の売り場の陣頭に立っていた頃と変わらない。

私は立ち上がり、腰を六十度に折った。

「ほんとうに申しわけありません」

「かんべんしてよ、佐伯選手」

佐伯選手——年上の私を「さんづけ」で呼びたくない時、昔から彼はこの言葉を使う。機嫌のいい時は、「どう調子は？　佐伯選手ぅ」などと言いながら肩をもんでくるのだが、今日は肩もみをしてくれそうな表情ではなかった。

「うちの次長、怒らすと後々たいへんだよ。僕、あの日、ちゃんと言ったよねぇ」

「ええ、うちの安藤が聞いていました。私のミスです」

私はもう一度謝罪の言葉を口にし、ほぼ直角に腰を折ったが、河村氏はそう簡単に許してくれる相手ではない。

「いいよ、いいのよ。お宅は別にうちの専属ってわけでもないし。いろいろ忙しいんでしょ。本社の仕事もあるだろうし。そっちの打ち合わせを優先しちゃったんでしょ」

「とんでもない。いま私はギガフォースさんにかかりきりですから」

「なら、どうしてさ。まさか本気で忘れたわけじゃないよね、僕の言葉」

「……まぁ、ちょっとした手違いでして」

言葉を濁した私に河村課長が笑いかけてくる。和解のための笑顔ではなさそうだった。

「そうかぁ、忘れちゃったのかぁ。それ、まずいよ、佐伯選手ぅ。老化現象だよ。僕も最近多いんだよね、物忘れ。年のせいかな。こっちの会社に来てからは、部下の名前がなかなか覚えられなくてさ。まぁ、課員が十人以上いるってこともあるんだけどね」

「河村課長はまだお若いじゃないですか」

確か彼は四つ年下だ。親会社では係長だった彼をここで呼ぶときには、肩書をつけることにしている。会話が世間話になったのをみはからって座ろうとしたが、下から顔を睨《ねめ》あげてきたから、もう少し立っていることにした。

「ま、いくら僕でも、さすがに打ち合わせの約束は忘れないけどさぁ」

「面目ありません」

ようやく腰を下ろし、一日遅れの打ち合わせのための書類を広げようとしたが、河村氏はなおも話題を変えようとしない。

「もう年かなぁ、僕たち」

僕たちと言われても、彼は冗談話ですむだろうが、私の場合、もう冗談ではすまない歳になりつつある。

「知ってる？　人間の脳味噌って二十歳を過ぎると一日に十万個ずつの細胞が消えちまうんだって。十、万、個だよ。恐ろしいねぇ」

「じゃあ、私はもう相当の数が消えてるってことですね。課長に比べたら、一億は減ってますねぇ」

私は顔に笑顔を張りつけて、彼の話に感心してみせる。営業はスマイルだ。

「一億？　二億じゃないの」

スマイル、スマイル。

「でもさ、忘れるってことは大切なんだって。この間、読んだ週刊誌に書いてあったよ。いらない記憶を捨てるってことは、頭の中の情報整理のひとつなんだって。全部を記憶しちま

う と量が多すぎて、情報を手際よく判断する力がなくなっちまうんだそうだよ。だから僕らぐらいの少し記憶力が鈍った年代の人間が、人の上に立つっていうのは、必然なんだよねぇ」

「なるほど」彼との約束は、いらない約束だったのかもしれない。

「まぁ、そういうわけで、今回の件は忘れるから。ところで佐伯選手、六本木のキャバクラの話は覚えてる？　芸能人がよく行くって店。あそこへ連れて行ってくれるって約束のこと」

「もちろん、覚えてます」

できれば手際よく忘れたいのだが。

日記。

大学ノートの表紙に、そう書こうとして、深夜、誰もいないダイニングテーブルの上で、ひとり苦笑してしまった。

これじゃあ、まるで子どもの宿題だ。ウイスキーのオン・ザ・ロックをひとすすりして、またサインペンを手にとる。ペンは枝実子がキッチンのホワイトボード用に使っているものだが、ノートは今日、文房具屋で買った。表紙が灰色、背が黒。私の学生時代からあるシンプルな大学ノートだ。

突然、日記めいたものを書こうと思い立ったのがなぜなのか、自分でもわからない。日記なんて、それこそ子どもの頃の宿題以来だ。

河村氏が言うように老化現象なのだろうか、最近の物忘れのひどさに辟易《へきえき》しているからかもしれない。人間の記憶が案外に不確かなことを思い知らされることが続くと、なんだか不安になってくる。

いまこの時を書き留めておかないと、永遠に失われてしまう気がしてくるのだ。もう少しの間、他人の妻ではなく私たちの娘である梨恵のこと、プレゼンに勝利した瞬間の高揚。何かの拍子に漏らす、うちのコピーライターたちに聞かせたいほど的を射た枝実子のせりふ――書き残すべきことはたくさんありそうだ。

とはいえ一行も書いていないうちに、タイトルでつまずいているのだから世話はない。

別に引き出しの奥に鍵をかけて保管するつもりはない。枝実子の目に触れても構わない。そういうものにするつもりだ。だから、よけいタイトルに悩んでしまっている。

ダイアリィ。ちょっと気取りすぎの感はあるが、英文で事務的に書いておけば、悪くはないかもしれない。

手にとったペンが宙で止まった。

ＤＩ――あれ、綴りが思い出せない。ＤＡ――だっけ。英語は昔から苦手だ。私が入社した頃はＴＯＥＩＣなどなかったから助かった。

そう、これをワープロではなく手書きにすることに決めたのは、字を忘れないための訓練にもなると考えたからだ。漢字には少々自信があるのだが、キーボードばかり使っていると、どんどん忘れてしまう気がする。

身辺雑記——これも、もうひとつか。そんなおおげさなものじゃない。些細な身のまわりの出来事を忘れないための道具。備忘録みたいなものだ。

ん？　備忘録か——いいじゃないか。懐かしい響きだ。控えめで、シンプル。これにしよう。「忘に備える」いまの私にはぴったりの気がした。

大学ノートの表紙にサインペンで大きく書いた。

『備忘録』

筆ペンで書きたいところだが、あれは苦手だ。パーティや結婚式の出席簿では、いつもミミズのダンスになってしまう。タイトルの下に「①」と添える。これから先も、ずっと続けるという決意をこめて。そして、三日坊主で終わらないことを祈りつつ、最初の一ページを開いた。

8

十月九日

この備忘録を書き始めて、今日で四日目。三日坊主、無事突破。

毎日、キーボードを叩いているばかりで手書きで長い文章を書くことがめっきり減った為か、なかなか新鮮だ。眠れない夜の暇潰しには最適。安藤は漢字が書けないことをキーボードのせいにしているが、私は思っていた程でもない。フッフッフ。もともとの習得量が違う。

今日も職場のパソコンがフリーズ。園田が修復をはかってくれたが、データは戻らず、バックアップを取らずに続けていた昨日からの仕事がふいになった。いよいよお別れの時か。パソコンを使っていると時々思う、突然のフリーズや削除で消えた夥しい量の文字やデータはいったい何処へ行ってしまうのだろうかと。パソコンの中で無数のさまよえる霊になっているのだろうか――。

まぁ、どうでもいい。酔っている訳でもないのに、夜は妙なことを考えてしまう。

帰宅途中、薬局に寄りアフターシェーブとともに睡眠改善薬を購入。注意書きによると、服用中はアルコールは禁物だとか。というわけで素面でこれを書いている。

十時過ぎ、梨恵から電話あり。新婚旅行は渡辺氏の仕事を兼ねて、イスタンブールからエーゲ海を巡るつもりと言う。そんなこと、いちいち報告しなくて宜しい。どこへでも行け。イスタンブールでも、ウラジオストクでも、ブルキナファソでも。

9

目が覚めたのは、午前九時。久しぶりの休日だった。例によって酒の力を借りて強引に眠りについたのは明け方近くだったから、二度寝としゃれこみたいところだが、私はふとんをはね上げて階段を下りた。

「おはよう」

キッチンから枝実子が声をかけてくる。

「おはよう」

ダイニングテーブルからも声。梨恵だ。昨日から帰ってきている。ひとり暮らしをしているといっても、遠くで暮らしているわけじゃない。勤め先は都内だ。「インテリア・コーディネイター」の仕事は夜遅くなることが多いから、横浜まで帰るのはたいへん」それが、梨恵が会社の近くにマンションを借りた理由だった。いま考えるとどこまでほんとうだったのかわからないが。食器を洗っていた枝実子が振り返った。

「もっと寝てればよかったのに。今日は寝かしておこうと思って、二人で先に朝ごはん、すませちゃった」

朝食を終えたテーブルで、コーヒーカップを手にしていた梨恵が私をしげしげと眺めてくる。目の隅が笑っていた。

「少し痩せた？　なんだか顔がちっちゃくなっちゃったみたい」

　昨日も私の帰宅は遅く、梨恵とは会っていなかった。

「いや、そのぶん腹が出てきたから、たぶん体重は変わらないよ。そう言うお前は、太ったか？」

　憎まれ口のつもりだったのだが、すぐに何の効果もないことに気づいた。

「そりゃあ、そうよ」

　梨恵はお腹をさすってみせる。五カ月。私の目にはまだめだつほどには見えないのだが、枝実子は「ちょっと尖ってる感じだから、男の子かもしれない」などと気の早いことを言っている。式は予定日の二月《ふたつき》前、来年の一月に決まった。

「ねぇ、お父さん、クルマ貸して」

　たまに帰ってきたかと思えば、これだ。

「だめだよ。赤ん坊がいるんだろう」

「運転ぐらい平気よ。私の知り合いには、旦那さんが出張している時に陣痛が始まっちゃって、自分でクルマを運転して病院に行ったっていう人だっているもの」

「どっちにしても、だめ。今日は出かけるんだ」

「どこ？」

「どこだっていいじゃないか」

キッチンの枝実子が私のかわりに答えてしまった。

「陶芸教室」

「うわっ、まだやってるの」

「まだって……いまお前の飲んでるコーヒーカップ、底を見てみなさい」

梨恵が覗きこむ。そこには銘として、私の名前、雅行《まさゆき》の最初の一文字、「ま」が入っている。

「お、まーくんマークだ」

「どうだ、自信作だ」

ろくろを使わず手びねりでつくってみた。古代壁画風を狙った絵付けには少々失敗して子どもの落書きのようになってしまったが、発色はまずまず。

「うーむ。若い頃にやってたって聞いた時は、シブいと思ったけどねぇ。いまはハマりすぎ。シブすぎる。親父くさいよ」

そんなことはない、私が通っている工房の生徒は大半が女性で、若い女の子も案外に多い。

そのことを言うと、

「お父さんがやってるのと意味が違うんだよ。若いコたちはカルチャー。お父さんのは手習い」

「どこが違うんだ」ああ言えばこう言う。素直じゃない。この性格は誰に似たんだろう。

陶芸を始めたのは、ずいぶん前だ。学生時代の友人の児島《こじま》に誘われて、奥多摩にある民窯を訪ねたのがきっかけだった。土を練り、かたちにし、絵や模様をつけて、焼く。それだけの単純作業で、土練りは慣れないと翌日腕があがらなくなるほどの肉体労働だ。人からは何が面白いのかと言われたりもするが、私はすっかり夢中になってしまった。

結婚したばかりだった枝実子を誘って窯場に行ったこともある。しかし、一時は自分用のろくろを買おうかと思いつめたほどだったのに、梨恵が生まれると、すぐに週末の行き先は窯場よりもっぱら近所の公園や遊園地になり、しだいに足は遠のいて、いつしかまったく足を向けなくなった。

再び始めたのは、二年前だ。きっかけは児島の死だった。

四十八歳。肝臓癌だった。酒もあまり飲まず煙草もやらない男だったのだが。彼が陶芸を続けていたことは知っていたが、何度も工芸展で入選を果している、アマチュアとしては名の通った陶芸家になっていたことは、自宅で営まれた通夜の席で初めて聞かされた。話せば陶芸のことをきれいさっぱり忘れていた私が、悔しがると思っていたのだろうか。

児島は自宅の一部を改装して本格的な工房をつくっていた。入院さえしなければ、初めての個展を開く予定だったそうだ。

児島の奥さんは、柩《ひつぎ》の中に彼の入選作のひとつを一緒に収めた。窯から出て生を受けた陶器が、再び火葬場の窯で無に還《かえ》る。それを目《ま》の当たりにした時、ふいに思ったのだ。もう一度、始めてみようかと。

児島は癌の告知を受けておらず、死の間際まで個展の延期を悔しがっていたそうだ。子どもがいない気楽さで、定年後は奥さんと二人で田舎に引っこみ、自分の窯場をつくるのが夢だったらしい。病床でも回復を疑わず窯場の設計図を描いていたという。その話を聞いた夜、枝実子に言った。私の時には必ず告知して欲しいと。

葬式の翌週、隣町で見つけた工房の生徒になった。最初は長いブランクが心配だったが、不思議なもので手が覚えていた。教室に通えるのは月に一度か二度で、古株のおばさんたちにも後れをとっているぐらいだから、二十数年前と同様、初心者の域を脱しない腕前なのだが。

土をこねていると、無心になれる。粘土細工の至福だ。窯に入れた器が出てくるまでは、どんな具合に完成するのかわからない。自分のつくった器が窯出しされる瞬間の胸のときめきは、プレゼンテーションに勝利する以上のものがある。遺志を継ぐなどと大それた気持ちはないが、いつかは児島の域まで達してみたい、いまはそう思っている。

トーストをかじっていると、ふいに梨恵が聞いてきた。

「そういえば、どう、直也さん」

相手の男のことだ。少し前まで渡辺さんと呼んでいたのに、いつのまにか私の前でも下の名前で呼ぶようになった。

「どうったって、初対面ってわけじゃないし。特に何も」

「心配だったけど、この間も二人で結構話をしてたものね。気が合えばいいなって思って」

カップの縁を口にくわえたまま、私の表情を覗きこんでくる。

渡辺直也は、気のいい男だ。我ながら自慢が過ぎたはずの広告業界の話に興味深そうに耳を傾け、私がワインをしこたま飲んでしまい、枝実子が運転に不慣れだと知ると、自分のクルマを梨恵に預けて家まで送ってくれた。私のことをお父さんと気安く呼んだりもしない。あの男の欠点は、結婚相手の父親に反対理由を思いつかせない気の利かなさだろう。

「今日、帰るのか？」

「ううん、会社はいま忙しくないから、しばらく泊まっていく。そのつもりで荷物も持ってきた」

「どうせ、食費を節約して、新居の家具を買う足しにする魂胆だろう」

「さすが、鋭いなぁ」

梨恵はそう言うが、二週間前も突然戻ってきて、何日間か家にいた。最後の親孝行のつもりなのかもしれない。

「そうだ、お前もやってみろよ。面白さがわかる。一緒に工房へ行くか？」

「ごめん、今日はお母さんと式場に行くの。衣装選び」

「ああ、そうだったっけ。マゴにも衣装って言うからな、せいぜい衣装でカバーしてくれ」

「そうする。高いドレスを借りるお金を出してくれたら、カバーできるかも。お父さんに似ちゃったんだから、責任とってもらわないと」

そんなことはない。私に似たのは顎《あご》の形だけ。後は枝実子の遺伝子だ。枝実子がそうだったように、親の欲目ではなく梨恵はウェディングドレスが似合いそうだった。

「あなたこそ、私たちにつきあわない。直也さんは来れないみたいなの」

枝実子まで最近は渡辺さんではなく、直也さんだ。

「俺が行ってどうするの?」

「それはそうだけれど」

本当は行ってみたい気もしたが、素直じゃない年寄りの私は、首を横に振った。


回転している土の中に左手の親指を入れ、ゆっくりと引き上げる。

小さなくぼみに今度は右手を差し入れ、少しずつ穴を広げていく。ひとさし指と中指で、つまみ上げるように土を立ち上げる。左手は土の外側を軽くはさむ。

私は息をつめた。電動ろくろは回転が速い。ちょっと呼吸が乱れると、柔らかい土はたちまち形を崩してしまうのだ。

手の中でただの土塊《つちくれ》が少しずつ器になっていった。いまつくっているのは大ぶりの湯呑みだ。湯呑みは陶芸の基本中の基本。しかし他のどんな分野でもそうだが、基本がいちばん難しい。技量の差が一目瞭然に出てしまう。

形がきまったところで、糸切り。回っている器の下部に糸を巻いて、土から切り離すのだ。ここで気を抜いたのがまずかった。ろくろの回転をセーブしながら切り離さなければならないのに。

微妙な角度に傾かせるつもりだった器がピサの斜塔になってしまった。工業製品にはない「歪み」は陶芸品の魅力だが、私の器の歪みは、どう見てもただ歪《いびつ》なだけだ。

だめだ。また失敗。

ろくろの前に置いていた、ひとまわり小さいサイズの湯呑みの隣に並べてみる。うーむ、やはりだめ。ふたつの湯呑みがそれぞれに勝手な曲線を描いてしまっている。

小さいほうの湯呑みはすでに素焼きを終え、下絵付けもすませている。野花を描いた露草文。あとは本焼きを待つだけなのだが、私はこれを窯に入れるかどうかも迷っていた。

「どうですか、佐伯さん」

体験入学の中年女性グループの面倒を見ていた木崎先生が、いつのまにか私のかたわらに立っていた。この教室の主宰者なのだが、まだ四十代の手前、青年の面影を残す新進の陶芸家だ。数々の作品が日本伝統工芸展に入賞しているが、それでも陶芸一本で食べていくのは難しいのだそうで、古い民家を借りた自宅兼用のこの工房を開放し、生徒を教えている。

「うーむ、難しいですねぇ。手びねりでもろくろでも、湯呑みは店が開けるほどつくっているのに、納得できるものはひとつもない」

「湯呑みは単純に見えて、奥が深いんです。僕もいまだに悩みますもの。でもね、大切なのはその気持ちですよ。いまだ納得できない。九十歳の巨匠だって同じことを考えていると思いますよ。何をつくっても、まだまだ、もっともっと、そう思うから陶芸を続けていけるわけですし、少しずつ作るものが良くなっていくんです」

木崎先生は褒め上手だ。私など、この世界の巨匠とは悩んでいる次元が違う。

「いや、そんな殊勝な心がけじゃないんです。このままじゃ、この器は人に使ってもらえないだろうなと、心配で。特に私がつくったとバレてしまえば」

誰にバレるんです、そう言って笑いながら先生が小さいほうの湯呑みを取り上げた。

「これ、今日、釉薬《うわぐすり》をかけておいてもらえれば、焼いておきますよ」

「どうしようかなぁ。まだ試作品のつもりなんですけど」

「一応、焼いておきましょうよ。佐伯さん、最近はつくってはこわしたり、ほっぽり出したままだったり、そればかりでしょう。やっぱり陶芸をやるからには、焼き上がりにどきどきしなくちゃ。そのほうが僕も儲かるし」

陶芸教室では授業料の他に、粘土代と、成形した器を窯に入れて焼く時に素焼き、本焼きそれぞれの焼成代をとられるが、私の知るかぎり木崎陶芸工房は相場よりかなり安い。若いのに仙人のような雰囲気を漂わせた木崎先生が、わずかな焼成代を本気で稼ぐつもりなどないことは、もちろんわかっていた。

「じゃあ、お願いします」

再びろくろに向かいかけてから、私は床も壁も土と絵の具で汚れ、陶芸用具が雑然と並んだ部屋の一角を眺めて言った。

「どうやったら、ああいうふうにできるんだろう」

そこには、見事な黒釉枝垂桜文《こくゆうしだれざくらもん》の壺がごみ箱として置かれている。

「ああ、あれは失敗作です。でも、捨てるのも忍びなくてね。登り窯で焼いたものだから」

登り窯というのは、鎌倉時代から存在する伝統的な陶芸用の窯だ。傾斜地にいくつもの焼成室が連なる造りで、一室から二室、二室から三室へと火が昇っていくしくみになっている。燃料として大量の薪が必要で、「電子レンジの時系列的熱効率」などではかり知れないほど温度調節が難しく、何日も火の不寝番をしなくてはならないから、最近はプロでも使う人間は減っているが、陶芸をしている人間には憧れの存在だ。

木崎工房では、都市部にある他の陶芸教室と同様、コンピューターで火力をコントロールする電気式の窯を使っているのだが、木崎先生のそのまた先生が登り窯を持っているそうで、先生は、何が基準なのかは私にはわからないが、インスピレーションが湧いた器は、遠いそこまで行って焼いている。

「やっぱり違いますか？」

「うーん、どうなんでしょう。違うという人もいれば、かえってマイナスという人もいる。僕の師匠は他の窯でなんか焼けないって言いますけど、それは自分のつくる物に合わせて窯をこしらえたわけだから。他の人の場合はどうかなぁ。コンピューター制御ができないですから、面倒が増えるだけかもしれません。でもね、時々、確かにとんでもなく面白いものが焼けることがあるんですよ。自然の妙って言うんですかね。僕があそこで焼く時は、気合を入れるためというか、原点に戻ろうとしているというか――自分でもわからない衝動なんですけど。なにより、楽しいんですよ。たとえ作品はうまくいかなくても、あの焚き火をしているような感覚は、一度経験してしまうとやめられないんです」

「ふーん、羨《うらや》ましいな」

心からそう思った。若い頃、窯場通いをしていた時に、登り窯で焼いてもらった経験はあるが、窯には触らせてもらえなかった。

「じゃあ、佐伯さん、一度、登り窯の窯焚きを一緒にやってみませんか」

「いいんですか？　ほんとうにお願いできます？」

「ただし、二、三日は火の前ですよ。炎との格闘。顔が火ぶくれになることを覚悟してもらわないと」

「かまいません、やりますやります。火ぶくれなんてなんのそのです。どうせもう酒焼けしてますから」

そう言うと先生は笑った。

そうだ、二つの湯呑みは登り窯で焼くことにしよう。年末になれば、仕事も一段落してまとまった休暇も取れるだろう。

私はまた新しい土を盛り、ろくろを回しはじめた。急ぐことはない。来年の一月までに湯呑みを二つ完成させればいいのだ。私は梨恵たちの結婚祝いに、手作りの夫婦《めおと》茶碗を贈るつもりだった。

10

「電通の契約金は三百億を超えるんじゃないかって話ですよ――」

園田がカツ丼の大盛りをかきこんでいた手を止めて箸を振り回した。来年、更新をするメジャーリーグの放映権料の話だ。

「スケールが違いますものねぇ。日本のプロ野球選手の年俸が上がっていると言ったって、メジャーリーガーに比べたら、安いもんです」

三百億の話をしながら、一杯九百円のカツ丼に食らいつく。羨ましい食欲だ。部では私につぐ年齢とはいえ、まだ三十九。ほんの何年か前までは私もカツ丼は好物のひとつで、注文する時には接尾語のように「大盛り」とつけ加えたものだが、いまはもうだめだ。このきつねうどんすらもてあましている。園田に尋ねた。

「松井の年俸ってどのくらいなんだ。イチローより上？」

今年、ニューヨーク・ヤンキースに行った松井の話を始めたのは、野球好きの園田のほうだ。私も深夜、眠れない時にメジャーリーグ中継を観ることがあるから、にわか知識ながらあいづちは打てた。さっきまでメジャーリーグのホームランバッターが描くアーチの美しさや、遊撃手の球さばきの華麗さや、自分たちが野球少年だった頃の思い出話をしていたのに、すぐに生臭い話になってしまう。サラリーマンはこれだから困る。

「イチローは今年契約更改なんですけど。確かゴジラ松井のほうが上だったような。七億かな」

「七億！　俺たちじゃ一生かかっても稼げないな」

「来年、松井稼頭央がメジャーへ行くとしたら、もっと上かも――」

突然、園田の声が遠ざかった。

目の前の風景がゆがみ、そして揺れはじめた。

蕎麦屋の壁にかかった品書きが、右にかしぎ、左にかしぐ。小上がりの柱がぐにゃりと曲がった。

最初はひどい地震が起きたのかと思った。だが、店内の誰にも騒ぐ様子はない。園田はカツ丼のどんぶりを手にしたまま、平然と話し続けている。手から力が抜け、箸を落としてしまった。

「どうしました？」

「ああ、いま目の前が、ぐらぐらしちまって。なんだろう。立ちくらみに似てるけど、ちょっと違うな」

「目眩《めまい》じゃないですか？」

「目眩？　そうか、これがめまいって言うのか。初めてだよ」

ほんとうに初めての体験だった。目玉が自分の意志に反して勝手に動きだしたかのようだった。

「僕なんか貧血気味ですから、よくありますよ。だいじょうぶですか？　ずいぶん顔色が悪いようだけど」

「うん、もうだいじょうぶだ」

だいじょうぶではなかった。目の異常は鎮まったが、今度はこのところ定期的に続く頭痛が始まった。

「疲れてるんですよ。ここ一、二週間、部長は僕らより帰りが遅いでしょう」

「最近、よく眠れないんだ。そのせいかもしれない」

園田はよけいなことは言わない男だ。安藤のように「年寄りだから、朝早く目が覚めちゃうんでしょ」なんて憎まれ口は叩《たた》かない。

「ストレスが原因じゃないですか、それ。ストレスをためこむといろんなところに出ますから。ほら僕も去年、新規のクライアントを受け持った時、円形脱毛症になってしまって」

その話は聞かされていたが、気づかなかった。そもそも園田は髪全体が乏しくなりはじめているから、脱毛症になっても他人にはわからない。

広告代理店の営業を長くやっていると、どこかしら体をやられる。営業部にはγ《ガンマ》－GTPが三桁を超えている人間がごろごろいるし、定期健診のたびに胃袋の穴を発見される人間も多い。私はもともと内臓がじょうぶなのか、胃潰瘍になったことはないし、酒量が多いわりには、ガンマも基準値の上限近くに踏みとどまっている。

「戻って、少し休みます？」

私はこめかみを押さえて答えた。「平気だよ。すまん、なんの話だったっけ」

「ああ、メジャーリーガーの年俸です。めっぽう高くて、羨ましいっていう次元を超えてるって――」

「うん、すごいよな。ところで松井の年俸ってどのくらいなんだろう。イチローより上かな？」

園田が妙な顔をした。七億です、とそっけなく答えて話を続けた。

「でもアレックス・ロドリゲスなんか、もっととんでもない。二十三億ですから」

アレックス・ロドリゲス？　誰だっけ。

11

十月十五日

昼から雨。ＰＭ１：００、ギガフォースにてキャンペーン媒体計画の打ち合わせ。またも変更。新聞広告は当初、朝・読・毎・日経各紙に15段広告を打つ予定だったが、二紙・10段に変更とのこと。ＴＶＣＭも15秒スポットがメインになりそう。15ｄ用カンプを幾通りも用意していた粟野、怒る。

帰社途中、軽い目眩。今週はこれで三度目。休暇をとれ、無理をするなと、枝実子は言うが、人間、無理をしなければならない時もある。

睡眠改善薬、全く効果なし。服用中は酒を飲むなとの注意書きを守っているうち、ＡＭ３：００を回ってしまった。製薬会社の忠告を無視して、オン・ザ・ロックを飲みながらこれを書いている。

木崎先生より連絡あり。湯呑みがいい具合に焼けたとのこと。今度の週末は休めそうだから、さっそく見に行かねば。あれはまだ試作品。何度か試してみて、いままでにない器を焼いてみようと思う。

失態がひとつ。夜、薬局に寄ったついでに、数日前からアフターシェーブ・ローションが切れていることを思い出して、買って帰ったら、洗面所の棚の中にちゃんと新品が置いてあった。枝実子が気を利かせたのかと思って尋ねてみたら、知らないと言う。私が買ったのだろうか。覚えがない。

園田の話では、物忘れもストレスからくるそうだ。この程度の忙しさやストレスには慣れているつもりだったのだが。

たった一歳年をとっただけなのに、四十九までは考えてもいなかった「老い」という言葉が、最近、重くのしかかってきている。

かつては自分の体は自分のものだった。しかし、だんだん自分の体に裏切られることが多くなってきた。この体は本当は自分のものではなく、誰かからの預かりものではないのだろうかと思えてくる。

12

私が三十三歳の時に横浜の郊外に建てた家は、会社から一時間ちょっと。ＪＲのターミナル駅で私鉄に乗り換えるのが少々面倒なのだが、コンコースに並ぶ店が遅くまで開いているのには助かっている。

その夜、私は久しぶりにコンコースの一角の書店へ立ち寄った。どれほど効果があるかわからないが、睡眠薬がわりの本を買って帰るつもりだった。

コミック本に店の好位置を占拠され、隅に追いやられている文芸書コーナーには、食指を動かすものはなく、すぐに実用書の棚に移った。陶芸の本、あるいは釣りの本、どちらかを買うつもりだった。釣りはしばらくごぶさたで、釣り竿と道具一式はガレージの隅で埃をかぶっているが、釣りは実は行く前がいちばん楽しいのだ。本を読み、狙う魚とそのためのしかけをあれこれ考えるだけで、気分が浮き立ってくる。

趣味関連の本が並んだ一角の隣は、家庭医学という表示がつけられた棚だ。気になって足をとめた。

『心療内科Ｑ＆Ａ』『精神科にかかるには』『ココロの病気の処方箋』『のびのび心のストレッチ』

最近、この手の本をよく目にするようになった。たいていがソフトなタイトルで、装丁も妙に明るい雰囲気のものが多い。暗い洞穴を無理やりイルミネーションで飾り立てているように見えなくもなかった。

一冊を手にとってみる。本の帯の「不眠・めまい・倦怠感を感じたら」という言葉が目にとまったからだ。

鬱病に関する本だった。タイトルは『うつ病なんかこわくない』。怖かった。鬱病は心の風邪のようなもの。そんな冒頭の説明のあとに記された初期症状例に思い当たる節が多かったからだ。

不眠。目眩。全身の倦怠感。物忘れ。集中力不足。よくため息をつく。

いや、思い当たる節どころじゃない。読み進むと、どれもが私にあてはまる気がした。信じたくはなかったが、このところの心身の不調は、老化現象というより、心の病気だと考えたほうが納得がいった。閉じた本は棚に戻さず、レジへ持っていった。

そういうわけで、私は午前二時を過ぎたいまもその本を読んでいる。不眠について書かれた本で眠れないというのは、妙な話だが。本はそこそこの厚さだが、イラストが随所に入った簡潔な内容で、私はすべてを読み終えてから、もう一度、必要と思える箇所を読み返していた。

鬱病による不眠は、熟睡感がなく、朝早く目覚めてしまうことが多い。鬱にかかると性欲が減退する――そう言われると、今度は素直にうなずけない気もしてくる。私の場合は夜眠れないかわりに、朝はなかなか起きられない。確かに枝実子とはここ二カ月ほどごぶさただが、朝勃《あさだ》ちはいまでもある。

背中でドアが開く音がした。

「まだ眠れないの？」

振り向くと、パジャマにカーディガンを羽織った枝実子が立っていた。若干白髪が混じりはじめているとはいえ、乱れた髪が私には妙に煽情的に映った。ごぶさたの私を誘惑するつもりではないとは思うが。

さりげなく本を閉じたのだが、寝ぼけ眼《まなこ》のくせに妻というものは鋭い。動作のぎこちなさを簡単に見破って、私の手もとから本をかすめとった。本にはカバーをつけてあるが、中扉に記されたタイトルを見たのだろう。半開きだった目をぱちりと開けた。

「あらぁ、何を読んでいるのかと思ったら」

「仕事の参考資料だよ。今度、製薬会社を担当することになってさ」

「嘘おっしゃい。気になるのなら、そんなものを読むより、少し仕事を休んだら。あなたがいなくても、優秀な人たちがいるでしょう。安藤さんとか園田さんとか」

以前、酔った彼らを家に連れて帰ってきたことがある。安藤はさんざん騒いだ末にリビングのカーペットにゲロを吐いてしまったのだから、たぶん皮肉だろう。

「あと半月、いや一カ月は無理だ。新しいクライアントが軌道に乗るまで、もう少しかかる」

二カ月かもしれない。河村課長は、あい変わらず些細な用件でも、昔なじみの私を呼びつけ、ふた言めには、プレゼンで君たちを推したのは自分だと、真偽のほどは不明の、恩きせがましいセリフを口にする。

本をぱらぱらとめくっていた枝実子が言う。

「ねぇ、思いきって病院へ行ってみない。ほら、ここに書いてある、正しい診察を受けることが大切だって」

「いやだよ、体裁が悪い」

「そんなに構えることないわよ。タナベさん、知ってるでしょ。あの人なんか、眠れないとか動悸がするとか、それだけの理由で、こういう病院にかかってるわよ。心療内科っていうのもあるらしいけど、そこだとカウンセリングが中心なんですって。ちゃんとおクスリをもらうには、こういうところのほうがいいって言ってた」

こういうところ、と枝実子が言うのは、著者がその科の権威だからだろう、本が再三勧めている専門医のことだ。昔に比べたら、ずいぶん敷居が低くなっていることはわかっているが、やっぱり気がひける。少なくともサラリーマンは、会社の人間には言いづらい。

精神科に通っています、とは。

13

十月十八日

病院へ行く。ちゅうちょしたが、やはり睡眠薬を処方して欲しくて、結局、精神科を受診することにした。

土曜の午前中の大学病院等に行くものではないと、つくづく思った。ロビーはラッシュアワー並みの混雑だ。とはいえ重症に見える患者は少ない。ことに老人たちはみな元気そうだ。

担当医は三十そこそこだろう。自分の体と命を委ねる人間であるという意識の為か、私にとって医者というのは長らく自分より年上というイメージがあったが、最近はたいていが年下だ。自分の子どもぐらいの年齢の医師が診察室に現れても、驚くことはなくなった。

脳のCTスキャンとMRIを撮られる。自分の頭蓋骨を生まれて初めて見た。なるほど、私の顔が角張っているのは、頭蓋骨が四角いからだと知る。

所見の範囲では特に異常なし。正式な検査結果は後日とのこと。睡眠薬をと訴えたが、処方されたのはより軽い安定剤だけだった。やや不満だが、思っていた程の症状がなさそうなことに安堵する。

14

午後、木崎工房へ。つゆ草文の湯のみを見る。まずまずの出来ばえ。しかし、これはまだ試作品だ。来年までにこれはというものをつくらねば。

オフィスの机の上に、ノートパソコンが載っていた。生野が声をかけてくる。

「あ、それ、さっき届きました」

たび重なるフリーズに、さすがに不安になって、会社に新しい機種の手配を依頼していたのだ。数日前にもギガフォースから送られてきた大容量の添付ファイルが開かずに大あわてをした。

「やっぱり、もう、あれはだめか」

誰にともなくぼやくと、園田が答えた。

「しかたありませんよ、寿命です。もうメモリがいっぱいいっぱいでしたから。古いタイプは、多少無理してパワーアップしても、結局容量不足で、いまの状況についていけなくなっちまうんです」

新しく支給されたノートパソコンを開いてみた。ギガフォースの親会社の新製品。私が長く使っていたデスクトップに比べると、頼りないほど小さいが、キーボードの配列はそつなく機能的で、デザインははるかに洗練されている。まるで上司や得意先の眉をひそめさせない程度に薄く髪を染め、高価であることを気取られずにソフトスーツを着こなしている、うちの会社の若手社員のようだ。自分で請求した品なのに、なんとなくよけいなことをするな、と思ってしまうのはなぜだろう。

「あ、部長、データの入れ替え、もし何でしたら、お手伝いしましょうか」

園田がそつなく声をかけてきた。

「いつもすまないねぇ」

場所ばかりとって、面倒ばかり起こすと評判の悪かった私のデスクトップパソコンは、「廃品」という貼り紙とともに通路に出されていた。誰が書いたのか、貼り紙の隅にはこんな落書きがされている。

「good-for-nothing」

TOEICを受けたら惨憺《さんたん》たる成績だろう私にもわかる英語だった。

『役立たず』

15

私は精神科の待合シートに座っていた。病院はこれで三度目だ。CTとMRIの正式な検査結果に問題はなかったにもかかわらず、前回は新たに血液検査とSPECTという検査をした。今日はその結果を聞きに来た。どうせなら大きいところの方がいいだろうと、大学病院にかかったのだが、失敗だったかもしれない。たびたびめまいが起こることを強調しすぎたからかもしれないが、検査がどんどん大げさになっている。私は自分よりはるかに若い医師のモルモットになってしまった気分だった。

「まだかしらねぇ」

隣に座った枝実子が言う。今朝、なぜか突然、私についてくると言いだしたのだ。私はさっきから何度も繰り返しているせりふをまた口にした。

「なんでお前が来るんだよ」

「家にいても、あれだし」

「あれってのは、なんなんだ」

「あれはあれよ。あなただって心強いでしょ、あたしと一緒のほうが」

お気楽な口調を装っているが、診断に三回も要していることに枝実子も不安になっているらしい。当の本人である私のほうが慰めた。

「心配するなよ。最近の医者は、なんでも大げさにするんだ。インフォームド・コンセントが足りなかったって、訴訟ざたになる時代だから、患者を脅すだけ脅すんだよ。杞憂《きゆう》ってやつだな。頭の上から空が落ちてくるんじゃないかってびくびくしてる。かわいそうに」

「なにわけのわかんない強がり言ってるの」

待ち続けて一時間半、ようやく名前を呼ばれた。枝実子がついてこようとするのを押しとどめて一人で診察室へ入った。不安がないと言えば嘘になる。私が心配だったのは、会社をしばらく休めと言われることだった。

もう顔なじみになった医師が椅子をすすめる。デスクの前のビューアーにはSPECTとやらで撮られた画像がすでにセットされていた。ＣＴと変わらない脳の断面画像だ。

若い医師は画像を見つめたままでいっこうに話しかけてこないから、年長者の厚かましさを発揮して、私のほうが先に口を開いた。

「先生、どうなんでしょうかねぇ」

医師が私の言葉に押されるように声を上げた。

「正式な診断をする前に、もう少しだけよろしいでしょうか」

まだ検査があるのか。だが、苦い顔をするひまもなかった。看護婦が私に顔を上向けるように指示し、目薬を点眼した。医師がペンライトで私の目を覗きこんでくる。いままでとはあきらかに違う種類の検査だった。

私の目をしばらく覗きこんでから、医師はカルテに何かを書きつけ、硬い口調で言う。

「もうひとつ、簡単なテストをさせてください」

「まだ何か検査が？」

急に不安がふくらんできた。枝実子がついてくると言い張ったのは、ひそかに病院から連絡があったからではないか、そんな考えが頭をよぎった。告知が必要な病気？　二年前に死んだ児島を思い出した。癌か？

「簡単な問診です。いまから私の質問に答えてください」

私が頷くと、医師はデスクから一枚の紙を引っ張り出し、私に見えないように手もとに立てて読みはじめた。思わず身構える。どんなことを聞かれても動揺しないつもりだったが、医師の質問は、私が想像もしなかったものだった。

「まずお歳を聞かせてください」

「は？」

「年齢を教えてください」

何を言いだすかと思ったら。私は露骨に不機嫌な顔をしてみせた。カルテを見ればわかることじゃないか。

「五十歳です」

「ここはどこですか？」

「病院」ぶっきらぼうに答えてから、たまらずに言った。「これは何の検査です？　私の頭がおかしいとでも？」

医師は困惑した表情になった。

「申しわけありません。くだらないとお思いでしょうが、決められたテストなんです」

ストレスによる不眠――私はそう診断されるものと高《たか》をくくっていたのだが、そうはいかないようだった。思い切って尋ねてみた。

「私は鬱病なんですか？」

「いいえ、よく混同されるのですが、違うと思います」

じゃあなんなのだ。そう言おうとする前に、医師がまた問いかけてきた。

「次の三つの言葉を覚えてください。いいですか――」

こちらが頷く前に、言葉を続ける。

「あさがお、飛行機、いぬ」

腹が立ったが、椅子を蹴って帰るわけにもいかない。復唱してやった。

「あさがお、飛行機、いぬ」

「これに関しては、後でまた質問しますので、とりあえず次へ行きます。いいですね」

「いいですとも」むりやり快活な声をあげる。「はい、次、どうぞ」

その後もこんな調子の質問が続いた。「知っている野菜の名前をできるだけ挙げてください」「100ひく7は？　そこからまた7をひくと？」

いい加減にしろ。幼児のIQ検査じゃあるまいし。これはいったい何のテストなんだ。私は返答の声が尖ってしまうのを、もう隠さなかった。

「今日は何曜日ですか？」

土曜日に決まっている。今日は午後から出社だ。CFのビデオコンテの試写に立ち会う予定がある。だから早い時間に来たのだ。

土曜日です――そう言いかけて、ビデオコンテはすでに先週観ていることを思い出した。

あれ？　じゃあ、今日は？

昨日は会社に出た。しかしこのところ休日出勤はあたりまえだから、今日は日曜か？　いや、明日は陶芸教室に行く予定があった気がする。ということは祝日？　私は昨夜もつけたはずの日記の日付けと曜日を思い出そうとした。

頭の中は真っ白だった。何を書いたかも覚えていない。うなじから嫌な汗が噴き出してきた。医師が私の顔を覗きこんでくる。私の目の奥に何があるのかを確かめようとするふうに。そして、同じ質問を繰り返した。

「何曜日ですか？」

間違った答えを口にしたら、とんでもないことになる。なぜかそう思えて、思いつくままの回答はできなかった。答えられずにいる私に医師がさらに質問を浴びせてくる。

「では、今日は何月何日ですか」

私はあわてて声をあげる。

「ちょ、ちょっと待ってください。急に言われたって困ります。ど忘れしてしまって――」

苦しまぎれの言い訳をする私を、医師は表情を変えずに見つめ返してくる。ＭＲＩ画像を見るのと同じ目をしていた。

「あなただって、そういう時はあるでしょう」

私は完全に混乱していた。この医者が不意討ちを食らわすようなことをするからだ。医師は何か書きつけをし、それから私には見せないように立てた紙を判決文であるかのように淡々と読み上げる。

「これから私が言う数字を逆に言ってみてください。いいですか、二、七、四」

「逆？　四、七、二？」

「八、三、五、九」

「九、五……次は……あれ？……二、ですか？　二……それから七？」

「では、さっきの三つの言葉を思い出して、言ってみてください」

さっきの言葉？　さっきの言葉？　さっきの言葉？

まったく記憶にない。

「さっきの、言葉？」

「ええ、植物、乗り物、それから動物の名前を挙げたのですが」

植物？　そうそう植物だ。私は頭の中を探った。すみれ？　さくら？　四文字だった気がする。コスモス？　ひまわり？　つゆくさが頭に浮かんだ。

「つゆくさ、ですか」

否定も肯定もせず、医師は「わかりました」とだけ言い、あとの二つの名前は聞こうとしなかった。それがますます私を不安にさせた。今度は机の上にモノを並べはじめる。

自分の腕からはずした時計、ペン、名刺、ピンセット、ハンカチ。

「これをよく見てください」

私の頭の中身を試すテストであることは間違いなかった。しかも私はそれに失点を重ねている――。机の上の品々を食い入るように見つめ続けた。医師はいきなりＳＰＥなにがしの画像が入っていた大きな封筒をその上に載せる。そして私の目を捉えた。

「机に並んでいたものは、なにとなにでしたか？」

もう腹を立てるどころじゃない。即座に答えた。

「腕時計」

「他には？」

他に？　五つの品物の位置とかたちをくっきりとした映像にして頭に叩きこんだはずなのに、私の頭の中からは、いつのまにかその映像がかき消えていた。フィルムを忘れた映写機のように。

「……鍵、です……それからペンライト……あとは……あとは……」

医師は長くは待ってくれなかった。タイムアウトを告げるかわりに、机から封筒を取り去った。

机には、鍵もペンライトもなかった。

違うんだ。叫び出したかった。いつもの私は、違う。こんなではない。たまたま今日は体調が悪いのだ。医者が表情のない顔で感情のない声を出した。

「ご家族の方は来ていらっしゃいますね」

私は頷く。頷いたきり椅子から立とうとしないのを見ると、看護婦がドアの外の枝実子を呼びに行った。

入ってきた枝実子は硬い表情だった。やっぱり、知っていたんだ。事前に連絡を受けていたのだろう。泣き出しそうな顔をしている枝実子に、私は無言で問いかけた。

俺は、いったい、何の病気なのだ?

医師が私の目を見ずに言った。

「まだ確定ではありません。しかし、申し上げておいたほうがいいと思います」

「……癌ですか」

なぜか、私の口からは、そんな言葉が飛び出した。枝実子が喉の奥でかすかな悲鳴をあげたのがわかった。

「いえ」

医師は片手を振って即座に否定する。だが、それは私を安心させる動作ではなかった。表情は厳しいままだった。

私の顔と枝実子の顔を見比べて、それから医師は言った。

「おそらく若年性アルツハイマーの初期症状だと思われます」

頭の上に、空が落ちてきた。

16

駐車場まで、どうやって歩いたのかよく覚えていない。頭の中は医師から告げられた病名のみで満たされ、繰り返し繰り返し、頭痛の疼きのようにリフレインし続けていた。

気づいた時にはクルマの前に立っていた。考え事をしながら歩いている時にはよくあることだ、といままでの私なら気にも留めなかっただろうが、いまは大学病院のエントランスからここまでの数分間の空白が恐ろしかった。

診察室を出てからのことは覚えている。枝実子と二人で待合ロビーへ行き、受付カウンターの前で支払いの順番待ちをした。毎日、大量の患者が訪れるこの病院は、カウンターの上に巨大な電光掲示板があり、何十人分もの受診番号が表示される。以前、しつこい発疹でこの病院の皮膚科にかかった時とまるで変わらない。たとえ病名がどうであれ、支払いの順番はすべての患者に平等だ。発疹でも風邪でも捻挫でも肝臓癌でもアルツハイマーでも。正確な診断を下せるまでは見合わせたい、担当医はそう言い、薬は処方されなかった。

枝実子とはしばらく何も話さなかった。私は言葉を失っていたし、枝実子は声が潤んでしまうことを恐れて口をつぐんでしまっているように見えた。医師は私たちに病名を告げた後、血液検査の結果が出ていないこと、ＳＰＥＣＴという画像を複数の医師の目で検討しなければならないことを理由に、最終的な結果は次回に伝えたい、と言った。

「確定診断が難しいのです。脳梗塞などに比べて表には出にくい病気ですので。特に初期の場合、形態的異常がCTやMRIなどでは発見しづらく、多角的に診断する必要があるのです」

あいかわらずの無表情で、専門書を棒読みするような口調だったが、私には動揺する中年夫婦に懸命に言い訳をしているようにも聞こえた。

ロビーの固いソファに座った私が最初に考えていたのは、妙なことだった。さっきのテストを、もう一度やりたい、だ。今日の日付けも、曜日も、幼児に対する知育テスト並みの記憶力問題にも答えられなかった私は、そのことに混乱していた。

いきなりだったから動揺しただけだ。自分に病名の診断が下されようとしている不安定な精神状態で、まともに答えろというほうが無理だ。記憶力以前の問題だ。フェアじゃない。もう一度同じテストをすれば、きっとうまく答えられるはずだ。

無実の罪で尋問され、自分の意ではない事実をむりやり自白させられた人間というのは、きっとこんな気分だろう。俺は違う。俺は、潔白だ――。

今日が何曜日であるかは、診察室を出てすぐに思い出した。廊下を歩きはじめたとたん、一時停止してしまっていた脳味噌に、かちりとスイッチが入ったのだ。

火曜日だ。

昨日、新しいタレントの起用を前提にしてつくり直したギガフォースのCMの再プレゼンが終わった。土日もその準備に追われていた私と安藤と生野は、交替で休みを取ることにしたのだ。今日は前々から午前中に病院を予約していた私の番。ビデオコンテの試写を見るために午後から出社したのは先週の土曜日で、陶芸教室へ行くのは休みが取れるだろう今週の日曜日だ。

体を動かし、違う場所へ移動したためだろう。歩き出したとたん、手品師がシルクハットから取り出すように、消えていた記憶が次々と蘇ってきた。たぶん、休日出勤が続いていたから曜日の感覚がなくなっていただけだ。誰にだってあることじゃないか。そうだろう？

電光掲示板に並んでいた四桁の受診番号が消え、新たな番号が映し出される。私の順番はまだだった。行き場のない私の胸の重いしこりは、いつしか医師への憤りに変わっていた。

あの医者はだいじょうぶなのだろうか。おそらく枝実子は事前に病院から連絡を受けて私についてきたはずだ。確定ではないと言いながら、妻を呼び、病名を告げる。そんなことが許されるのか。次の診察日まで私や枝実子がどんな思いで過ごさなければならないか、わかっているのだろうか。彼らにとっては、ごく日常的で事務的な、業界用語に等しい病名なのだろうが、言われたほうはたまらない。広告マンが「まだ確定じゃないが、おそらく再プレゼンテーションがあるだろう」などというのとはわけが違う。

不眠とめまいを何とかして欲しくて病院へ来ただけなのに、あんな若い医者に当たってしまった私が不運なのだろうか。まだ三十そこそこに見える。梨恵の婚約者より若いかもしれない。月並みな診断に退屈して勝手に人を重病人に仕立てあげているんじゃないのか。精神の病を抱えているのは向こうのほう、ということだってありえる。白衣の下にはTシャツを着ていた。Tシャツ姿で人に言わないで欲しい。お前はアルツハイマーだ、などと。

どのくらいそうしていただろう。先に口を開いたのは、枝実子のほうだ。

「1041よね」

私の受診番号のことだ。私の答えはひと言だけ。

「うん、1041」

二人とも重い現実を受け止めきれずに、心の別の置き場所を探していたのだと思う。混乱と怒りが通り過ぎてしまうと、帽子のように脱ぎ去っていた感情が、私の頭に戻ってきた。恐怖だった。

私は受診番号が記された紙片に目を落とし、書かれている数字を読んだ。それを握りこみ、頭の中で復唱する。1041。

手のひらを開いて、それが間違っていないことを確かめる。合っている。だいじょうぶ、俺は正常だ。

頭がその数字だけで満たされ、恐怖が再び帽子かけに戻るまで、何度もそれを繰り返した。

1041。1041。1041。1041。

だいじょうぶ、俺は正常だ。だいじょうぶ、俺は正常だ。だいじょうぶ。

枝実子がまた、ぽつりと呟いた。

「まだ確定じゃないって、言ってたわよね、お医者さん」それがすべてを解決する魔法の呪文であるように、もう一度同じせりふを口にする。「まだ確定じゃないって」

返事をしたかったが、言葉を思いつくことができなかった。頭の中では複数の人間が会話をしているように、ばらばらな考えが、浮かんでは消えていた。

そう、まだ確定じゃない。「おそらく」と言われただけだ。

いや、あれは、九十九パーセントは確定だが百パーセントじゃない、そんな口ぶりだった。違う。最近の医者は、後で言質《げんち》を取られたくないから何でも大げさに話すんだ。言葉ばかり先走ったインフォームド・コンセントの悪《あ》しき習慣だ。自分でさっき枝実子にそう言ったじゃないか。

インフォームド・コンセントのことを言うならなおさらだ。後で撤回しなくちゃならない言葉を口にするはずがない。

否定と肯定、楽観と悲観が交互に去来する。私の脳裏には、営業部の第二会議室を思わせる窓のない部屋が浮かんでいた。灯《あかり》がついておらず、薄暗い。長テーブルを挟んで座った二人の男がディベートを続けている。

悲観派が囁《ささや》くように言った。

じゃあ、医者の質問に答えられなかったのはなぜだ。

楽観派が潜めた声で答える。

あんな小学校の入試問題みたいなテストで何がわかるんだ？　曜日を忘れてしまうことなんて、よくあることじゃないか。

ほんの数分前に聞いた、たった三つの単語を忘れるのも、よくあることか？

いや、いまならきっと答えられるはずだ。曜日も思い出した。

確かに今日が火曜日であることは思い出した。でも、お前は肝心なことを頭から締め出そうとしている。じゃあ、今日は何月何日だ？

今日は――。

傍観者であるようにディベートを覗いていた私は、そこで会議室のドアをぴたりと閉ざし、再び受診番号シートを握りしめた。

１０４１。１０４１。１０４１。

俺は正常だ。俺は正常だ。俺は正常だ。

まだ確定じゃない。まだ確定じゃない。まだ確定じゃない。まだ確定じゃない。

クルマのキーはいつもと同様、ズボンの右のポケットに入れたはずだった。私は診断テストの続きをさせられている心持ちで、おそるおそるポケットに手を突っこんだ。キーは確かにそこにあったが、抜き出した私の手は震えていた。

「ねぇ、私が運転しようか」

背後で枝実子が喉から詰め物を押し出すように言う。私の喉は蓋をされたままで、またしても返答の言葉が出なかった。

「ここからの道なら、私のほうが慣れてるし」

なぜそんな必要がある――そう言いたかったが、言葉より先に体が動いてしまった。キーに伸ばしてきた枝実子の腕を手荒く振り払う。枝実子が目を丸くした。

思わず自分の手を見つめてしまった。まるで他人の手に思えた。二十五年間、私は妻に手をあげたことはおろか、荒々しく扱ったこともない。

「……すまん、だいじょうぶだ。本当にだいじょうぶだから」

シートベルトを締め、イグニッション・キーを回し、ギアを入れ、ハンドブレーキを解き、ゆっくりアクセルを踏みこむ。いつもの動作がなぜか教習所の教官に採点されているように思えた。私はことさら慎重にクルマを発進させ、何度も左右を確かめてから路上へ出る。もう目を合わせなくてもすむ助手席の枝実子に、ずっと聞きたかったことを聞いた。

「病院から連絡があったのか？」

「え？」

ルームミラーの中の枝実子は首をかしげてみせたが、口もとは硬くこわばっていた。私はミラーに下げたマスコット人形へ話しかけるように言った。

「だから、急に一緒に行くって言いだしたんじゃないのか？」

枝実子が何か言いかけてから、唇を引き結ぶ。次に口を開いた時には、言葉ではなく小さく息を吐き出しただけだった。二十五年も夫婦をやっていればすぐわかる。言葉にしかけたのは、私を安心させるための嘘。その次に漏らしたのは、それが無駄だと知った、あきらめのため息だ。

「先週、電話があったの。でも、家族の人も一緒に病院へ来てくれって、そう言われただけ。検査の結果も病気の名前も私は聞いてなかったのよ」

ギガフォースへの再プレゼンを控えた先週は、またもや残業と休日出勤の日々に戻り、もう何日も枝実子と顔を合わせるのは朝だけだった。話をするにしても、いつも開いた新聞ごしだったが、いま思えば、ここ数日、枝実子の様子はどこかおかしかった。昔からよく喋り、快活なタイプではあったけれど、その明るさがどことなくつくりものめいたもののようだった。

医者は次の診察日を、私にではなく枝実子に伝えていた。もしかしたら、枝実子を呼んだのは、私が診察日の日付けを忘れてしまうのを恐れたためだろうか。

表通りへ出ると、すぐに赤信号につかまった。ウインドウでマスコット人形が揺れる。このクルマに買い換えた時からさげている梨恵の修学旅行の土産だ。

「それだけ？　他には何か聞かれなかったか？」

今度はまっすぐ枝実子の顔を見た。また唇が開きかけてから、閉じる。女のくせに心を表情の下に隠すのが下手なのは、知り合った頃と変わらない。枝実子がいつもより低い声で言った。

「……ご主人は告知を受け入れる方ですか、って。電話をしてきたのは、たぶんさっきの若いお医者さんだと思う。あなたに前から聞いてたとおり、私は、『はい』って答えた」

告知。

まだ確定じゃない――その言葉にすがっていた私は、しがみついていたロープが切れる音を聞いた気がした。信号が青に変わったとたんにクルマを急発進させてしまった。枝実子が小さく悲鳴をあげ、マスコット人形が身悶えするように揺れた。

頭の中で再び囁き声が始まった。

ほら、やっぱりだ。告知。告知だ。告知だったんだ。

違う。まだ確定じゃない。確定じゃないんだ。

枝実子が自分の言葉を吹き消すようにため息をついた。

「だけど、よかった。私、もっともっとひどい病気だと思ってたから。告知してもいいのかって言われた時、すぐに頭に浮かんだのは、癌。普通そう思うもの」

つくった快活さであることはすぐにわかった。晴れやかな声を出すのに失敗して、枝実子の声は裏返っていた。

「なんで頭のレントゲンを撮ってるのに、癌が出てくる」

せっかくの気持ちに応えるために、私も軽口を叩く調子で言葉を返したのだが、こちらもうまくいかなかった。

「だって癌はどこで発見されるのかわからないのよ。私の友達の旦那さんなんか、乳癌だったのよ。男の人なのに。それに比べたら――」

枝実子がまたおおげさと思える吐息をついた。

「よかった、ほんとうに。しかも、まだ決まったわけじゃないでしょ。確定じゃないんですもの」

呪文の言葉を繰り返し、それから私の横顔に視線を向けてきた。

「それに……もし、もしも、そういう病気でも、だいじょうぶ。きっと治るから」

きっと治る――もちろん私だって、そう思いたかった。しかし、私はアルツハイマーに関しては、他人より少しは詳しい。アルツハイマーは治療して回復する病気じゃない。基本的にいまの医学では治癒不能だ。それはよく知っている。私の父が同じ病気だったからだ。

父が発病したのは十四年前、七十一歳の時だった。父は中堅の機械製造メーカーを定年退職したのちも、しばらく顧問として会社にとどまっていたが、七十歳になったのを機にそれを辞し、母や兄夫婦と暮らす家で本格的な隠居生活を始めた矢先だった。

昔から几帳面な人で、会社を辞めてからも、毎朝それまでと同じ時刻に起き、出勤時間になると、サラリーマン時代の服装からネクタイを除いただけの姿で散歩に出るのが日課だったそうだ。

毎日きまって一時間で散歩から戻ると、服を着替えて植木の手入れ。午後からは趣味のへらぶな釣り、釣れても釣れなくても午後五時には家へ戻り、植木に水をやり、夕食をとる。不肖の息子と違って、酒はほとんど飲まない。昔からそうだったが、毎晩きっかり午後十時に床につく。それが隠居した父の毎日だった。母はよく「お父さんを見てれば、時計はいらない」と笑っていた。

異変に気づいたのは義姉《あね》だった。

その日は母が不在で、義姉が父のぶんまで昼食を用意していた。食事ができたことを知らせるために、散歩から帰り、植木の剪定をしているはずの父を呼んだが、庭にはいない。二階の居室にも姿がなかった。

父は玄関にいた。ノーネクタイのスーツ姿で。きちんと磨かれた革靴に靴べらを通して、義姉にこう言ったそうだ。

「これから散歩に行ってくるよ」

無口な人だから、それ以上は何も言わずに出ていった。義姉も最初は、単なる気まぐれだと思ったらしい。

いつものように一時間ちょうどで父は戻ってきた。義姉の用意した遅い昼食をとり、部屋に戻った父が、しばらくすると玄関から声をかけてきたそうだ。「出かけてくる」と。義姉が見送りに出ると、釣り竿と富士笠と長靴という、へらぶな釣りへ行く時の支度を整えているとばかり思っていた父が、スーツ姿で立っていたそうだ。

「これから散歩に行ってくるよ」

義姉は黙って見送るしかなかったそうだ。

その日以来、父は日に何度も散歩に出かけるようになった。時には深夜や早朝にも。へらぶな釣りに一日に二回行くこともあったという。母が止めるといったんは納得した様子で部屋へ戻るのだが、気がつくといつの間にか玄関に立ってこう言う。

「出かけてくる」

だが、それも長い期間ではなかった。父はほどなく、「自分がいつ散歩や釣りに出かけたのか」だけでなく、いつもの散歩のルートやへらぶなの釣り場の記憶も失い、外出しても立ち往生するか、すぐに戻ってきてしまうようになった。すると、今度は一転、家から一歩も出なくなった。部屋からも。アルツハイマーと合併することが少なくない鬱病が始まったのだ。

最初の診断は、会社を辞め、生活環境が変わったことによる一時的な心因性の症状ではないか、というものだった。まだ七十代になったばかり、新しい生きがいを見つければ治るだろう、近所のかかりつけの医者はそう言ったそうだ。

その年の正月、私が数年ぶりに実家へ帰ったのは、父のことがあったからだが、その時にはもう、一時的などという生易《なまやさ》しいものではないことが明らかだった。父は私にこう言った。「どうだ、勉強は？　今年こそ大学に合格しろよ」と。一緒に行った枝実子はしばしば義姉と間違われ、「耳かきはどこか」と聞かれていた。父は外出しなくなったかわりに、一日に何十回も耳掃除をするようになっていた。出血してもやめようとしない。一時間おきに石鹼を使って洗顔をするために、顔は真っ赤に爛《ただ》れていた。

母親はよけいな心配をさせたくないと言って、枝実子には多くを伝えてはいない。自分の夫がアルツハイマーであることを他人に知られたくなかったのかもしれない。私にも必要以上のことは話さなかった。しかし、兄からはたっぷり話を聞かされている。枝実子も薄々わかっているはずだ。アルツハイマーがどんな病気か。

アルツハイマーは単に記憶がそこなわれていくだけの病気じゃない。人格も失われていくのだ。父もそうだった。温厚な人だったのに理由もなく怒り出したり、わけもなく人を疑うようになった。正月に帰った時も、母や義姉が飯を出してくれないと、食器を片づけたばかりのテーブルの前で私に何度も訴えた。家に長くこもるようになってからは、目の光と、声の張りと、表情を失った。

施設に入るより自宅介護のほうが症状を抑制できると言われたにもかかわらず、父は急速に悪化していった。義姉に続いて孫たちを忘れ、私や兄や自分の亡くなった妹の名で呼びかける。他人だと思って鏡に映った自分に話しかける。病的な洗顔が治まったと思ったら、逆に入浴も着替えもしなくなり、大小便を垂れ流すようになった頃には、兄は昔の戦友になった。最後は母も忘れ、毎朝起きると、同じ部屋にいる母の顔を不思議そうに眺めて、「あなたはどなたですか？」と声をかけていたそうだ。

七十五歳で亡くなった時の直接の死因は、急性肺炎だったが、私は知っていた。もしあのまま体に不調がなかったとしても、数年後にはアルツハイマーによって命を奪われていただろうということを。父が発病したのをきっかけに知り得たことがいくつかある。そのひとつは、アルツハイマーが、死に至る病だということだ。言葉や思考に続いて体の機能も奪われていく。体が生きることを忘れていくのだ。

大学病院がある市街地を抜けて、県道に入った。

私と枝実子にはもう口にすべき言葉がなかった。何かを話す気力はなかったが、沈黙も怖かった。私に下されようとしている病名が、頭の芯で商品名を連呼するＣＭのようにしつこくリフレインしていた。発見した医師の名前だと聞いたことがある。私のイメージでは、背が高く、骸骨のように痩せた体を白衣に包んだ、陰気な青い瞳のドイツ人だ。

カーラジオをつけ、ＤＪのけたたましいはしゃぎ声で車内を満たした。ゲストとして呼ばれたタレントの大食い癖に関するどうでもいい話に真剣に耳をかたむけ、意識は前方の道と車両だけに集中させた。クルマはいつしか走り慣れた場所にさしかかっていた。

『すごいんだよ。焼肉をひとりで二十人前も食べてさ、そのあとラーメン食いに行きませんか、だもんね』

前方に大型トラック。車間距離じゅうぶん。信号は青。その先は赤、赤、赤……。

『ラーメン屋でも当然大盛り。もちろんチャーシューメンだよ。こいつの体からはきっと背脂がたっぷりとれるよ』

左の自転車に注意。頭上に標識。国道まであと二キロの表示。

私はこびりついて離れない病名を意識から引き剝がし、頭の中に用意した大きくて頑丈なトランクに詰めこんで、カギを掛けた。河村氏の言うとおり。物忘れはマイナスばかりじゃない。いらない記憶は捨て去れ、だ。

突然、枝実子が声をあげた。

「あなた、そこ、左!」

あわててブレーキを踏む。後ろからクラクションが飛んできた。

ウィンカーを出し、すでに車体が半分突っこんでいる交差点を左折する。枝実子がカーラジオを止めた。

「考え事はやめたほうがいい。うちに帰ってから話をしましょ。いまはクルマの運転」

「ああ、わかった」

枝実子にはそう言ったが、私は考え事などしていなかった。ちゃんと道も信号も見ていた。この間、梨恵たちとの食事の約束に遅れた時と同じだ。見慣れているはずの街並みが、知らない場所に思えてしまったのだ。いつもここを左折する時の目印にしている信用金庫の看板が、意味不明の中国語のようにしか目に入らなかった。

「ねぇ、やっぱり運転代わろうか」

「いや、だいじょうぶ」

本当にだいじょうぶだろうか。私の頭の中でまたしても、二人の男が会話を始めた。真ん中のテーブルには大きなトランクが置かれていた。部屋は薄暗く、男たちの首から上ははっきりと見えないのだが、二人とも私と同じ顔をしているはずだ。

右の私が言った。

だいじょうぶだ。あんなインターンに毛の生えたような医者に何がわかる。

左の私が言った。

いいや、若い医者のほうが信頼できる。親父のアルツハイマーをなかなか発見できなかったのは、最初に見せた医者が、自分自身も半分ボケかかったような年寄りだったからだ。

想像の中のテーブルに載った想像のトランクが、かたかた鳴った。

左折してすぐ信号につかまった。シートにもたれて目を閉じた私には、いまや彼らのいる部屋の壁に大きな時計が掛かっていることまでわかった。

ただの想像の光景にしてはやけに鮮明だった。広告屋だからなんでも映像にしてしまうのだ、そう言って片づけたいところだが、制作《クリエイティブ》ではなく営業である私のふだんの想像力のレベルを超えている気がする。二人の私は、いつも私がプレゼンの時に着る紺スーツを身につけていた。

過労だよ。最近、河村氏に振り回されすぎだ。そろそろギガフォースの仕事は部下たちに振り分けよう。園田にも家電のほうだけじゃなくて、ギガフォースを手伝ってもらうべきなんだ。

楽観派の私の言葉を、悲観派の私が笑う。

人のせいにしたってだめだ。心のどこかではわかっていたはずだ。あの医者からアルツハイマーという言葉を聞いたのは、初めてじゃなかったはずだ。覚えているだろ。最初の診察の時にこう聞かれたのを。「ご家族の中にアルツハイマーに罹った方はいらっしゃいませんか」って。聞き流して、忘れようとしていただけだ。知っているはずだ。アルツハイマーは、遺伝するんだ。

いいや、アルツハイマーは遺伝病なんかじゃない。遺伝性はごく稀《まれ》。親父の時に気にして自分で調べていたじゃないか。第一、まだ決まったわけじゃない。正確な診断が下るのは来週だ。

親父だって、大きな病院に連れていってからも、アルツハイマーだってわかるまで時間がかかった。思い出してみろよ。十三年前の兄貴の言葉。『でもな、雅行、まだ検査が残っている。親父がアルツハイマーだって、正式に診断されたわけじゃないんだ』

右の私には、もう言い返す言葉がなかった。

17

寝室に時計の音だけが続いている。私はため息をついて寝返りを打った。不眠にはもう慣れっこだったが、今夜の場合、とくに酷い。

長くまぶたを閉じていることができなかった。眠れないのではなく、眠るのが怖かったのだ。朝、起きた時、自分がまったく知らない場所——自分の家であることを忘れてしまった場所——で目覚めるような気がして。

いま何時だろう。時刻を確かめるのは、とっくにやめていた。私は時計の音に耳を澄ましていた。寝室の壁に掛かったアナログ時計の音だ。一秒ごとに何かが断ち切られるように聞こえる。何が切断されているのかはわからないのだが。

眠るのを諦めてふとんを抜け出し、立ち上がると、枝実子の背中から声が飛んできた。

「お願い、お酒はやめて」

さっきから私が寝返りを打つと、向こうも打っていた。まだ眠ってはいないだろうとは思っていたが、やっぱりだ。

「ね、ちゃんと診断してもらうまでは、やめて。まだ確定じゃないのよ」

「わかっている、飲まないよ。まだ確定じゃない」

自分のためと言うより、枝実子のために二人の呪文の言葉を唱えて部屋を出た。

二階には寝室のほかに廊下を隔てて二部屋がある。結婚してすぐ梨恵が生まれたにもかかわらず、私たち夫婦は第二子に恵まれなかった。枝実子の子宮筋腫が原因だったのだが、この家を建てる時にはまだ二十代だった枝実子は出産を諦めてはおらず、結局、私も同意して子ども部屋を二部屋つくることにした。予想どおり、ひとつは夫婦の空白だけが居すわり続ける部屋になった。

空いている部屋は、いつの頃からか納戸を兼ねた私の書斎になっている。より正確に言えば、私の書斎を兼ねた納戸。桐箪笥《きりだんす》や収納ボックスや季節物の道具類に占拠された残りのわずかなスペースに、私のライティングデスクが余剰家財のひとつのように置かれている。枝実子に言わせれば、ここにしまってあるのはまだまだ使えるものばかりで、いくつかを梨恵に持っていかせようと考えているらしい。

ライティングデスクの引き出しから睡眠改善薬を出す。私にはあまり効果がないようで、途中で服用をやめてしまったから、まだ半分ほど残っている。

出してはみたものの、医者も処方箋を出さなかったぐらいだから、妙な薬は飲まないほうがいいのではないかと考え直して、結局引き出しへ戻し、備忘録だけを抱えて階段を下りた。せっかくの書斎だが、私はなぜかダイニングルームのほうが落ち着く。

ダイニングテーブルに備忘録を広げたが、習慣的にそうしただけで、何かを書く気にはなれなかった。今日一日のことは備忘どころか、すべて忘れ去ってしまいたかった。

ウイスキーを飲む時に愛用しているオールドファッショングラスに麦茶を注ぎ、ひと息で中身を半分に減らし、その日の最初の酒をあおった時と同様に大きく息を漏らす。空気より重い何かが澱んでいた胸が、少し軽くなった。

残りの麦茶をロックを飲《や》るようにすすりながら、いままで書いた日記を読んでみる。いつも書きっぱなしで、きちんと読み返すのは初めてだった。

新しい日付けから逆に日記を遡《さかのぼ》り、それぞれの一日を思い出そうとした。自分の頭が正常であることを確認するために。

心配するほどのことはない。案外に覚えているものだ。人間の記憶というものは不思議だ。まったく忘れてしまっている事柄もあるにはあるが、ほんの短い記述が手がかりとなって、書かれてはいない情景や他人の言葉まではっきりと思い出せる事柄もある。

忘れてしまっているのは仕事関係。とくに河村課長がらみ。彼の言葉であるらしい「広告宣伝の仕事は、十人の舵取りがいる航海」というせりふはどういう脈絡で聞いたのか、そもそもどういう意味なのか、さっぱりわからない。

よく覚えているのは梨恵が我が家に戻ってきた時のこと。現金なもので私の書いた文字も文面も心なしか躍っている。陶芸に関する記述も、短いものばかりだが、多くの言葉はなくても、その時の気分の高まりを思い出すことができた。人間の脳というのは、手や足と違って、持ち主のあずかり知らないところで判断を下したり、情報の選択をしたりしているものなのかもしれない。

最近は数行で終わらせてしまうことが多いのだが、書きはじめたばかりの頃は詳細な描写が多い。その日に購入したモノまで書き残している。

書きはじめて数日目の記述に愕然とした。

『帰宅途中、薬局に寄りアフターシェーブとともに——』

その一週間後の日記の中で、私がいつ買ったのか首をかしげているアフターシェーブ・ローションのことだ。ずっと前の買い置きだとばかり思っていた。

私は日記に書いたことまで忘れているのか？　しかもたった一週間前のことを？　酔っていたわけじゃない。その日の記述には『素面でこれを書いている』という文面もある。

こめかみをわしづかみにして、指に力をこめた。残りの少ないチューブを絞り出すように。つかのま重しがとれていたと思っていた胸が、またもや息苦しくなってきた。部屋の空気の密度が急に薄くなったようだった。私は大学ノートを閉じ、それが忌まわしいものであるかのようにテーブルの端へ滑らせた。

気にするな。たいした問題じゃない。誰にだって、あることだ。もういい。読み返すために書きはじめたわけじゃない。もうやめよう。ただの備忘録だ。読み返すな。

初めて時計を見た。ダイニングの時計の針も世界の小さな終焉を告げ続けている。午前二時十五分。思っていたほど遅い時刻じゃない。

キッチンへ行き、流しの収納扉を開け、引き出しをかき回し、食器棚を漁った。小さくて丈の低い小物類を選び出して、ダイニングテーブルに並べた。全部で五つ。追試だ。昼間、医師に試されたテストをもう一度、やってみるつもりだった。

テーブルの上の品物を十秒間ほど見つめた。それから広げた新聞紙をかぶせる。

医師がそうしていたように部屋の時計を眺めて十秒間待ち、記憶している品々を声に出して挙げてみた。

「スプーン」

これは確かだ。ダイニングの照明を映して鈍く光っていたイメージが、残像となってはっきりと焼きついている。

「栓ぬき」

これも合っていると思う。やや反則気味だが、凝った装飾を施した真鍮製で、手に取った時のずしりとした重量感を指先が覚えていた。

あとは――

次が出てこない。脳裏に刻んだはずの光景を蘇らせようとしたのだが、まるでフィルムを入れずにシャッターを押してしまったように、何も浮かんでこなかった。新聞紙ごしに透かし見るように目を凝らしたが、やはりだめだった。

もう一度、反則をした。キッチンを漁っていた時の記憶を呼び起こしてみる。何を手にし、何を残したか——さらに混乱した。

凝視していた新聞紙の見出し文字が二重に見え、報道写真の中のアメリカ大統領の顔が、こちらに近づいたり遠ざかったりしている。テーブルが左右に歪んで揺れはじめた。このところ悩まされ続けているめまいの前兆だ。

「コースター、小鉢、ワインオープナー」

私は思いつくままを口走り、新聞紙を取り去った。

言ってみるものだ。コースターがある。栓ぬきもあった。これで二つ当たり、四十点。

小鉢ではなく、ぐい呑みだった。これは半分減点で十点か。

ここまでで五十点。合格ラインは六十点だろうか。

しかし、スプーンはどこにもなかった。

私が記憶に刻んだと思いこんでいた金属の光はどこにもなく、テーブルには似ても似つかないプラスチック製の楊枝と、並べた覚えすらないキッチンタイマーが載っていた。

当たってなどいやしなかったのだ。全部偶然と反則だ。

白昼夢さながらに浮かんでくる薄暗い部屋が、再び頭の中に現れた。目を閉じなくても見える。これは心象風景なんかじゃない。たぶん妄想だ。そう気づいても止めることはできなかった。

部屋にはもう二人の私はいない。長テーブルに大きなトランクだけが置き忘れられたように載っている。壁に掛かった時計の音まで聞こえるが、針がどこを指しているのかはわからない。

トランクがことりと鳴り、鍵がはずれる小さくて甲高い音がした。蓋がゆっくりと開く。何かが這い出てくるのがわかる。現実であればトランクに入るはずがない大きさの何か——。そこで再び私の視野にダイニングテーブルが戻ってきたが、私には這い出してきたものの名前がわかっている。

アルツハイマー。針金のように痩せた陰気な眼《まな》ざしのドイツ人医師だ。

私の頭の中は再び、その名前に占拠されてしまった。

アルツハイマー。アルツハイマー。アルツハイマー。アルツハイマー。

肺はますます重くなり、呼吸をすることが苦痛に思えるほどだった。乾いた唇を湿らすために麦茶のグラスを手にしたが、空だった。喉がアルコールを求めてひりついた。アルツハイマー——その名を抱え続けることに、このまま朝まで耐えられそうになかった。私はオールドファッショングラスを本来の飲み物で満たすために立ち上がった。

リビングのサイドボードに置いてあるはずのウイスキーのボトルがなかった。まだ封を切っていない貰い物のブランデーも。

冷蔵庫からはビールが消えていた。

枝実子のしわざだろう。私のためにそうしたのだとわかっているのに、怒りのために血がざわめいた。それまで二階の枝実子を気づかって忍ばせていた足音を、ことさら高くして部屋を歩き、激しい音がするのも構わず、リビングとダイニングに置かれた家具の扉という扉を乱暴に開けた。

酒はどこにもない。

流し台の収納棚を探っていた時、調味料のボトルの中に料理酒が混じっていたことを思い出した。足音を荒らげてキッチンへ行き、料理酒の紙パックをつかみ出した。片手に握り続けていたグラスに注ぎ、流しの前で立ったままグラスの三分の一ほどを飲み干した。

私にとって酒は嗜好品というより睡眠薬だ。効果が早く出るように日本酒もどきのいがらっぽい液体を数口で飲み干す。だが、酔いの兆しは訪れない。

料理酒は二杯目のグラスを満たす前に空になった。中途半端にアルコールを入れてしまったためか、頭がかえって冴えてしまい、追加の酒を欲しがって細胞が泡立ちはじめた。

二階へあがって枝実子を問い詰めようかと考えはじめた時、ふいに駅から家への道のりの途中で、いつも目にする光景を思い出した。新しくできたコンビニエンス・ストアの看板だ。

確か店名の下に『酒』という文字を光らせていた。

天井を見つめた。私の行動は筒抜けで、枝実子は二階で息を殺しているに違いない。迷ったが、それは時間にして五秒ほどのものだった。

私は衣類掛けからコートを引き抜いてパジャマの上にはおり、玄関を抜け出した。


ダイニングテーブルの上にコンビニエンス・ストアの袋を置き、ボトルを取り出した。店には私がいつも飲む銘柄は置かれていなかったが、もちろんウイスキーであれば——いや、強いアルコールであればなんでもよかった。最初は酒類の棚のいちばん上に並んでいたポケット瓶に手を伸ばしかけたのだが、頼りないほど少量に思えて、結局、フルボトルを買ってしまった。サントリーホワイト。どれでも同じだと考えながら、これを選んだのは、懐かしい酒だったからだろう。

学生時代、児島の下宿でよくこれを飲んだ。児島は酒があまり強くなく、買ったボトルの四分の三は私が飲んでしまうから、割り勘で買うことにいつも腹を立てていた。

児島とは同じ大学の同じ学部だったが、友人になったのは三年の時からだ。一年で取らなくてはならないフランス語の単位を落とし続けていた私は、三年生になっても下級生ばかりの語学教室の隅で小さくなっていた。その隣で小さくなっていたのが、同じ三年生の児島だった。それまでは顔を見かけたことがあるという程度。お互いに一浪していて歳も同じだということも、その時に知った。

最初はいけすかないやつに思えた。なにせフランス語の単位を落としているくせに、ポール・ニザンの原書を抱えているようなやつだ。長くつきあい続けた後も、気が合うとは言いがたかったのだが、まぁ、この頃からの友人とはそういうものだ。

当時すでに学生運動は下火になっていたが、やつのアパートにはヘルメットが転がっていた。二年生まで児島がどんな学園生活を送っていたのか、くわしくは知らないが、やつに言わせれば、片側がへこんだヘルメットは「遠い昔の記念品」だそうだ。その言葉どおり、大学四年になると児島は長かった髪を私よりあっさり切り、反動だとなじっていた新聞社の入社試験に合格した。

酒を児島の下宿で飲んでいたのは、店で飲む金がなかったせいでもあり、私の共同便所の四畳半より少しは壁が厚く、夜中まで騒いでも苦情が少なかったためだが、私にはもうひとつ、下心があった。

酔って児島の下宿に泊まった翌朝、決まってモーニングサービスを食べに行く店に、新しいバイトの女の子が入った。その娘を気に入ってしまったのだ。

店の名前は『パンプキン・ハウス』。

これでも当時としてはせいいっぱいおしゃれな店名だった。名前のとおり売り物は女性オーナー手づくりのパンプキン・パイ。砂糖壺もカーテンの模様もメニューボードもかぼちゃ。

髪を肩まで伸ばし、膝の抜けた――いまのようなダメージ・ファッションではなく、穿《は》きすぎて本当に膝が抜けてしまった――ジーンズ姿の小汚い男二人が通うには少々勇気がいる店で、メニューボードの値段も丸文字で書かれているわりには可愛らしいとは言えなかったから、児島はいつも違う店に行きたがったのだが、私はコーヒーのおかわりができることを表向きの理由にして、頑として譲らなかった。

最初はその新人ウエイトレスをただ眺めていただけだったが、何度か通ううちに会話らしきものが生まれるようになった。何とか話の糸口をつかみたい私が、やけくそでパンプキン・パイを頼んだのがきっかけだった。「おいしいですね」本当はかぼちゃが嫌いなくせに私がそう言うと、コーヒーのおかわりを注ぎに来たウエイトレスは、カウンターのかぼちゃみたいなオーナーの背中に目を走らせてから、くるりと目玉を動かして私に囁いた。「食べたことないんです。じつは、かぼちゃが嫌いで」

最高の笑顔だった。

そのコが笑うと、頰の上にある特徴的なほくろもほころんだ。児島は「あれがなきゃあな」などとほざいていたが、私にはそのほくろも魅力的だった。

その日以来、彼女は私たちに笑いかけてくれ、注文や食器の上げ下げの時にふた言三言話ができるようになった。と言っても最初のうちに聞き出せたのは、瑣末《さまつ》なことだけ。

彼女は高校を卒業したばかりの十八歳。夜は服飾の専門学校に通っている。住まいは隣街。

あとは名前。枝に実る子と書いて、えみこ。

私には素敵な名前に思えたが、枝実子はあまり好きじゃないと言った。「父方のおじいちゃんがつけたんだそうです。私が生まれたのが秋で、ちょうど庭に栗が実っていたからだって。クリですよ、クリ。杏《あんず》とか梨だったら、まだ許せるけど」

袋の中からもうひとつ。煙草だ。禁煙して十年近くになるから、似たようなパッケージに戸惑い、昔吸っていたセブンスターがどれなのか、なかなかわからなかった。

本人は口にしなかったが、パンプキン・ハウスの枝実子ちゃんが、煙草のけむりが苦手だと知って、当時の私は店では吸わなかった。禁煙しようかどうか真剣に悩んだものだ。

とはいえ、煙草を買ったのは、昔を思い出したからじゃない。

父親がアルツハイマーだとわかった頃は、新聞や雑誌でその名前が目につくたびに記事を読んだ。そのひとつにこんなものがあった。『喫煙には健康への弊害しかないが、ただひとつメリットがある。喫煙者はアルツハイマーに罹りにくい――』

私はグラスにたっぷりサントリーホワイトを注ぎ、昔よくそうしたようにストレートで飲んだ。高い酒では味わえない懐かしい刺激臭がした。体の中にようやく火が灯《とも》った。

煙草の包装を剝がし、一本を抜き出した。禁煙してからはライターの類《たぐい》は置いていない。

キッチンへ行き、コンロを弱火にして、煙草に火をつけた。

久しぶりのけむりが胸をかきむしる。一本目ではむせてしまい、頭がくらりと揺れたが、二本目からは、十八歳から吸い続けていた体がけむりの循環方式を覚えていて、すんなりと肺を満たした。二年ほど悶々とした日々を過ごし、やっとの思いで成功させた私の十年間の禁煙生活が、一瞬にして崩壊した。

ウイスキーを立て続けにあおる。久しぶりのストレートに胃が驚いたのか、四杯目で胃液がせり上がってきた。それを押し返すように新たな一杯を流しこむ。

三本目の煙草に火をつけ、けむりをゆっくり吐き出すと、ずっと張りつめていた気持ちが、ようやく緩んだ。ただしそれは安堵をもたらす弛緩ではなかった。まるでけむりに引きずり出されたように、懸命に蓋をして閉じこめておいた感情が胸の奥から噴き出してきた。不安。恐怖。絶望。体が砂の人形になって、足もとから崩れていく気分だった。

目の前に例の部屋が浮かんだ。依然としてトランクがテーブルの上に載っているが、蓋が大きく開いていた。

想像の部屋の時計が時間を切断し続けている。古めかしい円形のその時計は、さきほどより膨張したように見える。針が指す時間を確かめようとしたとたん、浮かんでいた映像が真っ白になった。

フリーズだ。私はいつしかデータが消えた使い古しのパソコンの前に座っていた。

パソコンのモニターに父の死に顔が映っていた。

あの世代にしては大柄だった父は、若い頃に七十キロ以上あった体重が、最後は四十キロ台になり、火葬場に行く前から骨の形がわかるほど痩せてしまっていた。

その顔に自分の顔が重なった。胸がすっと寒くなった。私は髪をかきむしって呻いた。

「なぜだ――」

なぜだ。なにが悪かったんだ。どこで間違えたんだ。教えてくれれば、そこからやり直す。

私は頭をかかえた。こぼれ落ちていく砂をつかみとめるように。そして泣いた。

18

ひどい二日酔いだった。

心臓の鼓動に合わせて頭が疼いている。頭蓋骨の中に脳味噌のかわりに鉄の玉が詰めこまれ、それが右へ左へ転がっているようだった。いつの間にかリビングのソファで寝てしまっていた私は、身を起こしはしたものの、立ち上がることができず、ずっと座り続けていた。少しでも動くと、鉄の玉が揺れて頭蓋骨の内側を打ち鳴らし、胃袋が中身を吐き出そうとする。

家で酒を飲む場合には自制が働くのか、眠れずに深夜過ぎまで飲んだとしても、二日酔いと呼ぶほど酷い状態になることはないが、今日は違った。

頭を動かさないようにして、壁の時計を眺める。午前六時五十分。いつもの起床時間だ。

どんなに泥酔して帰ってきても、平日はこの時間に目が覚めてしまう。三十年近いサラリーマン生活の悲しい性《さが》だ。

眠ってしまったのが何時なのかわからない。最後に時計を見た時には四時を過ぎていた。ほんの二、三時間前まで飲んでいたのだから、二日酔いというより悪酔いの続きか。ただでさえもろい壊れかけの器に、新たなひびをつくってしまった気がして、私は頭痛さえなければ身悶えしたに違いないほど後悔し、ろくろで成形したばかりの器をかかえるように、そっと頭に手をあてていた。

電球のように首から上だけ交換したい。本当にそれができたらどんなにいいだろう。

キッチンからはずっと水音が聞こえているが、枝実子は何も言わなかった。流し台に料理酒の紙パックがころがり、ダイニングテーブルの灰皿がわりにした絵皿には吸殻がたっぷり載っているはずなのだが。

そろそろと立ち上がった。久しぶりの煙草が喉に不快なざらつきを残している。大きく息を吐き出すと、喉の中の繊毛が見えない指で撫でられたようにざわめき、激しい吐き気が襲ってきた。もうゆっくり歩いている余裕はなかった。私は洗面所まで走り、空っぽの胃袋からアルコールの臭いのする胃液を吐いた。

洗面台の鏡に映った私は、酷《ひど》い顔をしていた。歳の割には若い、人にはそう言われることが多いのだが、いまの顔は老人だった。まぶたが厚く腫《は》れ、目の下のくまは濃く、皮膚はかさかさで、頬は肉がないのにたるんでいる。父が洗面台に映る自分に話しかけていた理由が、少しわかった気がした。私はその年老いた別人の顔をぬぐい去るために、冷たい水で顔を洗った。

　ダイニングテーブルにはすでに朝飯が並んでいたが、炊きたての飯の匂いを嗅いだだけで胃がむかついた。日本茶を飲み、味噌汁をすすり、私を窺ってくる枝実子の顔をこれ以上曇らせないように、無理して目玉焼きをほじり、三口だけ飯を口にした。枝実子は私の飲酒と喫煙には触れずに、こう言った。

「どうしても会社に行かないとだめなの？」

「うん、部の連中と交替で休んでるんだ。今日は一人少ない。俺が出なくちゃ」

喋るたびに自分の声が頭蓋骨に響く。料理の匂いを嗅がないようにして、茶ばかり飲んだ。空になった私の湯呑みに新しい日本茶を注ぎながら枝実子が言った。

「ねぇ、お願いだから、今日は休んで。私は悪い病気なんかじゃなくて、絶対に働き過ぎが原因だと思う。だって昨日の夜はずいぶん顔色がよかったもの」

　たぶんそれは、まだ酒を飲んでいなかったせいだ。

「今日はだめだ。九時半から人と会う約束がある」私の記憶が確かなら。

「休めば、きっとよくなると思うの」

「わかってるよ。もう少しなんだ。いまの仕事が軌道に乗れば、あとは若い連中に任せられ

所へ走った。

答えようとしたが、腹にむりやり収めた朝食が胃袋からせり上がってきた。私は再び洗面所へ走った。

「もう少しって、いつ？」

る。そうしたら休むから」

19

――もしもし、佐伯さん？　この間の交通広告の件なんだけどさぁ。

ギガフォースの河村課長の甲高い早口は、ふだんでも朝っぱらから聞きたい声ではないのだが、今日はいつにも増して頭に突き刺さる。耳のそばでスプーンをおろし金ですられている気分だった。

――額面広告と車内吊り、どっちが効果的かってデータ、あれもう一度、出し直してくれないかな。次長が言うわけよ、決断っていうのは、確かなデータに裏打ちされたインスピレーションであ～る、なんてね。

「ちょっとお待ちください」

私はこめかみを指で押えて、ノートを取り出した。システム手帳ではなく、机の隅にしまってあったレポート用紙だ。

「えー繰り返します。額面広告と車内吊りの効果を比較するデータ、ですね」

河村課長の言葉を復唱し、ノートにメモする。

——路線別のデータなんかはある？　ＪＲと私鉄、それから地下鉄もだな。主要なのだけね。武蔵野線とか常磐線はいらないから。

私は一言一句をおうむ返しした。

「ＪＲと私鉄、それから地下鉄、ですね。主要な線のみ。武蔵野線、常磐線は不要——」

河村課長が黙りこんでしまった。私が復唱し終えると、キーの高い声が少しだけ低くなった。

——ねぇ、それ、イヤミでやってるの？

「とんでもないです」こっちは真剣だ。「この間のように間違いがあってはいけませんから。ギガフォースさんの仕事は河村課長がいらしてこそ、ですので、ご迷惑をおかけするわけにはいきません」

人によってはさらに気分を害するだろう見えすいたお世辞だが、ありがたいことに彼には有効だ。河村氏が鼻を鳴らして、言葉を続ける。

——じゃあ、もう一件、料金の確認ね。

私はすべてをメモした。耳で聞いたことはすべて書き記す。そうすればもう妙なミスはなくなるはずだ。

電話を切ると、園田が私に肩をすくめてみせた。

「また河村さんですか？　大変ですね」

部員六人とはいえいちおう部長なのだが、ギガフォースの河村氏は、私にばかり仕事をさせようとする。他の人間をかわりに立てるとすこぶる機嫌が悪い。広告代理店の部長を呼びつけ、顎で使う自分の姿を新しい職場の部下たちに見せつけたいというのも理由のひとつだろうが、他の人間は全然信用していないのだ。

「ああ、相変わらずだよ」

そろそろお前に仕事を引き継ぎたい、そう口にしかけて、結局やめた。自分はまだ他人に信頼されている。自分は普通に仕事ができる。それを確認することが、油断するとたちまち頭を支配しようとする恐怖から逃れる最大の方法であるように思えた。

マーケティング資料室に電話をして、交通広告のデータを問い合わせる。いつもの習慣で生野を目で探したが、すぐに今日は生野が休暇をとる番だったことを思い出した。自分で取りに行くことにする。

今日、三杯目の日本茶をすすり、こめかみを揉みほぐしながら、システム手帳に挟んだ名刺を取り出す。朝一《アサイチ》で顔合わせをすませた、ＣＭ制作会社の連中の名刺だ。

ディレクター、プロデューサー、営業《AE》。一枚一枚に今日の日付けと用件を書く。余白にひとりひとりの似顔絵をつけた。忘れないように名前を頭の中で何度も読み上げ、似顔絵を脳裏に焼きつける。

もしも私の体が私から記憶を奪おうとしているのだとしたら、それを防衛しなくてはならない。自分を守るのだ。自分自身から。

20

十一月七日

四日ぶりにこれを書く。

昨日とおとといにつづいて書店にて、アルツハイマーに関する本を講入。これで七冊目だ。私が受けたテストが、簡易知能評価スケールというものであることを知る。いくつかの本にほぼ同様の例題がのっていた。

たぶん直前記憶と短期記憶を調べるためのテストだろう。

アルツハイマーにかかった場合、最初にあいまいになってしまうのが、直前の記憶や短期の記憶だそうだ。ほんの数分前、数秒前に自分が見たもの、言ったこと、したことを、次の瞬間に忘れてしまう。あるいは新しく覚えたことや、数日前の約束などが頭から消え去る。

これはアルツハイマーが最初に冒すのが、短い期間の記憶を保存する脳の中の「海馬」と呼ばれる部分だからだそうだ。逆に長期記憶を司っている大脳皮質連合野（この備忘録を書く時にはいちいち辞書などは引かないが、この言葉だけは書き写した）と呼ばれる部分はなかなか冒されにくく、ここに蓄積された古い記憶、強い印象を残した記憶は簡単には消えないそうだ。

試しに問題をやってみた。ほとんど正解。五つの品物をかくすという例の問題にはあい変わらず苦戦したが、私に問題を出していた枝実子がトライしたところ、三つしか答えられなかった。私たちの世代にとってはもともと難しいもののようだ。少し安心する。

テーブルには、先日のコンビニで見つけたノン・アルコールビール。思ったよりいける。酒はおとといのひどい二日酔い以来、飲んでいない。

まだ三日目だが、酒を断つことは、禁煙に比べれば、そう難しくはない。

そのかわりに喫煙の習慣が復活してしまった。どちらにしろわが社には何年も前から分煙のお達しが下っているから、いまのところ会社では吸っていない。枝実子は「これも予防法のひとつなのだ」という私の言葉に凝わしげだが、酒よりはましだと思ったのか、黙認状態だ。

本を読むかぎり、喫煙がアルツハイマーの予防になるというのは、確かな科学的根処があるわけではないらしい。ほとんどの本がむしろ弊害を警告している。擁護論を展開しているのは一冊だけ。たぶんこの著者はヘビースモーカーだろう。私は少数派の彼に賛同することにした。

酒は体質しだいだそうだ。アルコールへの耐性のない人間には害毒。酒を飲める人間は適量ならかまわないらしい。だが、本に書かれている適量はとてもじゃないが私を酔わせてくれる量ではなさそうで、結局、飲まないことに決めた。

酒を断っているせいか、皮肉なことに数日来、私の体はここ何年も覚えがないほど生命力に満ちあふれている気がする。

眠れないのはあいかわらずだが、ほぼ一睡もしないまま会社へ行っても、体はしっかり動く。頭痛とめまいもうそのように消えた。

現在、AM4：20。目はさえている。頭もだ。今日はやけに筆が走る。まだまだ書けそうだ。

テーブルの上には、コンビニで見つけたノン・アルコールビール。思ったよりいける味だ。まだ三日目だが、酒を断つのは、禁煙に比べれば、安外にむずかしくはない。

今日買った本の中で、アルツハイマーに関して、新しい記述を見つけた。

現在研究されているワクチンが、単なる抑制だけでなく根本的な治療薬になる可能性があるというのだ。予測では、早ければ新薬が開発されるまで、あと五年だそうだ。

たとえ私の病名が医者の言うとおりであったとしても、それまでに進行を最小限にとどめれば、大脳皮質連合野に残した大切な記憶は守れるかもしれない。

あと五年。それが長いのか短いのか、いまの私にはよくわからない。

21

陶芸工房にはいつになく人が多かった。三台用意されているろくろが全部塞《ふさ》がっていたから、私は順番待ちの手なぐさみのつもりで、たたらづくりで箸置きをつくっている。

たたらづくりは、土を板状に延ばし、それを型抜きしたり、切ったり丸めたりして、器を成形していく手法だ。手びねりの素朴さや、ろくろを回してつくる時の緊張感がないかわりに、自分なりの工夫を凝らせる。言ってみれば、子どもの頃の粘土工作そのもの。私は案外に好きだ。なによりいいのは、その人間の生まれもっての才能が如実に出てしまう手びねりやろくろと違って、小手先の器用さだけで、まずまずのものが仕上がる点だ。

薄く延ばした土をヘラで切り取る。箸置きでよくあるのは木の葉や扇や魚のかたちだが、私は茄子《なす》にしてみた。

歪《いびつ》な楕円形の両端を上に反らせ、片側をへたのかたちにする。たたら板で延ばした土からいくつも同じかたちを切り取って、さっきから私は茄子ばかりつくっていた。土をいじっていると、頭上からのしかかってきて私を押し潰そうとする不安をつかの間忘れることができた。

木崎先生がいつの間にかかたわらに立っていた。私の茄子の箸置きを覗きこむ。

「いいですね、これ」

「いやぁ、そんなことは……」

照れて、顔の前で手を振ってみせたが、褒められれば悪い気はしない。木崎先生に乗せられているだけかもしれないが。先生は褒め上手だ。生活の糧である陶芸教室を維持するために生徒へおべんちゃらを使っているふうではなく、自分と同じ陶芸をやっている人々がいとおしくてしかたない。そんな感じの褒め方をする。

「こういうのは得意なんです。小手先だけのことですから」

「いやいや、たたらを甘く見てはいけませんよ。ろくろは経験、手びねりは偶然が助けてくれますけど、経験も偶然もいちばん通用しないのがたたらですから。アートという意味で言えば、その人本来の創作力をいちばん問われると僕は思ってますけど」

「またまた」

「ほんとにね、お世辞ではなく、この頃の佐伯さんのつくるもの、なんだかいいです」

木崎先生が土まみれの手を叩いて笑った。

「ここに通いはじめた頃はね、まぁ、昔やられていたというだけあって、巧《うま》いなとは思ったんですけど、厳しいことを言わせてもらうと、ちょっと小手先に走っている感があった。でも最近のはいい。前よりかえって荒削り。だけど力強い」

荒削り。だけど力強い。

昔も同じことを言われた。児島に誘われて通いはじめた窯場でだ。

日向窯《ひゅうががま》という名のその窯場へ初めて行ったのは、就職が決まった大学四年の冬だった。最近、陶芸に凝っているという児島の言葉を最初、私は鼻で笑った。お前もやってみないかという誘いも何度も断っていた。まだ二十三歳だった私の陶芸に対するイメージは、山奥で作務衣《さむえ》を着た偏屈な老人が、陰気な色合いの壺を手にして唸っている、そんなものでしかなかった。

日向窯へ行ったのも、単に暇を持てあましていたからだ。その頃にはすでに枝実子とつきあっていたのだが、向こうはまだ専門学校の二年生で、昼間は相変わらずパンプキン・ハウスでアルバイト。彼女は私と遊んでばかりいるわけにはいかなかった。幼い頃に父親を亡くした枝実子は学費を自分で稼いでいたのだ。

場所は奥多摩。日向窯の主人は、菅原《すがわら》という名の陶芸家で、作務衣こそ着ていなかったが、イメージどおりの偏屈な老人だった。児島は師匠と呼んでいた。

窯場には菅原老人自身がつくった、いま思えば見事な、三連房の登り窯が備えられていたが、素人相手の教室を開いているわけではなく、本来は見学者もお断り。初めて行ったその日、老人はちょうど仕事中だった。といっても高価な値のつく壺や茶器をつくっていたわけではなく、ろくろで成形していたのは何十本もの電気スタンドの芯だった。木崎先生同様、大作だけをつくって暮らしていけるほどの大家ではなかった。

児島自身は「押しかけ弟子」だと言っていたが、児島の出入りを許していたのは、労働力が欲しかったからだろう。陶芸は肉体労働だ。窯を持っていればなおさらで、年寄り一人で維持していくのは大変なのだ。その日の私は、窯を焚くための薪割りをさせられた。バイト代はなし。そのかわり一晩泊めてもらい、翌日にはろくろに触らせてもらった。

生まれて初めてのろくろは、足蹴り式で、気難しく、気まぐれで、そして魅力的だった。

それからは児島とともに何度も日向窯へ通った。時には児島抜きでも出かけていった。薪割りや荷物運びの仕事がない時でも、菅原老人は嫌な顔をするわけでもなく、かといって嬉しそうにしてくれるでもなく工房を貸してくれ、夜は泊めてくれた。私が行くと連絡すると、必ず酒が用意されていたから、勝手な想像だが、本当は少しは喜んでくれていたのかもしれない。妻と子を若い時分になくした老人は、奥多摩の山中で独り暮らしをしていた。

児島にはなにがしかのことは教えていたようだが、私はいつまでたっても薪割り男で、ほとんど何も教えてもらえず、老人は私が見よう見まねでつくったものを褒めもしなければ、けなしもしてくれなかった。文句を言うのは薪の割り方や運び方、電気スタンドの芯やそば猪口《ちょこ》の梱包方法ばかり。私が陶芸の基本を教わったのは老人というより児島からだった。

ようやく私に教えらしき言葉をかけ、完成したものに批評を加えてくれるようになったのは、通いはじめて三年目ぐらいだっただろう。枝実子と結婚し、梨恵が生まれ、そろそろ私の足が遠のきはじめた頃だ。

批評はいつも酷評だった。「ひどい器だ」「痰壺だな」「基本がなってない」教えてくれなかったくせに。

褒めてもらったのは一度だけ。だからはっきり覚えている。私がたたらづくりで作った角皿だ。

「荒削りだな……いや、ただ荒いだけか。でも、それは強いな」

菅原老人はそう言い、ひとりごとのようにこう続けた。

「器をつくると、人間が出るんだよ。そいつのつくるものは、そいつの器そのものなんだ」

年寄りの好きな言葉遊びのような気もしたが、なぜかそのせりふもはっきり覚えている。

「僕はどうですか？」

そう問いかけた私に、老人は工房の隅に置いてあった自作の湯呑みを手にとった。

「まぁ、器はこれぐらいだ。いまのとこ」

どちらかと言うと小ぶりな湯呑みだったから、私は少々傷ついた。老人は私の気持ちなどおかまいなしに湯呑みを手の中でころがした。

「だけど、これは使いやすい。そして丈夫だ。なかなか割れない」

褒め言葉だったのかどうかいまでもわからないが、私はその湯呑みを老人から買った。五千円。山腹の喫茶店で販売していた彼のコーヒーカップは確か千二百円ぐらいだったから、いま考えるとぼったくりだ。梨恵が生まれたばかりで、枝実子は勤めていたドレスメーカーを辞め、余分な食器すらなかった時期だったから、私はその湯呑みをしまいこまずに、食卓で使っていた。当時の我が家にとっては数少ない高価な家財道具のひとつだった。

あの湯呑みはどこにあるだろう。少しずつ家計にゆとりができ、そのかわりに忙しさが増すばかりの生活の中で、いつの間にか食卓から姿を消してしまった。

日向窯はまだあるのだろうか。亡くなる前の児島もずいぶん長く訪ねていないと言っていた。菅原老人はまだ生きているだろうか。窯場へ行かなくなってからは一度も会っていない。老人と言っても、若い頃の印象だから、いまの私と十歳と違わない年齢だったかもしれない。

無口な人で、たまに喋るとしても、酒や陶芸のことばかり。何度も訪れ、幾晩も泊まったはずなのだが、菅原老人がどういう人物で、どんな過去があり、何を考えていたのか、結局、くわしいことは何もわからなかった。

中年女性の生徒に人気のある木崎先生が、おばさんグループのセクハラの餌食《えじき》としか思えない指導から戻ってきて、私に言った。

「どうです、佐伯さん、そろそろ新作展に何か出品してみませんか?」

伝統工芸・新作展は、素人でも出品できる陶芸の公募コンクールだ。

「いやぁ……」まだまだとても。そう口にしかけて、途中で気が変わった。「やってみましょうか。参加することに意義があるって言いますものね」

「あ、だめだな、最初からそんな弱気じゃ。最近、熱心につくってる露草文の湯呑み、あれなんかどうです？」

「あれは出せないんです。ちょっと使うあてがありまして」

せんせ〜い、ここむずかしい〜、手を添えて教えて〜。木崎先生が小走りで駆け戻る。私はたたらを切り、新しい茄子の箸置きをつくる作業を再開した。頭を重く覆っているすべてを締め出すために。そうとも、たいした器じゃないが、私は簡単には割れない。

もうすぐ娘が結婚するのだ。孫ができるのだ。割れるわけにはいかない。

22

ダイニングテーブルに、ブリの照り焼きを載せた皿が二枚。私の前に置かれたもののほうが、ずいぶんと身が大きい。

最近は帰宅時間がどんなに遅くなっても、家で食事をするようにしている。枝実子が食べずに待っているからだ。

献立はこのところ毎日、魚だ。

昨日はマグロの刺し身。一昨日は最終電車で帰ったのだが、枝実子は起き出してきて、サバの味噌煮を温め直した。

夜だけじゃない。朝はパンと米の飯を一日おきというのが、わが家の長年の習慣になっていたのだが、このところ朝食も連日、魚。塩分を控えた鮭、シシャモ、アジ、朝からサンマが丸ごと一匹食卓に載ることもある。

私は昔から和食より洋食派で、肉のほうが好きなのだが、魚料理ばかりが並ぶ食卓に文句は言わない。枝実子がなぜそうしているかが、わかっているからだ。アルツハイマーの予防には、魚に含まれるDHAやEPAの摂取が効果的なのだそうだ。書斎に置いてある、いまや十数冊にふえた病気に関する本を読んだのか、あるいは枝実子自身が調べたのかは知らない。私から魚を要求したことは一度もないのだが、出されれば、猫のようにきれいに片づける。

サイドメニューの皿や小鉢の中身は、ほうれん草のソテー、ブロッコリーとキャベツのサラダ、それから、かぼちゃの煮物。これもアルツハイマー予防にかかせない緑黄色野菜だ。特にブロッコリーは、もっとも効果的といわれる葉酸の宝庫。

かぼちゃ嫌いが縁で結婚したような私たちだから、梨恵が誕生するまでは食卓にかぼちゃが上ることはなかった。さすがに梨恵が生まれてからは子育て上、出さないわけにもいかず、私たちはかぼちゃがいかに体に大切かを梨恵に説き聞かせて、こっそり顔をしかめて食べていた。おかげで梨恵はかぼちゃが大好きな子どもに育ち、枝実子にしばしばかぼちゃメニューを要求して、私たちを辟易《へきえき》させた。

「全部食べてね」

枝実子が言い、昔、梨恵の前でそうしていたように、模範を見せると言わんばかりに、真っ先にかぼちゃを箸でつまみ上げ、よく嚙みもせずに吞み下す。もくもくと左頰のほくろが上下した。

「ああ」

私もかぼちゃを箸で突き刺し、ほとんど嚙まずに吞みこんだ。それにしても、こんなにつくらなくてもいいのに。

「いつも、悪いな」

私がそう言うと、枝実子がとぼけて首をかしげる。

「なんのこと？」

私たちは食べ物の嗜好が似ている。枝実子も魚はさほど好きではないのだ。枝実子が、これは提案ではなく命令です、というきっぱりした口調で言った。

「明日から、ご飯は玄米にしますから」

昨日の夕刊に載っていた。アルツハイマーには発芽玄米もいいらしい。少し前までは、栄養なんかいちいち気にするより、好きなものをうまいと思って食ったほうが身になるんだよ。そううそぶいて枝実子の出すサラダや煮物を邪険にしていた私も、素直に頷いた。

食い物なんかなんだっていい。酒もいらない。

自分が自分でなくなっていくかもしれない。そのことに比べたら、どんなことだって我慢できる。

私は二つ目のかぼちゃをほおばった。虫歯になってから歯を磨くようなものかもしれないが、食べておこう。明日は検査の結果を聞きに行く日だ。

23

十一月十五日

大学病院へ最終結果を聞きに行った。医師からの正式な診断が下りる。

私は若年性アルツハイマーだった。

血液検査で検出された原因物質βアミロイドが決め手だったそうだ。早期の場合、MRIやCTより有効だというSPECTからも、血流の低下が発見されたという。

私の息子と言ってもおかしくない年齢の吉田医師は、初めて感情らしきものを顔に浮かべて言った。

「昔と違って、いまはいい薬もあります。進行には個人差もある。僕もできるかぎりのことはします。怖がることなく、向き合っていきましょう」

あんがい、いいやつかもしれない。しかし彼のインフォームド・コンセントは万全とはいえない。この一週間あまりで私が得た知識によれば、アルツハイマーは早ければ五、六年。平均して七年で死に至る。しかも若年性は進行が早い。ゆるやかな死刑宣告。枝実子は私が病院のトイレに立った間に泣いた。

決まった以上じたばたしてもはじまらない。

闘うのだ。この病気と。残されている時間と。

24

朝、会社へ行くと、まずデスクの引き出しを開け、たっぷり詰まったメモを取り出すのが、私の新しい日課だ。メモはレポート用紙の切れはしであったり、名刺や会議資料の裏側であったり、卓上メモの一片だったり。そこには前日に行なわれた会議、打ち合わせ、受けた電話、会った人物、会話の内容、すべてが記録してある。

これらのメモをシステム手帳に書き写す。老眼でも読めるぎりぎりの小ささで書くのだが、それでも時には五、六ページ分になることもある。早くも手帳への整理が追いつかず、メモばかりたまり続けていた。

部員の姿はない。ここ数日はいつも始業時間の三十分前には会社へ着くようにしている。

この作業のためだ。家ではやらない。持ち帰って紛失してしまうことが怖かった。メモをためておくのは、デスクの引き出しのいちばん下と決めていた。

仕事を続けてもいいか？　私が余命を聞きだすに等しい勇気をふり絞って問いかけると、医師はＹＥＳともＮＯともつかない顔をし、逆に尋ねてきた。

「お仕事はどんな内容ですか？　それにもよります」

たぶん、私の判断ミスによって自分自身や他人が傷ついたり、生命の危険に晒されたりすることを心配したのだと思う。クルマを運転したり、工具や重機を扱うような仕事ではなく、広告代理店の営業だとわかると、あっさりとオーケーが出た。

「前向きに社会にかかわることは症状の抑制になるんです。無理のない範囲でしたら、むしろ積極的に活動されたほうがいいですね」

幸か不幸か私の仕事は、私がどんな状態であろうとも、他人に重大な影響を及ぼすものではないらしい。考えてみれば、アメリカのかつての大統領だってアルツハイマーだった。

「ただし、会社にはあなたのご病気のことは申告されておいたほうがいいと思います。難しいことかもしれませんが、後々のことを考えると、あなたにとっても、会社にとっても、そのほうがプラスだと思います」

この部分は記憶を喪失することにした。

メモを写し終えると、今度はスケジュール帳を開く。一週間で見開き一ページを使うタイプの紙面は真っ黒だ。

人と会う約束の場合なら、時間、場所はもちろん、会うべき相手、話し合う件名、用意すべきものまで。仕事の期限の場合、その内容、担当者と連絡先、注意事項。すべてを書き記しているからだ。文字は欄外へあふれ、ところどころ赤や青のペンで添え書きもしてある。いままでのように略字を使ったり、走り書きをしたりはしていない。

スケジュール帳の今日の日付けの分だけB5のコピー用紙に抜き書きして、タイムテーブルをつくる。B5にしたのは、二つ折りにすればシステム手帳に忍ばせることができるからだ。

もともと出勤時間は他の部員たちより早めだったせいか、私の朝のこの儀式に誰も気づいてはいないが、営業局では新人は始業十五分前に出勤するのが不文律だから、生野には毎朝驚かれてしまう。今日もそうだった。

「おはようございます……すいません、遅くなって」

生野は自分より先に来ている私に、ただでさえ大きな目をさらに丸くして、腕時計とオフィスの時計を見比べる。昨日も同じことをしていた。彼女にはいい迷惑かもしれない。

「いま、コーヒーを淹《い》れます」

あわてて給湯室へ行こうとする彼女を呼びとめた。

「あ、いいよ、もう自分で淹れた」

私は自分のカップを指さし、デスクの上に置いた携帯用ポットを振ってみせた。中身は玄米茶だ。家で飲むだけでは足りない気がして、今日から会社に持ちこむことにした。訝しげな顔をする生野に、私は悪事の言い訳をする口調で言った。

「ほら、最近体調を崩して病院へ行ったりしてただろう。だから心を入れ換えたんだ。夜型より朝型。食べ物と飲み物にもちょっとばかり気をつかってる」

「何を飲んでらっしゃるんですか」

「玄米茶。発芽玄米ってやつ」

年寄りを見る目を向けられると覚悟していたのだが、なぜか生野が目を輝かせた。

「え、発芽玄米！」

おしゃれなケーキの名を口にするように声を弾ませて、驚いたというふうに胸の前で手を組み合わせた。私のほうが驚きだ。

「私も玄米に凝ってるんです。うちで炊くご飯は玄米」

そういえば生野はひとり暮らしだったっけ。

「ああ、俺のとこもだ。この間はチャーハンにした。臭みがとれて、普通に食べるより口当たりがいい」

「チャーハン、ああ、その手があるんですね。雑炊やおかゆはよくつくるんですけど。私、お酢も玄米です。玄米コーヒーとか玄米ココアは試されました？」

「コーヒーはこの間飲んだ。味はうーん、もうひとつ、かな」

「でしょ、でしょ。でもココアは牛乳を混ぜると、案外いいですよ」

思いもしなかったところで話が合ってしまった。この娘が私の前で笑うのは珍しい。

「ねぇ、部長、やっぱり発芽玄米のほうが、普通のよりいいんでしょうか」

正直に言って、玄米と玄米食品はそううまいものではない。生野の口ぶりもどうやってまともな味にするかに苦慮しているふうに聞こえた。

「なんで生野君は玄米にしてるの？　やっぱり美容とかダイエットのため？」

なにしろ若い娘にごく普通の世間話をしかけてもセクハラと呼ばれてしまう世代だ。私は努めてそっけない口調で聞いてみた。

「それもあるんですけど、いちばんの理由は――」

そこで言葉を切って、消費者金融のCMに出演する女性タレントみたいに小首をかしげて、声は出さずに唇だけを動かした。

「……ああ、そういうことね。大変なんだな」

どうりで最近、便通がいいわけだ。生野のかたちのいい唇が教えてくれたのは、『べ・ん・ぴ』だった。

「前はとってもひどかったんですぅ。一週間とか十日とか。いまは玄米にだいぶ救われてます」

同じマニア同士の気安さか、生野が男の上司にはそうそう話さないだろう事実を気前良く披露する。私も気前良く生野のカップに発芽玄米茶をプレゼントした。普通の玄米茶は飲んでいるが、最近の流行《はや》りだという発芽玄米のほうは初めてだそうだ。

「よかったら、少し分けようか。いま家には売るほどあるんだ」

「いいんですか？」

「いいとも」

「嬉しいっ、発芽玄米、高いのに。助かります」

玄米は私のことも救ってくれるだろうか。


制作部《クリエイティブ》の会議室は、営業部のそれより広くて明るい。片側は見晴らしのいい大きなガラス窓だ。広告代理店ではクリエイティブの人間の職場環境が最優先される。入社したてでもグラフィックデザイナーのデスクは私のものより大きい。

私は私より大きなデスクを持つ年下の連中に、昨日ようやく戻ってきたギガフォースの再プレゼンの結果を伝えた。

「だいじょうぶだ。基本的にオーケーが出たよ」

私の言葉を聞いても制作部の連中はあまり喜ばなかった。無理もない。競合プレゼンテーションを勝ち取ったもともとのアイデアだって、勝利優先の妥協の産物だった。それすらさまざまな横やりで二転三転し、何度もつくり直しを命じられたあげく、結局、原案に近いかたちに戻った。戻ったのは、あくまでも「近いかたち」。すみずみに残ったややっこしい制約や先方の社内事情が、クリエイティブの連中には彼らの作品を汚すシミか泥に思えるのだろう。

結局、ギガフォースが推してきた女優は、ギャラの面で折り合いがつかず、声だけの出演になった。

「まぁ、いいですけど。なんであの人の声なんですかね。高いギャラを払って、かえって作品を泥臭くしちまう。声優に頼んだほうが安いし、質もよっぽど高くなるのに」

CMプランナーが不服そうに言う。名前は柿崎。体重百キロを超える肥満漢だ。社内の人間だから名刺はないが、単語帳でつくった私のオリジナル名刺には、名前と内線番号とともに、まるまるとした柿の絵を描いてある。私はけっして絵がうまいわけではないから、かぼちゃにしか見えないが、私にさえわかればそれでいい。

「ギガフォースの上のほうの人が、ファンなんじゃないっすか」

二人のアートディレクターのうち若いほうの茶髪が言う。名前は鈴木。社内にも得意先にも鈴木は何人もいるから、この男のオリジナル名刺は茶色に塗ってある。

鈴木の当てずっぽうの言葉は正解だ。河村氏からの情報によると、彼と同様、本社から出向してきた宣伝部長が、十数年前、彼女を起用したCMの担当者で、撮影の打ち上げの席でお酌してもらった経験が忘れられないのだそうだ。広告屋泣かせと言われるいまの彼女は、宣伝部長クラスにはもうお酌などしないだろうが、これもちゃんとメモを取ってある。

もうひとりのアートディレクター、馬場（もちろん名刺には馬の絵）が、暗い声で呟いた。

「過敏性腸症候群が悪化しそう。なんだかこの間の不動産広告の悪夢が蘇るな。ドツボにはまってトッピンシャン、だ」

彼らのチームが過去に苦い経験をさせられた仕事のことらしい。鈴木がやけくそ気味にまぜっかえす。

「♪抜けたぁら〜　どうなるんでしょ」

「抜けるのは許さん。まぁ、いちおうコンセプトは守ったわけだし。とにかく、これで考えようや」

ＣＤの粟野がなだめる。粟野の名刺に添えたのは言うまでもなくパーティグッズのお面の絵だ。

「そういうことだ。びしっといこう」

粟野の言葉に便乗して私は手を打ち鳴らす。気乗りのない返事とため息しかかえってこなかった。贅沢を言うなよ。苦い経験でも覚えているだけましじゃないか。仕事が普通にできるだけで幸せだと思わなくちゃ。

私は会議テーブルに並ぶ誰もが羨ましかった。過敏性腸症候群でも、体重百キロを超える肥満体でも、首から上がパーティグッズのお面でも、彼らの体と自分の体を取り替えられるものなら、取り替えたい。

「じゃあ、まずロケ先ですけど、コーディネーターから撮影場所の候補がいくつか上がってます。簡単に説明すると――」

ようやく本格始動することになったCM制作について柿崎が説明を始めた。クリエイティブの連中は往々にしてそうなのだが、資料の類は用意しておらず、説明は口頭だ。私は猛烈な勢いで彼の言葉を書きとめた。

「どうしたんです。佐伯さん。速記録でもつくるつもりですか？」

どうせ覚えきれないから、後で必要な事項だけ確かめればいい、そう決めこんでいるらしい粟野が、私に呆れ半分の笑い顔を向けてくる。

「ほら、河村さんはうるさいから。細かいことでも耳に入れておかないと、後でむくれるからね」

私は適当に受け流し、内ポケットが大きくふくらんでいるのを気取られないように片手で押さえた。

内ポケットだけでなく、私のスーツのすべてのポケットは、たっぷり詰まった未整理のメモでふくらんでいる。枝実子がマグネットを使ってメモ用ボード代わりにしている冷蔵庫を何台も隠し持っている気分だ。

怖かったのだ。記憶を失ってしまうのが。記憶の死は、肉体の死より具体的な恐怖だった。今度のCMロケの予定地では、冬でもサルビアの花が咲いている——以前の私なら聞き流していたはずの、そんな些細な事実でも、いまは少しの曇りも汚れもないようにていねいに埃を払い、磨き、大切にしまっておきたかった。

恐ろしかったのだ。記憶を失いつつあることを他人に知られるのが。

25

気をきかせたつもりなのか、梨恵が食器棚から取り出したのは、私が陶芸教室でつくったコーヒーカップだった。

「どうしちゃったの、いきなり健康おじさんになっちゃって。お父さんがこんな時間にお酒じゃなくて玄米茶を飲んでるなんて、大地震の前ぶれじゃなければいいんだけど」

梨恵はポットにつくり置きしてある玄米茶をカップに注いで、私に差し出してきた。枝実子には紅茶を淹れ、土産に買ってきたケーキの箱を開ける。

「医者から止められちまったんだ」

病院からは抗痴呆薬とビタミン剤、そして睡眠導入剤を渡されている。飲酒は控えたほうが無難だとアドバイスされた。喫煙はもってのほか。とにかく水を飲め、吉田先生からはそう言われている。水分が脳循環を促進するのだそうだ。だから最近は玄米茶を一日三リットルは飲んでいる。一度、破壊された脳の神経細胞は二度と元へは戻らない。沙漠につくった花畑を必死で守っている心境だった。

「お前こそどうした、やけに気がきくじゃないか」

「練習。いい奥さんの練習。あの人、腰が軽いから、いつも私より先に二人分のコーヒーを淹れちゃうんだ。負けちゃいられないからね」

最近の梨恵は婚約者の渡辺直也を名字でも下の名でもなく、あの人と呼ぶようになった。いったい、いつどこで、あの人と、コーヒーを飲んでいるんだ。そう聞きたかったがやめておく。妊娠六カ月の娘にいまさら言うせりふじゃあない。梨恵の腹は、この一カ月で、ジャンパースカートでも隠しようがないほど膨らんだ。

梨恵は午後九時すぎに、いきなり電話をかけてきた。「仕事でたまたま近くまで来たから、今日はそっちへ帰る」

電話に出た私は「うちはホテルじゃないんだぞ」と答えたのだが、声が弾んでしまうのを抑えるのに苦労した。たまたま近くに来たわりには、梨恵はしっかりと泊まるための準備を整えてやってきた。いまはコンタクトレンズをはずし、赤い縁の小さなレンズの眼鏡をかけている。

「目の毒かも知れないけど、わたし、ビール飲んでもいい？」

「おお、気にするな。俺に構わずやってくれ、そのかわりあんまりうまそうに飲むなよ」

私の遺伝子を受け継いだのか梨恵は酒が好きだ。電話であらかじめ、うちにはいま酒を置いてないから、飲むなら自分で買ってこい、と言ってあった。

「お父さん、なんだか明るいね。その玄米茶、妙な成分が入ってるわけじゃないよね」

そう言って梨恵は、ふだんより口数の少ない枝実子に気づかわしげな視線を走らせる。

「元気に見せようと思って、無理してない？」

「してないよ」無理してる。

梨恵には私のアルツハイマーのことはしばらく内緒にしておいてくれ、枝実子にはそう言ってある。もちろんずっと秘密にしておくつもりはない。結婚式がすみ、すべてが一段落するまでだ。梨恵は、いまが人生でいちばん楽しい時期だろう。そのせっかくの上天気の日々に、雨を降らすような真似はしたくなかった。

梨恵はカロリーオフのビールを飲み、私の前でわざとらしく顔をしかめてみせた。

「うー、まずい」

私には信じられないが、つまみはケーキだ。梨恵にはチョコレート味のケーキや菓子が酒の肴になるそうで、一緒に暮らしていた頃は、塩辛やするめで晩酌する私の隣で、カカオチョコの袋を開けて、私の日本酒を横取りしていた。

片手に缶ビール、もう一方の手にケーキからつまみ上げたサクランボをぶら下げて、私の顔を覗きこんでくる。

「過労だったんだって？」

枝実子が使った方便のことだろう。普段どおりの声を出すのに苦労した。

「ああ、医者にはそう言われた。軽い過労だそうだ」

「言ったじゃない、もう歳だって。少し仕事をセーブしたほうがいいよ」

「してるよ。最近は十時前には家に帰ってる。今日なんか八時半だ」

「それはセーブとは言わないよ、ねぇ、お母さん」

ちっとも話に乗ってこない枝実子に梨恵が水を向けた。

「ほんと、そうなのよ」

枝実子は笑い顔をつくってそう言ったのだが、あいかわらず演技力は皆無。声が硬く、つくり笑いだとすぐにわかってしまう表情だ。自分でもそれに気づいたのか、食べ終わった自分の皿だけ流しに運んでいってしまった。梨恵が肩をすくめ、私に非難がましい視線を向けてくる。二十四年間育てた娘だ。何を言いたいのかは表情だけでわかる。「喧嘩したの？」だ。

私は首を横に振って、何も喋らなくてすむように、ケーキを口にした。甘いものは控えているのだが、吉田先生によれば「気にしすぎもよくない」そうだ。まだ疑わしげに私の顔と枝実子の背中を見比べている梨恵に、話題を変えるつもりで言った。

「ところで、住む場所は、もう決まったのか？」

ゆっくりと慎重な口調で。最近の私は、人に何かを聞く時には、ひと言ずつ考えながら喋る。同じ質問を同じ人間にしてはいまいかと、不安になるからだ。

「まだ決まってないんだ。建築家のくせに自分の住む所や家のことは、どうでもいいっていう人だから。それより、ウェディングドレスの話、お母さんから聞いた？」

私は万全の注意を払って答えた。

「ああ」聞いた、と思う。「確か、普通の白にしたんだろ」

「うん、水色もよかったんだけど」

よかった、正解だった。

「値段、聞いた？」

「いや」聞いていない、と思う。

「びっくりした。貸し衣装って高いんだね」

そうだよ。よく覚えてる、お前の七五三の衣装だって。成人式の着物だって。値段を聞いた時、私の目玉は三センチぐらい飛び出したんだ。

「ところで新婚旅行は、どうするんだ？」

「いちおう行くつもり。お腹の赤ちゃんがおとなしくしててくれればだけど」

「どこへ行くんだ？」

梨恵の表情で、慎重に張りめぐらしていたはずの予防線を自ら断ち切ってしまったことを知った。梨恵はほんの一瞬だけ眉をひそめたが、すぐに笑顔になった。枝実子に似てしまったのだろうか。つくった笑顔だとすぐわかる。

「前に話したのに。やっぱり疲れてるんだよ。それか人の話をぜんぜん聞いていないか。トルコとギリシャ。あの人は、どうせ海とかレストランより、ギリシャの遺跡とかイスラム寺院なんかへ行きたがるに決まってるんだけど。お父さんも昔、イスタンブールに行ったことがあるんでしょ。どんなところだった？」

がさつなようで、神経の細かい娘だ。向こうは向こうで、私の表情に何かを読み取ったのだろう。気まずさを冗談で紛らわせ、話題を私の答えやすいものに変えようとする。

私はイスタンブールの記憶を蘇らせようとした。しかし、頭の中にはすかすかのアルバムのように、断片的な風景が浮かんでくるだけだった。そもそもいつ行ったのだっけ？

「行ったといっても仕事だから。ホテルと相手のオフィスを行ったり来たりしただけだよ。観光のカの字もしてないんだ」

どんなホテルだ？　相手って誰だ？　忘れちまった。私は押し寄せてくる恐怖をけんめいに払いのけて笑顔をつくった。

「ま、自分の目で確かめてきてくれ。俺のぶんまで。で、どうするんだ。住まいは。渡辺君なら、それなりの場所がすぐに見つかるんだろ？」

「うん、どっちにしても事務所の近くになると思う。横浜へはいまより遠くなっちゃうけど……」

「そうか」

私は普通にしていたつもりだが、梨恵が中指で眼鏡を押し上げて私の顔を覗きこんでくる。三十センチぐらいの至近距離だった。猫がクッションの匂いを嗅ぐような表情になった。

「なんか変だな」

「どこが」

「だって……私の顔に何かついてる？」

そう言って梨恵は自分の頰を撫でる。言われて初めて気づいた。私はずっと梨恵の顔を見つめていたのだ。明日の朝になったら、顔を忘れてしまうかもしれない。そう思うといてもたってもいられずに。

「やだなぁ、遠くなるっていっても、たぶん所沢近辺だよ。外国へ行くわけじゃないんだから。ねぇ、お父さん、結婚式の時に泣いたりしないでよ」

「自分で言うな、厚かましいやつだ」

「嫌いなんでしょ。結婚式で泣く父親」

「ああ」

「お父さんは泣かない人だもんね。覚えてる？　中学の頃、私が学校で嫌なことがあった時、何回も泣いてたら、怒ったんだよ。いつまでも泣くな、一回だけにしろって。よけいな涙は現実逃避だって」

枝実子はたった一枚の皿をまだ洗っている。

「覚えてないな」いや、これはよく覚えている。酷いことを言ったと、後で反省した。

二つ目のケーキと二本目の缶ビールに取りかかっている梨恵の背中に声をかけた。

「ゆっくりやってくれ。俺は風呂に入ってくる」

梨恵が振り返る前に、浴室へ向かった。ここ数日、ずっと張りつめて、無理をして、抑え続けていたものが、弾けてしまいそうだったからだ。

風呂は梨恵が来る前にもう入っていた。だから洗面ボウルで顔だけ洗った。バスタオルを顔に押し当て、声が漏れないように口にくわえて、私はしばらくの間、洗面所で現実逃避をした。

26

地下鉄銀座線が渋谷駅のホームに入ると、乗客がいっせいに立ち上がった。私も膝に載せていたアタッシェ・ケースを抱えて席を立つ。

ギガフォースの最寄り駅は渋谷だが、駅からは少々遠く、十分ほど歩くことになる。私は河村氏に呼びつけられて、打ち合わせに向かう途中だった。

河村氏から電話があったのは、昨日の午後四時三十五分。

打ち合わせの目的は、キャンペーンの広報活動《パブリシティ》に関しての検討。

持参するものは有料広報《ペイド・パブ》が可能な雑誌媒体とその条件を一覧できるリスト。

場所はいつものオフィスビル。

出席者は河村氏と広報担当の滝川氏、宣伝部次長室岡氏。

開始時刻は午前十一時。

すべてをメモしてある。問題ない。

いまは午前十時四十分前。人を待たせることが平気な人物の常で、河村氏は人に待たされるのが嫌いだから、いつも余裕を見て社を出ることにしている。少し早すぎたかもしれない。

私は改札を抜け、ギガフォースのあるオフィスビルへ続く坂道を登っていた。そろそろ秋も終わりだ。舗道に街路樹の葉が散っている。足もとで枯れ葉がかさりと音を立てた。その瞬間、ふと思った。

ギガフォースへ行く道に、街路樹なんてあっただろうか？

だらだらと登る坂道を見上げた。これはギガフォースへ続く道じゃない。

いかん、いかん、間違えた。私は来た道を引き返した。案内表示を見ずに手近な改札口を出てしまったのがいけなかったようだ。

渋谷は難しい。駅の構内が迷路のように入り組んでいるし、どこから外へ出てもよく似た雑然とした繁華街が広がる。私は学生時代から横浜に家を建てるまでのつごう十数年間、東京に住んでいたし、営業の仕事で日々都内を駆けめぐっていたが、渋谷駅のどの出口を出れば、どちら方面へ行けるのかを覚えるのにはずいぶん時間がかかった。

駅へ戻り、交差点を囲む歩道橋の下で現在位置を確かめ直す。そうそう、確かこっちだ。時刻は十時四十七分。少し急いだほうがいいかもしれない。

登り勾配の道を歩きはじめてすぐ、信号につかまってしまった。時計を見ながら苛立《いらだ》っていると、大学生風の一団が、幅の狭いこの道の赤信号を突破しはじめた。まったく親の顔が見てみたいものだ、そう思いながら私も彼らの後に続く。

横断歩道を走り抜けて、また時計を見る。十分前だ。私は足を速めた。

しばらくして気づいた。歩けば歩くほど、周囲の風景がなじみのないものになっていくことに。背筋が氷柱《つらら》になった気がした。この道でもない。

私は周囲を見回した。初めて見る場所だった。少なくとも記憶の中にある場所ではない。風は肌寒いほどなのに、うなじから汗が伝ってきた。冷たい汗だった。

道を駆け戻りながら、目印になる建物や看板を探した。

どの建物も同じに見える。看板の漢字もアルファベットもカタカナもひらがなも、すべて意味をなさない記号に思えた。昔、出張で行った香港の街中に放り出された気分だった。

ここはどこだ？　どこで間違えたんだ？

ふいに私の頭の中に、刃物のように疑念が差しこまれた。

ギガフォースは本当に渋谷か？　昔の別のクライアントと取り違えてはいないか？

そう思いはじめると、もうだめだった。「ギガフォースは渋谷じゃない」私の頭の中で、誰かが連呼しはじめた。

ポケットからアドレス帳を引っぱりだした。ポケットの中に詰めこんでいた大量の紙切れが路上に散乱した。一昨日の会議の結果、昨日の連絡事項、今日すべきこと、会う人、時間、場所。あらゆることを書き記したメモだ。あわててしゃがみこみ、そのレポート用紙やコピー用紙や会議資料の切れはしを拾い上げる。自分の脳味噌をかき集めるように。風に舞って飛んでいく一枚を追って走った。内ポケットで携帯電話が鳴りはじめた。もう怖くて時計は見られなかった。

アスファルトの上で落葉とともに舞っていた小さな紙片を、私は決勝点になるかもしれない打球を追う遊撃手並みの必死さで摑みとった。『生野へ　玄米茶のパックを　11／19』と書かれていた。

背中にクラクションを浴びて振り向いた。交差点の中だった。

私をめがけていくつものクラクションが鳴らされている。罵声《ばせい》も飛んできた。しかし戻ろうにも、舗道に近い側の車線はもう動きだしている。胸でまた携帯の着メロが始まった。

私は交差点の中で立ち往生してしまった。見知らぬ交差点だった。中国語やロシア語にしか見えない看板やネオンが私を取り囲んでいる。クラクションの音が高くなった。携帯はまだ鳴り続けている。私は心の中で叫んだ。

ここは、いったい、どこなんだ。

私は、どこにいるんだ。

舗道には驚きや嘲笑を浮かべた顔が並んでいる。私に進路を阻まれたタクシーの窓が開き、運転手が怒りの形相を向けてきた。何か喚いていたが、耳には言葉が入ってこない。鳴り響くクラクションが私の頭から意識を吹き飛ばそうとしていた。

体が動かなかった。浴びせられている音と視線が、鋭い切っ先で私を刺し貫き、珍種を標本するためにこの場にピンで固定しているかのようだった。

騒音にかき消されていた携帯電話の着信メロディがかすかに耳に届いた。その音が遊離しかけていた意識を、すんでのところで私の中につなぎとめる。舗道寄りの車線のクルマが途切れたのがわかった。アスファルトに釘付けになっていた足を懸命に動かした。ポケットからメモがこぼれ落ち、路上に舞い散る。背後でクラクションが消え、そのかわりに前方からくすくす笑いが飛んできた。

信号が変わると、もう誰も私には目もくれず、交差点は人の渦になった。携帯を内ポケットから取り出した瞬間、鳴り続けていた着信音が消えた。もう約束の時間をだいぶ過ぎている。誰からの電話かは確かめるまでもなかった。携帯は手の中で震えていた。マナーモードにセットし直したわけじゃない。震えているのは私の腕のほうだ。

落ち着け、落ち着け。指先の汗をズボンで拭い、プッシュボタンを押す。リダイヤルではなく会社を呼び出した。

四回、五回、六回……コール音が続いたが、誰も出ない。そうだった。園田と家電チームは社内で会議があると言っていた。安藤と生野は外注のデザイン会社に打ち合わせに出たまだ。誰も戻っていないのか。誰でもいい、出てくれ——。

営業局では混乱を避けるため、定時の間は他の部の電話には手を出さないのが不文律だ。私は誰も出ない電話を鳴らし続け、知らない街としか思えない周囲を見まわした。

十回目。まだ諦めきれずコール音を聞きながら、歩きはじめた。何のあてもなく。

十一回目、十二回目。

渋谷の駅を探したが、どこにも見当たらない。

十三回目で、繋がった。

——お待たせしました。第二営業局です。

生野の声だった。駆け寄ってきたのか息を弾ませている。

「生野か？　俺だ、佐伯だ、助けてくれ」

どんな声を出したのか自分ではわからなかったが、喚き声だったのかもしれない。電話の向こうで生野が絶句した。

「ギガフォースに行く途中なんだ、道に迷ってしまった」

――え？　どういうことです？

私はすがりつくように携帯を握りしめた。冗談でまぎらせたり、言い訳めいた言葉を口にする余裕はまったくなかった。

「本当なんだ。急に道がわからなくなっちまった。どう行けばいいんだ。教えてくれ」

――……いまどちらですか？

渋谷、というひと言が一瞬、唇の手前でひっかかった。「なぜ渋谷にいるんですか？　ギガフォースは渋谷じゃありませんよ」生野の口からそんな言葉を聞くのが恐ろしかったのだ。

「渋谷だ。駅からはそう遠くない場所のはずなんだ」

――渋谷駅の近くですね。そこから何が見えます？

返答の様子からすると、ギガフォースが渋谷にあることは確かのようだった。だいじょうぶ、俺は完全におかしくなったわけじゃない。生野がふだんのおっとりした口調とは一転した早口になる。

――いちばん目立つもの。建物、看板、高速道路、電車の高架、何かありませんか？

「背の高いビル。上に看板がある。円形の看板だ。坂の下のほうにホテル」

――坂道の上ですね。近くに大きなガソリンスタンドはありませんか？

「ああ、ある」

——名前を読んで。

私はまるで母親に用を言いつけられた子どもだった。素直に読んだ。ぼやけていた焦点が合うように、でたらめの暗号に見えていた看板が判読でき、それが見慣れたものであることがわかった。

——わかりました。そこは宮益坂です。きっと反対側に降りちゃったんですね。ガソリンスタンドの脇を通って道を下ってみてください。

言われた通りにした。あっけないほど近くに駅が見えてきた。

「ありがとう、ようやくわかったよ。なんとかなりそうだ。どうかしてたんだな」

私の遅刻に怒って何度も携帯を鳴らし続けているだろう河村課長に、一刻も早く遅れることを連絡しなければ。電話を切ろうとした私に受話口の向こうで生野が声を高くした。

——待って、切らないで。このまま……このままにしておいたほうがいいと思います。

「……わかった」

私もそのほうがいいような気がした。駅へ戻っても、また違う道に迷いこむだけかもしれない。携帯を耳に押し当てたまま坂道を駆け降り、駅前に戻った。そのことを生野に告げる。

——駅に着きました？　東横線の乗り場の前ですね。そのまままっすぐコンコースを抜けてください。反対側に出て、目の前の歩道橋を昇って。

さっき渡ったのとよく似た立体交差の歩道橋だ。一段飛ばしで駆け上がる。走りづめだったから、息が上がり、足が震えた。私の情けない喘《あえ》ぎ声がまる聞こえのはずだが、生野は笑いはしなかった。

——昇りきったらまっすぐ歩いて向こう側に渡ってください。降りずに今度は左に。左へ渡ったらそこで降りてください。

歩道橋から街を見下ろした瞬間、頭の中の霧が晴れた。半透明の薄膜で覆われていた視界から、膜が剥がれ落ち、目の前が見慣れた街並みに変わった。

——歩道橋を降りたところにお店が、確か……。

生野の背後で安藤が「そば屋だ。立ち食いそば屋」と叫んでいるのが聞こえた。

そう、そば屋だ。河村課長の悪口を言いながら、安藤とたぬきそばを食った記憶がある。その隣は携帯ショップ。なんのことはない。最初に歩いていた道だった。長い昇り坂が続く道だが、私は足を早めた。

「ありがとう、生野、もうだいじょうぶだ」

まだ不安そうな生野にもう一度礼を言い、通話を切って、着信履歴を見る。やはり河村課長からだった。約束の時間を五分遅れた時点から、すでに三回。ただでさえせっかちな人だ。ましてや今日は彼の上司である宣伝部次長も同席する。急がねば。

リダイヤルしたが、通話中だった。四回目をかけているのかもしれない。走りづめで膝が笑いはじめた両足をふんばって、ひたすら走った。歩きでは十分かかるが、五十になった私のこの足でも走れば半分に短縮できるはずだ。

走りながら言い訳を考えたが、何も思いつかない。四面楚歌の打ち合わせになりそうだった。しかし知らない街に突然放り出されたようなさっきの絶望感に比べたら、どれだけましだろう。大幅な遅刻に開き直った時の、どこか爽快ですらある達観の境地で、私は坂道を昇り続けた。

ポケットに納めた携帯から着信メロディが流れてきた。何年か前に流行ったポップス。私がお仕着せのベル音をそのまま使っていることに呆れて、以前、梨恵が勝手にダウンロードした曲だ。「お父さんの世代だと、こんなのがいいのかな」などと言って。

丸一日続けられるテレビのチャリティ番組のテーマソングだったろうか。私はこういう「さぁ、がんばろう」的な曲は好きではないのだが、消し方も変更のしかたもわからないから、そのままにしている。いまはそのメロディになけなしの勇気を奮い立たせていた。

走りながら携帯を取り出した。ポケットからまたメモがこぼれ落ちたが、構っている暇はなかった。河村課長の甲走った声が耳を刺した。

――いつまで待たせるんだ、いい加減にしろっ！

「だいじょうぶだったんですか」

私の顔を見ると、先に出先から戻っていた園田が声をかけてきた。安藤か生野から話を聞いたらしい。

「ああ、さんざんだったけどな」

おかげで向こうの一方的な条件をいくつも呑まされてしまった。これから先とうぶん、約束の時間の五分前に顔を出さないと、河村氏は機嫌が悪いだろう。

「また出ました？　河村さんのお得意のセリフ」安藤が聞いてくる。河村課長を真似た甲高い声で言う。「約束に五分遅れるってことは、他人の人生を五分奪うことなんだよ――って。まったく、どこで覚えてきたんだか。どうせ袋とじグラビアがついてる雑誌だろうけど。人の人生はいっつも十分以上奪うくせに」

「うん、三回は聞かされた。次長の前で披露するのは初めてだったんだろうな」

河村課長だけじゃない。前回も約束をすっぽかしてしまった次長は、自分が軽んじられているのだと思ったらしい。終始不機嫌で、打ち合わせの細部にまで必要以上に口を挟み、ふた言めにはこう言った。「後で必ず私に報告をするように」これには河村課長もこっそり顔をしかめていた。

「まぁ、でも、悪いのは、俺だ。どうしちまったんだろう。何度も通っているのに、妙な場所から表へ出てしまったらしい」

嘘だった。帰り道に確かめたら、駅の出口も抜けた改札もいつもどおりだった。生野が硬い表情で私の顔を覗きこんでくる。彼女にはこんな言い訳は通用しないだろう。どう考えてもまともじゃない私の言動に気づいたはずだ。

「ぼんやり考え事をしてたのもまずかったな。気づいたら知らない脇道に迷いこんじまっていてね――」

私の言葉はデスクの上を虚ろに漂っただけだった。取りつくろおうとすればするほど、慣れない縫い物をするように綻《ほころ》びが目立ってしまう。他の連中も薄々気づいたらしい。そんなことがあるはずない、と。

「渋谷はややっこしいです。ほんと迷宮ですよ。僕もいまだによくわからなくて。待ち合わせ場所は、必ずハチ公前にしてます」

園田が感情がこもっているとは言えない声でそつなく場を収めようとするが、それを安藤がまぜっかえした。

「そうかなぁ。渋谷、わかりやすいけどな、若者にはね。なぁ」

自分より年下の吉沢や生野に同意を求めようとする。やつのお得意の軽口だとわかってはいたが、懸命に気楽な調子を装っていた私は苛立った。お前に何がわかる。何が若者だ。自分の体に自分の足を引っ張られる気持ちが、どんなものかわかるのか?

遅刻したおかげで、無理難題に首を横に振れなかった私は、帰りの電車の中で新たな仕事のためのメモを書き続け、ポケットをますますふくらませている。下手に動くと体からガサガサと音がするから、あまり動かないようにしていた。

「たまには渋谷で遊ばなくちゃ。仕事だけだと点と点でしか覚えられないじゃないですか。メシを食うところや酒を飲むとこ、行きつけの店を何軒かつくれば、すぐ覚えますよ」

私は安藤のしたり顔から目をそむけた。

「もう、わかったよ」

「とりあえず、今度の忘年会は渋谷でやりましょうよ。うちはいつもいつも――」

「わかったって、言ったろうが」

つい声を荒らげてしまった。安藤が私に含み笑いを投げかけてくる。

「そんな怒らなくたって。あ、もしかして、部長、そろそろボケが始まったんじゃ。渋谷を徘徊？」

「いい加減にしろ！」しまった。そう思ったのは、口から言葉がこぼれ出たあとだった。

「くだらないことを言うな」

怒声になってしまった。部員たち全員が私を振り向く。安藤が真顔になって、顔の前で両手を振った。

「……すいません、冗談ですから」

もう遅かったが、私は場をつくろうためのジョークを口にした。

「わかってる。悪かった。図星だったもんだから、つい」

誰も笑ってくれなかった。

27

保安灯の光にぼんやり照らされた天井を、私はずっと眺めている。昼間はいいのだ。たとえクライアントになじられ、面倒ごとばかり押しつけられて、隠れてメモを取り続けるような仕事だとしても、すべきことがあればよけいなことを考えずにすむ。しかし、夜はそうはいかない。

夜が来るのが怖かった。いままでの私は寝る時にはいっさい明かりをつけなかった。少しでも光があると、ただでさえ訪れない眠りがさらに遠のく。気にしないタイプの枝実子は、後から来る私のために保安灯だけつけて先に寝るから、それを消して寝るのが習慣だった。

いまは消さない。暗闇が恐ろしいからだ。

医師から処方された睡眠導入剤は、市販されているものより効果はあるが、すぐに寝つけないのは変わらない。だから私は床についても、まぶたが重くなり、自然に下がってくるまで天井を見つめ、寝室のアナログ時計の針の音に耳を傾け続ける。静けさも怖かった。

暗闇と静寂は私に死を連想させた。

これまで自分は真剣に死を考えたことがあっただろうか。なかった気がする。

若い頃は死をさほど恐ろしいものだとは思わなかった。それまでの人生を失ってしまうことより、その頃には果てしなく長いと思っていた、自分の前に立ちはだかる人生のほうが怖かったからかもしれない。

死を意識しはじめたのは、梨恵が生まれた頃からだ。子どもができるとなぜか人間は自分の寿命を逆算するものらしい。この子がはたちになったら、自分は何歳？　この子がいまの自分の歳になったら？　自分は何歳までこの子の人生を見ていられるのか——。

人生の半ばを過ぎれば、さすがに自分があと何年生きられるのだろうかと漠然と考えることはある。しかし、いま思えば、それは死というより自分に残された寿命について考えていただけだ。

死という言葉から思い浮かぶイメージを記せ。高校時代、変わり者の倫理社会の教師が、そんなテスト問題を出したことがある。私は思いつくまま適当に答案用紙を埋めたにもかかわらず、かなりいい点数をもらった。しかし、いま「自分の死」についてのイメージを挙げろと言われても、私は何ひとつ思いつくことはできない。

思い浮かべられるとしたら、ひと筋の光もない暗闇。まったく音のない虚無だ。もしかしたらそれが正しい答えなのかもしれない。倫理社会の教師は満点をくれるだろうか。

なぜか目に浮かぶのは、自分の葬式の風景ばかりだ。

場所は父親の葬儀が行なわれたのと同じ故郷の斎場。私は実体を失い、会場を他人の目で俯瞰している。

自分の家系の宗派を、私はいまだに知らないのだが、坊さんが経を唱えている。頭はきちんと剃髪されている。できれば一昨年の叔母の葬式に出てきたような茶髪の坊主は勘弁してもらいたい。

枝実子が泣いている。何年後のことなのかは知らないが、来年八十になる私の母も健在で、やはり私の親不孝に涙を流している。泣きくれる梨恵を渡辺君が支え、梨恵の黒いワンピースの裾をまだ幼い子どもが握りしめている。この子の性別は不明。

私は参列者の顔をひとりひとり思い浮かべていく。園田や安藤や生野は来てくれるだろうか。忠雄叔父はいつものように泥酔して顰蹙《ひんしゅく》を買うのだろうか。この日ぐらいは、みんなに惜しい人をなくした、まだ若かったのに、ぐらいのことは言ってもらえるだろうか。

私は出席者の数をかぞえ、自分の柩の中に入れられる花の香りを嗅ぎ、飾られる遺影を気にかける。できれば写りのいいものにして欲しい。

ナルシシズムを刺激するのだろうか。想像しはじめると、なかなかやめられなくなる。馬鹿な話だが、気分が高揚し、胸が熱くなってしまう。目頭も。

しかし、そこまでだ。

その後のことを考えると、やはり、真っ暗闇。永遠の静寂。果てしない虚無。

いっそ明確な余命を宣言されれば、諦観の境地や、限られた時間を生きる勇気も生まれてくるのかもしれないが、幸か不幸か、症状の進行に個人差のある若年性アルツハイマーには、それがない。少なくとも私には伝えられていない。

そうしているうちに、見つめていた天井がドアのかたちにぽかりと開き、例の部屋といつもの二人が現れる。自分の葬式に目頭を熱くしている私を見下すように、こちらを振り向きもせず、二人きりのディベートを始める。

「根本的な治療が可能というワクチンが完成するまでの辛抱だ。あと五年。多少記憶が欠落するのはしかたない。どうせ無駄な知識ばかりだ。電子レンジの時系列的熱効率やHTMLファイルの作成法や魚のDHAの含有量なんて覚えていたってしかたない。枝実子や梨恵のことだけ忘れなければ、それでいい」

「あと五年じゃない。早ければ、五年だ。しかも他の本には、はっきりしたことは何もわからないって書いてあったじゃないか。あきらめろ。最悪なのは、お前が死ぬことじゃない。お前が生き続けてしまうことだ。人間の脱け殻になってまで」

いつもながら鮮明なイメージだった。いつしか私はドアに近づいて中を覗きこみ、耳をそばだてる。いまでは仄暗《ほのぐら》い壁にかかった時計が、振り子のついた古めかしい柱時計であることもわかっているが、文字盤を覆ったガラスが満月のように光っているために、依然として針は読めない。

「それを言うなら、アルツハイマーの余命だって、七年とは限らない。九〜十年っていうデーターもあったじゃないか」

「四年っていうのもな」

「いまの抑制剤は昔のものよりはるかに効果が高い、担当医だってそう言っていた。それに、もし仮に記憶が消えたとしても、俺は俺だ。空っぽになるわけじゃない」

「そうかな。じゃあ、逆の立場だったら、どうだ？　見かけは枝実子。でもお前のことはまったく覚えていない。赤ん坊と一緒で、身のまわりのことは何ひとつ自分じゃできない。そんな女をいつまでも大切に思えるか」

「それは――」

もう一人の反論が始まる前に、会議室のドアが閉まり、元の天井に戻る。閉めたのは私自身かもしれない。私はたっぷり汗をかいていた。

枝実子を起こさないようにそっと部屋を抜け出し、浴室へ行く。

浴室の中は家のどこよりひんやりしていて、タイルがしんしんと素足を刺す。もうシャワーには向かない季節だが、この頃の私は、よくこうして夜中にシャワーを浴びる。ここなら、もし枝実子が起き出してきても、私の頬が濡れていることに気づかれないからだ。嗚咽《おえつ》も水音が消してくれる。

五十になった男には、流す涙などほとんど残っていないと思っていたのに、自分の涙腺のもろさに私は驚いている。

しかし自分の流す涙が、悔し涙なのか、何かを失う悲しさの涙なのか、自分への哀れみの涙なのか。そもそもなぜ自分が泣いているのか、いつも私はわからないでいる。

28

――もしもし、あ、お父さん、どう？　体の調子は。

梨恵からの電話はなんとなく取る前からわかる。何の根拠もないが、コール音がいきなりわが家へ戻ってきてぱたぱたと玄関から上がってくる時の足音のように聞こえるのだ。

「なんだ、今日も泊まりにくるのか？　朝食付きで八千円になりますが」

――ううん、今日は家《ウチ》からかけてる。

向こうから見えないのをいいことに、私は五センチほど肩を落とした。そのうちの一センチは、毎度のことながら梨恵が自分のマンションを「家」と呼ぶことに対してだ。

――式のことでまた相談したいことがあって……。

結婚式まで後二カ月。いちばん忙しい時期だろう。たびたびこうした電話がかかってくるが、私はあまり役に立たない。

「ちょっと待て、いまお母さんに替わるから」

――あ、その前に、お父さんに相談。

「なにさ」

――うちのほうの親戚、誰と誰を呼べばいいんだろう。お父さん、考えて。申しわけないけど、この間言ったとおりの式にしたいから、できるだけ人数は少なめにしてもらいたいの。

「忠雄叔父さんは呼ばないようにするとか？」

――そうそう。それはぜひとも。

「わかった、考えておく」

私は電話の脇に備えてあるメモ帳に梨恵の言葉を書き取った。会社の人間以上にいまはまだ梨恵には病気のことを知られたくない。

――それとね……

梨恵が珍しく言葉を濁らせる。

――えーとね……

「なんだよ、早く言えよ」

――……赤ちゃんのこと。私のかかってる病院、ふつうは性別を教えてくれないんだけど、うちの父が孫とキャッチボールをするのを楽しみにしてるって言ったらね。

「俺、そんなこと言ったか？」まるで覚えがなかった。

――ううん、言ってない。

「なんだそれは」脅かさないでくれ。

――ベビー服とか買ったり貰ったりする時に便利だから、やっぱり知りたくて、カマをかけてみたの。そしたら、先生がぽろっと。キャッチボールをするなら、野球のボールよりソフトボールだなって。

「……どういうこと？」

――信じらんない。お父さんは鈍感の巨匠だね。つまり、赤ちゃんは女の子ってこと。

「おおっ」

キャッチボールでもママごとでもTVゲームでも、なんだって構わない。自分たちに孫ができる――初めて知った時は、枝実子とため息をついて顔を見合わせたものだが、いまは無条件に歓声がこぼれてしまった。

「待て待て待て、お母さんと替わるから」

私は枝実子を呼び、メモに大きく書いた。『孫、女の子』

29

十一月二十三日

久しぶりにこれを書く。正式に診断が下されて以来だ。

とてもじゃないが、しばらくは文章を書く気になれなかった。自分の病気にかんして書き記すどころか、頭の中から追いはらってしまいたいというのが正直なところだ。

何かを読む気力もなかった。文字を追おうとしても紙にきざまれたインクのあと以上のものには見えないのだ。じっと見つめていると、文字がアリの行列のように動きだすような気がしてくる。

私の病気A――フルネームで書くのもはらだたしい――にかんする本は書斎につまれたままだ。病院から受け取った小冊子のたぐいも。時々山のかたちが変わっているのは、昼間、枝実子が抜き出して読んでいるからだろう。私は必用と思われる箇所はすでに読んだが、それはどうすれば進行を遅らせることができるかという項目ばかりで、Aに至る原因はとばし読みだ。もうかかってしまったのだ、いまさら原因でもないだろう。この先、どう進行していくのかうんぬんのくだりにくると本を閉じる。読まなくてもおおよそのことはわかるからだ。父親の姿を思い出せばいい。

しかし、いまこれを書いているかたわらにはAにかんする何冊かの本がある。もっとAにかんして、知っておくべきだと思い返したのだ。そろそろ冬になる。夜中にシャワーばかり浴びていたら、ひどい風邪をひいてしまいそうだ。少なくとも私には知る権理がある。

この備忘録も書きつづけることにした。良い結末へつづく文章となるとは思えないのだが、それでも、すべてを記録することに決めた。書き残さねば、私のいままでの五十年間まで消えてしまうような気がしてきたのだ。
てってい的につきあってやる。Aと、いや、新しい友人であるアルツハイマー氏と。

30

急行が停まらない私鉄沿線の小さな駅を降り、改札を抜けると、風がコートの裾をはためかせた。ここ数日の風は冷たい。季節が秋から冬へ変わろうとしているのだ。コートを着る季節になったのはありがたい。外出の時にポケットにたっぷりメモを詰めこむことができる。渋谷での一件以来、私がポケットに忍ばせるメモには、新たにいくつもの地図が加わった。ギガフォースはいうに及ばず、いつお呼びがかかるかわからない親会社の家電メーカーの本社、ショールーム、主な営業所、その他のクライアントやこちらから出向くことのある制作会社、デザイン事務所などへ迷わず辿り着くためのものだ。自宅からクルマで十分ほどの木崎陶芸教室や、一度も行ったことのない西武池袋線沿線にある梨恵のマンションへの道順を示すものもある。

まさかとは思うが、念のために駅から自宅までの地図も用意していた。幸いいまはまだ使うことはなさそうだ。小さな駅にふさわしいこぢんまりとした駅前通りには、いつも通りの見慣れた店が並んでいる。早々とクリスマス用の飾りつけを始めているところも多い。午後八時半。駅近くにコンビニエンス・ストアができたためか、商店街はこのところ商売熱心で、半数近い店がまだ開いていた。

地図は既成のもののコピーではなく、全部手描きだ。現金なもので、もう何年も仕事をしていないクライアントでも、まだ取り引きの可能性のある会社は空で場所を思い出し、その道順を書くことができる。通い慣れたギガフォースの場所さえわからなくなったのが嘘のようだ。薬の効果が出はじめているのだろうか。

いま私が飲んでいる抗痴呆薬はアリセプトという名で、いまのところアルツハイマーの抑制には最も効果的とされている薬だそうだ。

見かけは市販の頭痛薬や風邪薬と変わらない黄色の錠剤だ。片面に大きく「3」という数字が入っている。一日一錠。食前でも食後でもオーケー。これに自分の人生の残り時間の増減を託すのかと思うと、頼りないほど小さく月並みだ。

とはいえ、薬を飲みはじめたとたんに、めまいに悩まされることがなくなったのは確かだった。頭痛も回数が減り、起きたとしても以前ほど酷くはない。睡眠不足のために体がだるく、頭が重いのは相変わらずだが、これは前からのこと。着慣れた服と同じで、すっかり慣れている。気になるのは、以前にもまして食欲がなくなり、時おり嘔吐感に悩まされることぐらいか。しかし、これはアリセプトの副作用のひとつらしい。消化器系が不調になるかもしれないと、あらかじめ吉田医師からは聞かされていた。

最近、読み返しはじめたアルツハイマーに関する本によれば、初期段階では、正常に生活しているように見えても、何の前触れもなく短期記憶が失われ、失計算や失行と呼ばれる行動の異常が現れるらしい。だが、ここ数日の私は何の問題もなく過ごしている。症状を本人が自覚しにくいとも書いてあったから、日に何度も自問自答し、他人の反応にも万全の注意を払っている。だいじょうぶ。どう考えても問題はない。

生野へ発芽玄米茶を渡すのを忘れていたことを思い出して、紙袋いっぱいぶんプレゼントした。あの日以来、河村氏とは電話で話しただけだが、特に関係は悪化してはいない。むしろ声の様子では機嫌がよさそうだ。来週から始まるＣＭロケに二泊三日で立ち会いに行けるのが嬉しいのだろう。

ロケ現場のクライアントには、この期《ご》に及んでよけいな注文をつけてスタッフに煙たがられる以外に仕事はない。タレントから大物ＴＶプロデューサー並みの挨拶をされ、撮影に飽きれば抜け出して観光をし、夜は営業から接待を受ける。河村課長は宿泊するホテルまで指定してきた。さすがに私は同行を思いとどまり、彼の世話は安藤に頼むことにしている。

快方に向かっている——そう思いたくなるぐらいなのだが、残念ながら誤診以外にこの病気が治癒した例はない。

アルツハイマーに冒されると、記憶をそこなうだけでなく、しばしば随伴症状と呼ばれる二次的な異常も現れる。鬱病、妄想、幻覚、暴力的な衝動、人に自分のモノを盗られるのではないかと疑ったり、ありもしない妻の浮気や家族の冷遇を邪推する被害妄想、嫉妬妄想。いつ現れるか、どの程度現れるか、何から始まるかは人によってケース・バイ・ケースで、一概には言えない。それを抑えるための向精神薬もいろいろあるのだが、私には処方されていない。吉田先生は「いまのところ必要はないと思いますが、不安があればいつでも出します」と言っていた。私はいらないと答えた。

本に書かれた記述は、読んでいてけっして楽しいものじゃない。

曰く、アルツハイマーの進行は年齢が逆行していくと考えると、わかりやすい。

幼児が感情を獲得し、言葉を覚え、知識と記憶をたくわえ、計算能力を発達させ、しだいにひとりでなんでもできるようになる。これとまったく逆の現象が起きていくのだそうだ。

わかりやすい、などと言わないで欲しい。これは介護者向けに書かれた本の一節だ。『大切な家族を子ども扱いすることはつらいことですが、患者がいま何歳のレベルであるかを知っておくことは、介護の準備と訓練の上での重要な指標になります』ということらしいが、患者本人はたまったもんじゃない。つまり、これから先は、少しずつ記憶と知性を失い、簡単な計算がおぼつかなくなり、言葉が喋れなくなり、ひとりでは服も着替えられず、トイレにも行けなくなって、最後は微笑むことも忘れてしまうということだ。長い長いホームビデオのテープを巻き戻すように。

曰く、アルツハイマーと単なる痴呆との違いは、通常の痴呆が脳の血管の異常が原因であるのに対して、アルツハイマーが脳内の神経細胞そのものを冒すという点にある。だから通常の画像診断では発見しにくい。現代医学でも脳の神経細胞が冒されるメカニズムの詳細はわかっておらず、そして血流と違って修復できないから、治癒も不可能。

最初に読んだ時に私がイメージしたのは、無数の配線コードに繋がれた無数の電球だ。人間が物を考えたり、記憶したりするたびに、脳に配置された何十億もの電球が点滅を繰り返す。頭の中のこれらの電球がゆるんだり、コードを流れる電圧が下がるのが通常の痴呆だとしたら、アルツハイマーは、いきなりコードが断ち切られる――。

ぷつり。

頭の中で切断音が絶え間なく続いている気がしてくる。

読み進むのが苦しくなって何度も本を放り捨てようとするのだが、読まずにはいられない。本により記述内容や統計データが少しずつ違うから、読めば読むほどわからないことが増えていく。おそらく著者たちにも確かなことはわからないのだろう。根本的な原因はいまだに不明で、症状にも進行具合にも個人差があり、医療技術も日に日に変わってきているからだ。

患者というよりアルツハイマー予備軍を勇気づけるためなのか、こんな記述もあった。

『人がものを忘れるのは、脳を活性化させるためである。人は忘れることによって情報を取捨選択し、頭脳を新陳代謝させる。忘れることがなければ、幸福も希望もない』。

どこかで聞いたことがあると思ったら、河村氏が得意顔でひけらかした説だ。案外に有名な話らしい。安藤の言うとおり袋とじグラビア雑誌に書いてあったのかもしれない。

商店街が住宅街に変わる手前に酒屋がある。私はそこへ入った。酒を断ってそろそろ一カ月近く。おかげで代用品として飲んでいるノン・アルコールビールにはずいぶん詳しくなった。

最近の売れ筋商品のひとつのようで、銘柄がいくつもある。あれこれ試したが、いまはこの店に置かれているものに決めていた。実際には0・5パーセントほどアルコール分が含まれているタイプで、正式に言えば低アルコール飲料ということになるのだろうが、まぁ、適量なら酒が害毒になるわけではないというから、この程度はアルツハイマー氏も見逃してくれるだろう。ビールぐらいは、と思わないでもないが、ビールを飲みだしたら、一本ではすまないだろうし、二本飲めばさらに強い酒が飲みたくなるのはわかっている。

遅くまで開いているこの店で、三日にあげずに二缶、三缶と買っていくものだから、店主にはすっかり顔を覚えられてしまった。といっても声をかけられるわけじゃない。愛想のない親爺で、私の買い物がひと缶百三十数円のしろものであるせいか、露骨に面倒臭そうな様子で釣り銭を投げ寄こし、「たまには本物の酒を買っていけ」と言わんばかりの視線を向けてくる。

冷蔵棚にはいつもの銘柄がなく、新発売の低アルコール飲料が六缶パックで並んでいた。私へのあてつけではないかと疑いたくなる。大量に買い置きをすると、つい飲みすぎてしまい、玄米茶を飲むのがおろそかになるから、少量ずつ買うことにしていたのだが、しかたない。今日も二缶までだと心に決めて、パックを取り出し、レジへ行く。百三十数円の六倍を暗算し、千円札二枚を取り出したが、釣り銭を数える店主のいつもの苦虫顔を思い出して、札は一枚にし、釣りが少なくてすむように、小銭入れから百円玉をひとつ取り出して置いた。

店主が妙な顔をして、千円札だけを受け取り、百円玉を釣り銭とともに突き返してくる。新製品はずいぶん安いようだ。

「まいどあり」

挨拶ひとつ寄こさない店主に私は皮肉をこめてそう言い、店を出た。早く帰らないと。今日も枝実子は夕食に箸をつけずに待っているはずだ。私は何度も「待たなくていい」と言っているのだが、枝実子はこの新しい習慣を変えようとしない。そうすれば私が少しでも早く帰ってくると思っているのだろう。アルツハイマーだとわかってからの私は、酒の誘いをのらりくらりとかわし続けている。いまや寄り道するのは、本屋かさっきの酒屋だけだから、願掛け以上の意味はないと思うのだが。

商店街のはずれの一角が青い防塵シートに覆われていた。こんな小さな商店街でも淘汰はあるらしい。コンビニエンス・ストアがまた一軒増えるのだろうか。便利といえば便利だが少々味気ない――そこまで考えて、私は解体され、あとかたもなくなったそこが、以前どんな店であったかをまるで覚えていないことに気づいた。

コートの襟を立てて、ぶるりと身を震わせる。別にアルツハイマーのせいとは限らない。こういう経験は昔から何度もしている気がする。

人は忘れることで、脳を新陳代謝させる——だとしたら、人間には自分に不要となった記憶を冷徹に消し去る能力があるのかもしれない。二度と入ることのない店、もう会うことのない取引先、もはやこの世にいない人間、あるいはこの世に存在しても自分を思い出してくれない人間——。

梨恵がいなくなってから、四人がけのダイニングテーブルはずいぶん広くなってしまった。以前にも梨恵の帰りが遅い夜は、二人きりで差し向かいで夕食をとっていたのだが、帰ってくる人間がいるのといないのとではまるで違うことに、私たちは娘が家を出てから気づいた。向こう側にいる枝実子をやけに遠く感じる。

テーブルに置かれているのは、今日も魚料理。私が辟易しているのがわかっているらしく、フライにしたり、丼ものにしたり、毎日工夫が凝らされているのだが、そろそろギブアップだ。昭和時代の家猫になった気分だった。最近は、自分の吐く息が魚臭いのではないかと気になってしまう。

「ねぇ、パソコンを買わない」

テーブルの遠い向こうで枝実子が言う。

鰺《あじ》の中華風あんかけを熱意なく解体していた私は顔をあげた。

「パソコン？」

「最近、みんな使ってるみたいなの。この間、久しぶりに会った友だちは、待ち合わせ場所をパソコンで調べてきたって言ってた。電車の時刻も。どの路線を使えば何分で着くか、交通費がいくらかかるかが、すぐにわかるそうよ。タナベさんは、お料理のレシピを調べるのに使ってるって。お買い物をインターネットですますっていう人もいる。あれば便利でしょう。あなたの病気のことも調べられるし」

前半の長いせりふは、全部最後の言葉を包むためのオブラートのようだ。私も枝実子の下手な演技につきあった。

「ああ、そうらしいな。俺もプロバイダーの仕事を始めるまで知らなかった。最近はひとり暮らしのお年寄りでも持ってるって。いいんじゃないかな。プロバイダーの会社の課長さんが難しい人でさ。広告を担当してる業者の家にじつはパソコンがない、なんて知れたら、出入り禁止になっちまうかもしれないって思ってたんだ」

私の家にはパソコンがなかった。かつては梨恵が自分の部屋に置いていて、たまさか必要な時にだけ拝借していたが、梨恵が家を出てからは、家庭ではITとは無縁の日々に戻っている。あれば便利なのだろうが、なければないでそう困ることはない。ほんの数年前まで、広告代理店の営業部長という仕事は、キーボードに触れなくてもじゅうぶんこなすことができたのだ。

会社では部内に一人きりになった時、周囲の目を気にしながらインターネットでアルツハイマーに関する情報を検索することがある。まるで隠れてアダルトサイトを覗くようにびくびくしながら。

インターネットの情報は、あまりに量が多すぎて、何を見ればいいのか、見たとしてもどれを信じていいのかわからない。介護者のホームページが数多く存在することを知った時には胸が痛くなった。いまの私の病気が、私ひとりの病気ではないことを思い知らされたからだ。しかし遠からず介護されるかもしれない当事者である私は、覗く気にはなれなかった。

混乱がさらに増すだけかもしれないが、本音を言えば私も周囲を気にせず一度じっくり調べてみたかった。アルツハイマーに対する研究や医療技術は刻々と変化している。本で読む情報は、すでに古くなっている場合が多い。情報が欲しかった。どんな情報でも。こんな時ですら意地を張って、私はそっけない口調で言う。

「だけど、俺、繋ぐのは無理だぞ」

私のそんな性格を知り尽くしている枝実子が、ことさらお気楽な口調で切り返してくる。

「いまさら言わなくてもわかってるわよ。相手の会社の人は、留守録ができないのにビデオの広告の仕事をしてたことは知ってるのかしら」

「あれは、家電メーカーの人も言ってた。売ってる俺もできないって」

「だいじょうぶ、おまかせパックって言うのがあるから、申し込んでおけば、その日のうちに使えるって」

もうすっかり決定事項になっているようだった。私は見てもいない書類に部長決裁印を押すように言った。

「よろしく頼む」

31

言うべきかどうか迷いながら、私は吉田先生の診察デスクをぼんやりと眺めていた。外科や内科に比べて物理的な医療器具が少ない、役所の事務用みたいな机だ。ファイルケースの上に、幼児がつくったものに見える手づくりの人形が並んでいる。若く見えるが子持ちかもしれない。結局、私は話すことにした。

「妙なものが見えることがあるんです」

ここへ来たのは、アルツハイマーと診断されて以来だった。「次は十日後に来て欲しい」診断結果のわりにはずいぶん間延びしているように思えたが、いま考えると私と枝実子の動揺に冷却期間を置くためだったのかもしれない。あの日の翌日にここへ来ていたら、私は吉田先生のネクタイを締め上げていたとしてもおかしくなかった。ご夫婦で、と言われていたのだが、ついてこようとする枝実子に私は頑として首を横に振り続けた。患者にはなったが、まだ被介護者にはなりたくない。

吉田先生はゆっくり頷き、先を続けてくれ、というふうに私を見つめ返してくる。カウンセリングは彼の重要な仕事のひとつなのだろう。慣れた動作に見えた。

「時々、目の前に部屋が浮かぶんです。そこにはテーブルがあって、二人の男が座っている。二人とも私と同じ顔をしているんです。壁には時計。それは、昔、私が生まれた家にあった時計なんです」

最近になって思い出した。あの時計は私が六歳まで住んでいた家にあった柱時計だ。寝つけない夜、一時間ごとに鳴る音が、私をどこかへ連れ去ろうとする誰かの足音に聴こえて、幼心に恐ろしかった。

「佐伯さんは、それを何だと思われているのですか？」

「……幻覚ではないかと」

吉田先生が生真面目な顔のまま首を横に振った。

「ご自分でそう思われている間はだいじょうぶですよ。問題になるのは、自分が見ているものが現実なのか空想の産物なのかご本人が自覚されない場合なんです。お話を聞いているかぎり、それは幻覚というより、我々の用語で言う『錯覚』の範疇だと思います。確か佐伯さんは広告の仕事をされているのですよね。お仕事柄、想像力や感性が豊かなのではありませんか」

他人にそういう褒められ方をされたことはあまりないが、素直に受け取ることにした。

「幻覚や妄想が必ずしも現れるわけではありません。あったとしても、もう少し症状が進んでからですね。中期に入ってからです。佐伯さんの場合はまだその段階ではないように思えます。だいじょうぶですよ」

相変わらず愛想がいいとは言えないが、私をアルツハイマーと診断してから、吉田先生はずいぶん感情を表に現すようになった。彼にとってもありふれた患者ではないだろう私への同情なのか、それともアルツハイマー病患者に対しては明るく接するというマニュアルでもあるのか。

食欲がなくむかつき感があると訴えた私に、胃腸薬を処方すると約束してから、吉田先生は言った。

「治せるとは言いません。しかし食い止めることは可能です。少なくとも随伴症状は薬で改善できます。ご自分に起きていることを包み隠さず話してください。あなたに何が起ころうとも、それはあなたの責任ではないのですから」

私が一人で訪れたことに吉田先生は何も言わなかったが、次の診察日や胃腸薬の服用法をていねいに書いたメモを渡された。

病院を出たのは午後三時。今日は火曜日だが、慢性的な頭痛とめまいの診察のためという理由をつけて会社を休んだ。サラリーマンを長く続けていると、平日のこの時間に職場にいないことは、犯罪行為に等しい後ろめたさがあり、同時に妙な解放感がある。枝実子にクルマのキーを取り上げられてしまったから、電車でここまで来た。駅に続く銀杏《いちょう》並木はもう半分がた葉を落とし、舗道を黄金色に染めている。空はよく晴れ、澄んでいた。

アルツハイマーと診断されてからの私には、目に映るすべてのものがまぶしく輝いて見える。シャッターチャンスをひとつも逃がすまいとするカメラマンのように、私は晩秋の風景を網膜へ焼きつけた。

駅の券売機で買ったのは、隣町までの切符だ。久しぶりに陶芸教室に行ってみるつもりだった。先月から木崎陶芸工房が平日も開放するようになったと聞いていたからだ。

木崎陶芸工房は、私の家の最寄り駅よりひとまわり大きな駅を降り、ひとまわり賑やかな駅前通りを抜け、住宅街をしばらく歩いたところにある。築何十年になるのか、昔ながらの日本家屋をそのまま使っている。板塀にかかった陶製の看板がなければ、ここで陶芸教室が開かれていることを誰も気づかないだろう。

一階のもともとは二間続きの座敷だったらしいスペースが、教室兼木崎先生の仕事場だ。天気のいい日には、庭にレジャーシートを敷き、そこで体験入門教室が行なわれたりもする。縁側から覗くと生徒の姿はなく、ろくろを回している木崎先生の背中だけが見えた。声をかけると、驚いた顔を振り向かせる。

「おやおや、珍しい」

「今日は会社が休みなもので。もしかして貸し切りですか」

先生が誰もいない工房を眺めてのんき気な笑い声を立てた。

「平日も開いているってこと、まだ生徒さんたちに浸透してなくて。もっと宣伝が必要ですかね。佐伯さんの会社に頼もうかな」

「構わないですよ、テレビCMにしますか？」

「まだそれは無理だな。もう少し儲かってからにしますよ」

先生がもう一度笑って、ガラス戸の向こうに引っこんだ。工房の奥にある台所にはダイニングテーブルのかわりに電気式の窯が据えつけられている。そろそろ四十に手の届く年齢だが、独身の木崎先生は、窯と器の乾燥棚に占領されている台所で食事をつくり、隅で小さくなって食べているそうだ。「窯のために町工場並みの電気容量にしてあるんですけど、自分の光熱費は微々たるもんで」

やっぱり来てよかった。木崎陶芸工房に流れるゆったりした空気は、私にとって清々しいオゾンだ。細紐で重い荷物を支え続けているような張りつめた気持ちが、ゆるりとほどけた気がした。

ガラス戸の向こうから先生が顔を覗かせて、大きなザルを掲げてみせる。

「このあいだの箸置き、いい具合に焼けましたよ」

ザルには茄子のかたちの箸置きが並んでいた。前回、この工房を訪れたのはもう何週間か前なのだが、自分がつくったもののことはひとつひとつ覚えている。眠れない夜、死の恐怖や将来の不安に胸が満たされはじめると、土に触れている自分の姿を繰り返し思い浮かべるようにしていたからだ。

「焼成代を払わなくちゃ」

「今度でいいですよ」

木崎先生は無精髭を撫でてそう言うが、いくら仙人みたいな人でも、霞だけ食べては生きていけないだろう。私は財布を取り出し、壁に張られた焼成料金表を眺めた。焼成代は器の大きさによって変わる。箸置きは小物だから一個四百円。数をかぞえ、暗算し、所定の金を先生に手渡した。

「そう言えば、この間の話、考えていただけました?」

先生が私の顔を覗きこんできた。それは忘れてしまった。しかし動揺はしなかった。この程度は物忘れの範囲かもしれない。ここへ来ればそんな楽観的な気分になれる。私は最近、こういう場面で使うことにしているフレーズを口にした。

「どの話でしたっけ?」

こう言えば、相手に先に話をしてもらえる。なかなか便利だ。

私よりだいぶ若いのに、木崎先生の言葉には代名詞が多い。ＤＨＡとビタミンＥの効用を教えてあげようか。

「ほら、あれですよ」

「あれって？」

「新作展に出品するって話」

「ああ、はいはい」

そうだった。思い出した。何をつくったかは覚えていても、交わした会話はそうはいかないらしい。不思議だ。ザルの中に並んだ箸置きは、どれも似たようなかたちだが、ひとつひとつをつくった時の指の感触まで記憶しているというのに。今度からは陶芸に関することもきちんとメモしておかなくては。

「思い出しました」ところで自分は何と答えたのだっけ。

「応募の手続きを済ませておきましたが、構わなかったですか？」

どうやら私はオーケーしたらしい。伝統工芸・新作展は地域の公募展だが、プロの陶芸家も出品してくるハイレベルのコンペだ。私は新作展どころか、アマチュア陶芸家が作品を持ち寄る展示会の類にもつくったものを出したことがない。初挑戦で入選しようなどと考えるのはおこがましいのだが、木崎先生が応募を勧めてくれるということは、そこそこ通用すると考えていいのかもしれない。やってやろうじゃないか。自分の陶芸がどの程度のレベルなのか、前々から知りたかったのだ。

「ええ、もちろんです。がんばりますよ」

「登り窯へ行くっていう話、あれはどうしましょう。応募作品を登り窯で焼くのは、必ずしもお勧めしかねるんですが。ギャンブルみたいなものだから」

このことは覚えていた。眠れない寝床の中で、登り窯で器を焼く自分の姿を思い描き、頭をその光景だけで満たそうとした夜がいく晩あったろう。

「いや、どうせなら、それもお願いします。応募作以外にも焼いてみたいのがありまして。いつ頃、連れて行ってもらえますか？」

「僕はいつでも。あちらはどうだろう。今度、窯を焚くのはいつだったかな。たぶん正月明けになると思いますけど」

ちょうどいい。梨恵たちの結婚式は一月の最後の日曜だ。じゅうぶん間に合う。

「勝手を言えば、一月の遅くならないうちに焼いてみたいんです。日にちの都合はつけますから、その時にぜひお願いします」

ギガフォースの広告キャンペーンは来年一月から。十二月いっぱいであらかたの仕事は手が離れるはずだ。よし、症状を抑制するためにも、しばらくは仕事より陶芸に没頭しよう。

人けのない工房では、ろくろは使い放題だ。私は使い慣れた電動ろくろを選ぶ。

土を載せ、水で湿らす。ろくろを回し、土を押さえこんだ両手をゆっくり上に移動させると、粘土が生き物のように立ちあがってきた。梨恵の新生活に贈る湯呑みだ。

32

十一月二十六日

私が日記をつけていることを話したら吉田医師はおどろいていた。

通常はなかなか文章を書く気にはなれないものだそうだ。アルツハイマーにかかり、ましてうつ病を併発したりすると、文章の記述や計算、料理などの細かい作業をすることにいや気がさしたり、集中できなくなってしまう人間が多いらしい。

それはいいことだと思います。つづけられてはどうでしょう。そう言われた。

その調子なら、人格に問題が生じる随伴症状は、私の場合、さほど心配はいらないのではないかとも言われた。

いい話をきいた。むかしから文章を書くことは苦にならない。ずっとこれを書きつづけていこう。そう心にきめている。

気になることがひとつ。処法されたアリセプトが白い鍵剤に変わっていた。片面に書かれている数字は5。3mgから5mgに変えたのだと吉田医師は言う。最初にお話ししましたが、と前おきして、前回のものは薬になれるための一時的な処法で、これがほんとうの薬なのだと説明する。私は聞いた覚えがなかったが、そういえば、と答えておいた。

今回も薬とともにパンフレットが渡された。介護者向けではなくかん者本人に対してのものばかりだ。もしかしたら枝実子のもとには私の知らない資料が届いているのかもしれない。

33

「浄水器、買ってもいい？」

夕刊を眺めていたら、枝実子が声をかけてきた。

「え？　壊れちまったのか」

「あれじゃだめなのよ。もっとちゃんとしたのじゃないと。水の中にもアルミニウムが含まれてて、それがよくないんですって。アルミニウムを取り除けるようなのに換えようかと思って」

主語が抜けているが「何に」よくないのかはもちろんわかっている。私も枝実子も二人の間では、決まり事のようにアルツハイマーという言葉を口には出さない。

アルツハイマーは人体にアルミニウムが摂取されることが原因――そんな話を聞いた枝実子は、先週すでに我が家で使っていたすべてのアルミ製の鍋や容器を捨て、新しいものに買い換えていた。

私は心配だった。もし私があと何年かでいなくなってしまったら、枝実子はどうなるのだろうかと。業界屈指とは言えない広告代理店のサラリーマンだ。潤沢な貯蓄があるわけじゃない。枝実子が手に持っている職は、二十数年前のパタンナーの技術しかない。私は夜中、ひとりで退職金や保険金の額を計算することがある。

前々から私たち夫婦は、将来、梨恵の世話になろうなどとは思わず、二人だけで暮らしていこうと話し合っていた。私が陶芸を再開した時分には、定年退職したら私は細々と陶芸教室を開き、枝実子はパンプキン・ハウスの半分ぐらいの大きさの店を持ち、そこに私の作品を並べる。将来設計というよりただの夢だとわかっているプランを語ったりもしていた。

まだ梨恵が家を出る前だったから、「こんなことを私たちが話していても、あの子は一生この家から出て行かないかもしれないわね」「それはそれで困るな。ウエイトレスでもやらせるか」なんて冗談も口にして。

梨恵が家を出て、その悪くない冗談は単なる冗談に終わり、今度の結婚話で、たとえ世話になろうなどと思っても、一人娘ではもともとそうはいかないことがよくわかった。二人姉弟《きょうだい》の渡辺君の姉は、すでにダンナさんの両親と同居しているそうだ。以前、顔合わせをした時、彼の両親はいまの家を離れるつもりはないと言っていたが、では私たちが、というわけにもいかない。

幼い頃に父親をなくした枝実子は、母親と二人で生きてきて、その母親も孫の顔を見た翌年に亡くなった。それでなくても枝実子は独りぼっちで、頼るべき肉親がいないのだ。せめて金の心配だけはさせたくない。

「いまのじゃだめなのか」

枝実子は私のすすっている玄米茶に視線を落とす。

「うん、そのお茶を淹れる水になるわけだから。あれはもうやめる」

それからキッチンの小さな浄水器に、お前のせいだと言わんばかりの冷ややかな目を向けた。

「まぁ、いいけど。でもあまり無駄遣いしないほうがいいぞ」

それには何も答えなかった。

34

会議室の長テーブルに街頭キャンペーンのセールスプロモーショングッズの見本が並んでいる。

我々広告業者がSP物《ぶつ》と呼ぶスタッフジャンパー、紙袋、プレミアムなどなど。試作品ではなくボードに描かれているだけのデザイン見本だ。そろそろ実製作にとりかからないと間に合わなくなってしまうのだが、例によってギガフォースは、私たちの提案になかなか首を縦に振ってくれない。

ＳＰ物の基本カラーは、ピンクとライトブルー。当初、キャンペーンのテーマカラーは『ＧＩＧＡ　ＦＯＲＣＥ』のロゴの銀色に合わせた赤色だったが、二転三転したのち、ピンクとライトブルーの二色を併用することになった。

「ダブルスタンダードだよ。イメージをひとつに固定する時代じゃないからさ」と河村氏は言うが、ギガフォースの上の人間がそれぞれ違った意見を口にし、本人たちは覚えていないかもしれないその言葉に宣伝部の連中が過剰反応しているだけ。外部から見ればそうとしか思えない事情で作業が難航している。

「こちらがピンクを基調としたもの、そしてこれがライトブルーを強調したものです」

説明をしているのはフリーランスのアートディレクターだ。うちの制作部《クリエイティブ》から「修正が多くて、とても手が回らない」と泣きが入ったために、彼に仕事を委託することになった。たぶん制作部はデザインというより社内事情の早見表づくりのような仕事に嫌気がさしたのだろう。

アートディレクターは四十前後。クリエイターとしてはベテランの年齢だ。腕はそこそこだが、与えられた仕事以上のことはしてきていない。新しいモノを生み出すことを諦めているタイプだ。あまり感情をまじえずに淡々と説明していく。

「ジャンパーと紙袋に関しては、ロゴの位置を前回と少し変えてみました」

こちらの出席者は私と生野、そして吉沢だ。家電チームのボーナス商戦向けの販促キャンペーンが一段落し、安藤がロケの立ち会いでいなくなることもあって、急遽、ギガフォースの仕事に参加させることにしたのだ。

「どう思う？」

私の問いかけに吉沢は首をひねるだけだった。

「うーん、どうだろう。よくわからないですねぇ」

園田の下で長くメーカーのキッチン事業部専属のように働かせてきたせいか、自分には関係ないと言わんばかりの態度だ。むしろ普段はあまり発言しない生野のほうが積極的だった。クリエイティブ志望だったから、本来は制作部がディレクションを行なうはずのデザインの仕事に参加できることが嬉しいらしい。

「やはりピンクのほうが断然いいですね。先方の考えはともかく、うちはピンクを提案したほうがいいんじゃないでしょうか」

やめろよ、面倒が増えるだけだ。生野に振り向けた吉沢の顔にはそう書いてある。ギガフォースに負けず劣らずのうるさ方クライアントにかかわり過ぎたせいだ。若いのに仕事を無難にこなす術《すべ》がすっかり身についてしまっている。私の教育不行き届きか。安藤みたいによけいな嘴《くちばし》をいれてクライアントに煙たがられるぐらいのほうが、代理店の営業マンとしては見込みがあるのだが。

私はさりげなくシステム手帳を開き、用意してあったメモを読む。すでに三回顔を合わせているこのアートディレクターの名前が、自分の記憶どおりかどうか確かめたのだ。うん、合ってる。

「池田さんはどう思われます?」

池田が眉根を寄せ、顎髭を撫でた。

「お勧めは、これ、もしくはこちらでしょうか。でも、今回の話を聞いているかぎり、あまり案を絞りこまないほうがいいような気もしますが」

私はテーブルの上にずらりと並んだボードを眺めて言った。

「いえ、ある程度絞りこみたいのです。五案、いや四案ぐらいに」

たくさん持って行けば行ったで、河村氏の不興を買うことになる。ビジネス金言が大好きな彼は、たぶんこう言いだす。「もう少し数を絞ってから持って来てよ。ひと目見ただけで決断できるような提案をしてくれないと。知ってる? 佐伯さん。一枚の名刺の裏に書き切れないようなアイデアは、ビジネス提案とは呼べないんだよ」

「とりあえずこの場ではクライアントの事情は考えず、あなたが広告キャンペーンのデザインとしてベストだと思うものを教えてください」

私はアートディレクターへと言うより、吉沢に聞かせるようにそう言った。

「うーん、やはりピンクで統一したものでしょうか」

ピンクを基調としたデザインは三つある。

「では、この三つの中でひとつを選ぶとしたら？」

池田がボードのひとつを指さすと、吉沢が口を挟んできた。

「そうかな。僕はこっちのほうが……」

おい。下請けにばかり偉そうにしてどうする。舌打ちをしそうになったが、ここで簡単に否定をしてしまっては、部下に意見を聞く意味がない。私は努めて冷静な声を出した。

「確か前回ボツになった中では――」

私は手帳の中で前回提案したデザイン見本の縮小コピーをめくった。見ているのはボツになった見本ではなく、余白に書きこんだメモだ。打ち合わせの時の河村課長以下宣伝部員の発言がこと細かに書いてある。老眼鏡を持ってくればよかった。私は目を細め、システム手帳を手もとから遠ざけて、半分世間話のような発言まで要約してあるメモを素早く斜め読みしていった。みんな勝手なことばかり言っている。同じ人間が途中でまったく別の意見を口にしたり、河村課長のひと言であっさり宗旨替えしたり。一カ所に目がとまった。

『D案は悪くない。ロゴがきちんと強調されている。河村』

私は前回のボツ提案を検証しているふうな調子で言ってみた。

「ロゴを強調した案がいちばん受けがよかったんじゃなかったか？　だから池田さんの押し

ている案は先方の意向とも一致している。正解かもしれない」

吉沢が何か言いかけて口をつぐむ。生野が口に出すべきかどうか迷っている表情になる。間違ったことを口にしたのだろうか。恐れおののきつつ私は尋ねてみた。

「どうだ、生野」

「あのぉ……その意見が出たのは、前々回だったのではありませんか」

システム手帳を顔の前に立て、書類をもう一度めくった。日付けもちゃんと入れたはずだが。またやっちまったか。

「いや、僕も覚えている。何かのついでみたいな感じだったけど、あそこの課長さんがそう言ってた。僕は前回が初顔合わせだったから、確かにこの間だよ」

吉沢が私の言葉に頷いた。自分の言葉に頷いてもらうことが、これほど嬉しいものだとはいままで思ってもいなかった。生野が間違えるのも無理はない。提案は少なめにと言われて絞りこんで持って行くと、どれもこれも気に入らない。もしくは「上」が気に入っていないと突き返してくる。その繰り返しで、打ち合わせのたびに話が二転三転する。

生野がシステム手帳を開いて確かめていた。「あ、ほんとだ」

メモを残すことは悪いことじゃない。指の筋が攣《つ》りそうになるのには難儀するが。アルツハイマー本の著者たちには合併症として腱鞘炎もつけ加えることを提案したいものだ。

「じゃあ、こちらからプッシュするのはこれでいいかな。代案をもう二、三案選んでおこうか――」

すべての中から持っていく候補を選び終える。部内の簡単な打ち合わせですら、いまの私には自分が競合プレゼンのプレゼンターになったような緊張を強いられる。終わったとたんくずおれそうになった。

「よし、この線でいこう。もう次で決まるだろう」

決めてもらわないと困る。そうしないと来月からのキャンペーンには間に合わない。ギガフォース側もそれはわかっているはずだった。池田が私に尋ねてくる。

「打ち合わせには、僕も同席したほうがいいですか？」

「いや、それには及びません」

社外の人間がデザインしていたなどと知ったら、河村氏とプライドの高い次長が何を言い出すかわからない。私はもう一度メモに書かれた名前を確かめてから言った。

「決まりしだい、池田さんには結果をお知らせします」

生野がまた何か言いたそうな顔をした。アートディレクターが少しのあいだ口ごもってから、言いづらそうに口を開いた。

「あのぉ、私、池田ではなく松原です」

池田はバナー広告を委託したアートディレクターだった。制作部にバナー広告に慣れた人間がおらず、松原と同じく外注していた。Gフォース、外注AD、人相の特徴を描いた髭の絵。名刺に同じ情報が書かれていたから、混乱してしまったのだ。

進行してはいない。むしろ快方に向かっていると言いたいぐらい――私のそんな楽観はあっさり打ち砕かれた。私が動揺していたのは、松原の名前を間違えたからだけではなかった。松原はまだいい、メモによれば三日前に会っているはずの、本当の池田の顔を、私はまったく思い出すことができなかった。名刺に描かれたへたくそな髭面の絵を見ても、その髭がどんな髭なのかも思い出せない。頭の中の配線コードがまた一本切れてしまったのだ。

私は松原の名刺の裏に、執拗に特徴を書き込み、メモをつくり直す。

「やっぱり、だめだったな」

「いや、そんなことはない」

このところ影をひそめていた幻覚――吉田先生が言うところの錯覚――が見えた。私の目の前に薄暗い会議室が出現し、テーブルを挟んで二人の男がディベートを始めてしまった。

「ほら見ろ、治るはずがないじゃないか」

「いいや、もう二度とこんなことはしない」

人目をはばからずに、机の上で頭を抱えた。いまは昼休みで営業局に人は少ない。私の部の人間はみな食事に出ていた。私は今週から枝実子のつくった弁当を持ってきている。ランチクロスで包まれたそれに、抱えた頭をぶつけた。こつん、こつん、こつん。

食わなくちゃ――食って治さなくちゃ。

食欲はまるでなかった。中身を考えると、なおさらだ。

発芽玄米に魚料理、あとは野菜。飲み物も相変わらず玄米茶。そしてどこで手に入れたのか私にはわからない各種の錠剤や漢方薬。

ビタミンEとCが効果的だと知った枝実子は、アセロラやゴマの加工食品を大量に買いこんできて、以前の私はそれを食事のたびに摂っていた。

二度目の診察の時、吉田先生からあまり極端な食事療法は逆効果になると言われたことを伝えると、今度はどこで聞きつけてきたのか、釣藤散《ちょうとうさん》という名の漢方薬や、抑制効果が高いといわれるいちょう葉エキスや各種のハーブを売るほど買ってきた。

食べ物だけじゃない。私は毎晩、後頭部のツボだといわれる場所にびわの葉の温灸をし、ハーブの中でも特に効果的らしいローズマリーエッセンスの入浴剤の風呂に入っている。昨日からはシンクに高価な浄水器が取り付けられた。料理を煮炊きするのも、玄米茶を淹れるのも、私の食器を洗うのも、アルミニウムを排除したというこの水だ。

私はバッグから薬をまとめて入れた紙袋を取り出した。アリセプトとビタミンEの錠剤は朝、睡眠導入剤は夜に服用するからいままでは会社には持ちこまなかったが、新たに加わった副作用を抑える胃腸薬は一日三回、毎食前だ。

薬を飲んでも、胃のむかつきを抑えられはしなかったが、包みを開け、弁当を広げる。

中身はカジキマグロのステーキ。DHAの含有量は魚介類の中でも屈指の100グラムにつき2800ミリグラムだ。野菜の煮物、ブロッコリー、ほうれん草のゴマ和え。いつも塩分と油を控えた薄めの味つけになっている。そして玄米ご飯。茶色のご飯の上にピンク色のでんぶが載っていた。

でんぶは文字になっている。新婚時代、梨恵が生まれるまでのほんの一時期、私はこうして枝実子のつくった弁当を会社に持って行っていた。そう言えば枝実子はあの頃もよく海苔やでんぶで絵や字を書いて寄こしてきて、私はあわてて弁当箱を閉じたものだ。

といってハートマークや甘い言葉が書かれていたわけじゃない。夫婦でしか通じないジョークまじりの言葉や絵ばかりだった。ボーナスの日には、スマイルマーク。私の誕生日には「25」という数字。海苔の文字で買い物を頼まれたこともある。喧嘩をした翌日など、洋服のパタンナーの器用さを生かして、ゴマ塩で「バカ」と書いてきた。

今日はピンクの文字でこう書いてあった。

『ガッツ』

ああ、そうだよ。ガッツだ。枝実子とそして私自身の苦労を無駄にしたくなかった。ただの悪あがきだと思いたくなかった。

私は吐き気まじりのげっぷを押さえつけて、カジキマグロに食らいついた。

35

オフィスの新しいパソコンは、オシャカになった前のものと違って、機能性が高く、読みこみも速く、最新ソフトもなんなく呑みこみ、そして使いづらい。キーボード操作が苦手な私は、交通広告の料金表づくりに苦闘していた。新しいソフトに慣れないせいか、同じ間違いを繰り返してしまう。

ああ、まただ。やり直し。

縦軸に車内吊り広告、額面広告、車内用CM、駅貼りポスター、ウィンドステッカーなどの項目を立て、横軸にギガフォースが希望する路線をリストアップし、それぞれの料金を打ちこむ。それだけのことがなかなかはかどらない。

ようやくフォーマットができたが、今度は手もとにある手書きの路線リストを打ちこむだけの作業に手間取った。

ＪＲ／山手線、中央線、京浜東北線　営団・都営地下鉄／銀座線、丸ノ内線、千代田線、日比谷線、京葉線、有楽町線、大江戸線、千代田線

あれ？　千代田線はもう打ったはずだ。

ひたいに押し上げていた老眼鏡をかけ直した。少し前まで職場ではあまりかけていなかっ

たが、もう見栄を張ってなどいられない。

また間違えた。しかもJRに入れるべき京葉線が地下鉄のリストに入ってしまっている。どうしてだろう。こんな簡単なこともできないなんて。新しいパソコンのせいなどではない。私は湧き出してくる「失行」という言葉をけんめいに頭の隅に押し戻した。失行は簡単な計算ができなくなり、図形が描けなくなる、記憶障害とともに早い時期から現れるアルツハイマーの症状のひとつだ。

目頭を揉みほぐし、発芽玄米茶をすする。ちょっと休憩だ。失行なんかじゃない。病気のことばかり考えていて、おまけに睡眠不足だから、根気と集中力が欠けてしまっているだけだ。

安藤がロケから戻り、部には久しぶりに全員が顔を揃えていた。私は人手不足のために自分でやらざるを得ないパソコン仕事からしばらく遠ざかることにして、本来の管理職の職務をまっとうすることにした。

「ペイド・パブの見積もり、できたか?」

吉沢に声をかけたら、妙な顔をされてしまった。

「もう出しましたが……」

デスクの左手の書類の山をかきわけた。確かに中ほどに見積書が挟みこまれている。

「ああ、すまん」

園田には家電チームの現況を聞いた。慎重に。同じ質問を繰り返していないかどうか自分の頭の中をおそるおそる確かめながら。安藤が声をかけてくる。

「部長、例の件、どうなりました」

「例の件……」

私はゆっくり首をひねった。クライアントは難物揃いでも、会社に帰れば気心の知れた部下たちがいてくれる。そう思いこんでいた職場が、私にとっていつ足もとが瓦解するかわからない危険地帯となりつつあった。

36

十二月六日

梨恵の結婚式まであと二カ月をきった。渡辺君のご両親と二度目の顔合わせ。お二人とも私よりひと世代上の六十代だ。渡辺君の意見で式に仲人を立てなかったことと、結納をしていないことをしきりと私と枝実子に詫びてくる。こちらがかえってきょうしゅくしてしまう。

結納などの議式めいたことはしたくない、以前聞いた渡辺君のその言葉を、私は一も二もなく承だくしていた。じつは私も枝実子と結婚する時には結納をかわしていない。「あれは人身売買だ」と言って。いまと違って当時はまだこうしただんどりをふむのがなかば常識で、枝実子に父親がいたら許してもらえたかどうかわからない。親せきにはずいぶんひんしゅくを買ったらしい。

ご両親はお二人とも六十代で私よりひと世代上だ。父上はすでに定年退織されてゆうゆう自適、母上は地域ボランティア活動の手伝いをされているとか。二カ月前にはオーストラリアへ旅行に行ったそうだ。

うらやましい。私たち夫婦の十年後。それを考えると辛くなる。十年後がないことも辛いが、もし十年後が

つかれた。今日はここまで。

37

家に戻ったのは、午後十時近かったが、例によって枝実子は夕食をとらずに私を待っていた。私は冷蔵庫からノン・アルコールビールを取り出して、いつものせりふを口にした。

「なぁ、待ってなくていいから、明日からは先に飯を食ってくれ」

「いいじゃない。二人で食べたほうがおいしいし」

「待ってれば、俺が早く帰ると思ってるんだろ？　そんなことしなくてもだいじょうぶだよ。

いつも仕事を超特急で終わらせて、まっすぐ家に帰ってるんだから」

「そういうわけじゃないわよ」

ダイニングテーブルの上には、珍しく肉料理が並んでいた。豚肉のしょうが焼き。私の大好物で、若い頃は週に二回は食べていた。久しぶりに食欲らしきものを感じた。ビールがノン・アルコールなのが少々残念だが、ひと口飲み、肴がわりに一枚をつまみあげて頬張った。

「ちょっとぉ、なにしてるの、梨恵がまねするでしょう」

私の行儀の悪さをたしなめる時の、昔からの枝実子の口ぐせだ。梨恵が成長してからはさすがに使わなくなったが、当の本人がいなくなってから夫婦にだけ通じる戯《ざ》れ言として復活したフレーズだ。

テーブルに妙なものが置かれていることに気づいた。宝石箱のような紫のビロード地の小さなケースだ。開けてみると、緑色のブレスレットが出てきた。

あわてて蓋を閉じた。思わず味噌汁を温めている枝実子の背中を見つめてしまった。枝実子は昔から高価なアクセサリーに興味を持ったり、欲しがったりする女ではなかった。妙な話だが、私にはなぜかそれが誰かが枝美子へ贈ったプレゼントに思えてしまったのだ。人の女房にこんなものを渡すなんて、どういう魂胆があるんだ？　考えてみれば、万が一、そうした品なら、私の目に触れるところへ置くはずがないのに。

「どうしたんだ、これ」

振り向いた枝実子は一瞬、顔を強張《こわば》らせたが、すぐに唇を吊り上げてみせる。だが視線が不安げに私の顔の上を動いているから、笑い顔には見えなかった。

「つけてみて」

「つけてみろって……これ、俺の？」

もう一度蓋を開ける。手にとってよく見ると、ブレスレットというより数珠《じゅず》だ。和風ともアジアの異国風ともつかない房飾りがついている。

「うん、別に手首にはめなくてもいいのよ。胸ポケットに入れておくだけでも違うんですって」

「違うって、何が？」

「病気よ」

言葉の意味を理解するまでに少し時間がかかった。枝実子が私から顔をそらし、いつになく早口で喋りはじめた。

「緑色がいいんですって。あと光るもの。タナベさんのお父さんもそれでずいぶん症状がよくなったって聞いて——」

私は汚物をつかんでしまったかのように、緑色の数珠をテーブルに放り捨てた。枝実子が私の手から落ちたそれを目で追い、用意してあったせりふを棒読みする口調で言う。

「科学的根拠はちゃんとあるのよ、緑色にはね、右脳を活性化する効果があるんですって」

三十年のつきあいだ。私がどういう反応をするか予想していたに違いない。枝実子は私の顔を見ようともせず、箱の中から折り畳まれた紙を取り出した。まっとうな医療用品のものとはとうてい思えない、和紙に毛筆書体で印刷された説明書だった。テーブルの上に押し出されたその紙から私は目をそむけた。

「いくらしたんだ？」

普通に声を出そうとしたが、無理だった。私の声は自分でもどうしようもなく尖ってしまっていた。

「お金の問題じゃないのよ。ねえ、持っているだけでいいから」

つくり笑いの下手な枝実子が、口角をけんめいに押し上げようとしている。アルツハイマー病の患者は、怒りっぽくなったり、猜疑心が強くなったりする傾向がある、そんな記述を読んだ時から、私はそうした感情が湧くたびに恐怖し、必要以上に自制していた。だが今回だけは抑えきれなかった。

「いくらだ」

自分の声が他人のものに聞こえた。冷ややかでざらついた声だった。

「ね、騙されたと思ってつけてみて」

「いくらだって、聞いてるんだ」

「……三十万……ちょっと」

「騙されてるのはお前だよ！　なんでこんなことするんだ」

これは枝実子のすることじゃない。若い頃から占いや縁起かつぎには無縁の女だったはずだ。目の前が真っ白になった。

「ただのガラス玉じゃないか。こんなもの、俺は信じないぞ、ふざけやがって、人の不幸につけこみやがって」

私は片手で数珠と箱と説明書をなぎ払った。勢いあまって、しょうが焼きの皿も床に落ちた。皿が割れ、破片とつけあわせのキャベツが床一面に飛び散った。

またただ。いつかのようにまた手が勝手に動いた。放っておいたら、枝実子の頬を叩いていたかもしれない。そう考えると背筋が寒くなった。

「……すまない」

四つんばいになって皿の破片を集めはじめた枝実子の背中に声をかけたが、返事はなかった。

「なぁ、もういいから、俺のことは。やめろよ、こんなこと……こんなことしたって無駄だ。なぁ、もう……」

枝実子の声も他の女のようだった。

「……そっちこそ、やめてよ……勝手なこと言わないでよ……一人で苦しんでるつもり？

毎晩、待ってるのだって……あなたを早く家に帰らせるためなんかじゃないのよ、だって……」

ふいに気づいた。当たり前すぎてまるで考えていなかったことだ。梨恵だけじゃない。私は枝実子の顔だっていつかは忘れてしまうのだ。二十五年も一緒に暮らしてきたのに。人生の半分以上の時間をともに過ごして、誰よりよく知っている、忘れるはずがない人間なのに。たとえ私の寿命がまだまだ続いたとしても、一緒にいられる時間がたくさん残されているわけじゃない。

大切なものを拾おうとするように、床を這ったまま割れた皿の破片と千切りのキャベツをかき集めている枝実子の背中に、どんな言葉をかけていいのかわからず、私はずっと前から言おうと思っていたせりふを頭の隅から引っぱり出した。

「もういいよ、俺のことは。おまえはまだ若いんだから、俺がいなくなってからのことを考えろ」

「なにそれ？　安っぽいドラマみたいなこと言わないで。言われる身にもなってよ。こっちには最終回なんかないんだから」

枝実子が声をあげて泣くのを聞いたのは、いつ以来だろう。たとえ病気でなくても覚えていないほど遠い昔のはずだ。

38

弁当を手早く片づけた私は、営業局の会議室で新しいメモをつくっていた。昼休み中だったが、部のデスクでは安藤がコンビニで買ったパンを齧りながら書類仕事をしていたからだ。もうシステム手帳にいちいち書き写すなどという悠長なことはしていられなかった。聞いたこと、見たこと、自分の言ったことは、時間の許すかぎり手あたりしだいに書き留めてメモにし、ポケットに忍ばせて、肌身離さず持ち歩いている。

いまや私のスーツのポケットがどこもかしこも風船のようにふくらんでいることは、誰の目にもわかるほどだ。中に何が入っているかも部員たちは知っているようだが、いまのところ見て見ぬふりだった。

いきなり背中に声をかけられた。

「おうおう、ここにいたのか、ちょっと時間あるか。たまには茶でも飲もうや」

ドアから顔を覗かせていたのは第二営業局局長だった。

会社のビルの一階にあるティーラウンジに私たちが入ったのは、ちょうど社員たちがデスクへ一斉に戻りはじめた時刻で、席は半分がた空いていた。局長は短軀を一人でせかせかと隅の席へ運び、私を手招きしてくる。

オーダーを終えると、局長は先週行なわれた社内コンペについてのたわいのない話をしながら、煙草に火をつけた。私はコンペには参加していない。接待以外ではゴルフをやらない私とゴルフ談義をするつもりではないだろう。私は少なからず緊張していた。局長がゴルフ焼けした顔を近づけて言った。

「だいじょうぶなのか？」

「……なんのことでしょうか」

「ギガフォースの仕事だよ」

「ああ、ご心配おかけしました。おかげさまでなんとかメドが立ちそうです。親会社とよく似た体質ですから、スムーズに行っているとは言いがたいのですが」

親会社の家電メーカーは、第二営業局の大手得意先のひとつだ。局長も内情はよく知っているはずだった。

「やっとＣＭの撮影も終わりまして、他の仕事もそろそろカタがつきそうです」

体調を気取られたくなくて、いつもどおりコーヒーを頼み、ひと口だけすすって答えたのだが、局長が知りたいのは仕事の進捗状況のことではなかった。

「じつは君の仕事ぶりに、疑問の声が上がっていてね」

ひと口だけ飲んだコーヒーが腹の中で鉛玉になった。

「……家電にいた河村課長からですか？　何かクレームが？」

「いや、ギガフォースから何か言われたわけじゃない」そこで言葉を切って、探る目で私の顔を覗きこんできた。「部内の人間がそう言っているんだ」

部内の人間？

「いや、けっして君を一方的に非難しているわけじゃない」

私の表情のかすかな変化を読んだのか、局長は懐柔の口調になる。一見、磊落《らいらく》に見えるがこういう読心術に長《た》けているからこそ、私には行けそうもない地位に昇れたのだろう。私の心を手の中でころがすように言葉を続けた。

「君が仕事熱心であることは、もちろん局の誰もが知っている。だがね、なんていうんだろう、このところ、少々言動に問題があるんじゃないか」

誰だ？　誰が私をそう言ったんだ？

「仕事が重なってかなり疲れているという話も聞いてる。体調がよくないらしいね。少し休んだほうがいいんじゃないか」

少し休め――私の会社では、それは善意の意味ではない。第一線をはずれた他の部署への異動を意味するのだ。

五十歳。営業部長と言っても、他の業種なら課長クラスの私は、そろそろ最後の値踏みをされる年齢にさしかかっている。別れ道はすぐ目の前だ。もう一歩ぐらいは上へ進めるか、それとも定年までの日々を会社の邪魔にならない片隅でやり過ごすか。

自分には思いあたる節はないし、疲れてもいない。私は局長の前で断言し、飲むのを控えていたコーヒーを飲み干した。


デスクへ戻ったものの、私の頭は混乱していて、仕事どころじゃなかった。園田ともうひとりの家電担当、富永は外出中。局長に喋ったのはあいつらのどちらかだろうか。

受話器を肩に挟んでけたたましい笑い声を立てている安藤の横顔を盗み見た。こいつか。この間、私が怒鳴りつけてからというもの、なんとなく態度がよそよそしい気がする。図々しいぶん、裏表がない男だと思っていたが、わかったもんじゃない。

パソコンに顔を潜りこませている吉沢の背中に、視線の刃を投げつけた。あいつかもしれない。きっと、せっかく慣れた家電の仕事を取り上げられて、ギガフォースを担当させられていることに不満なのだろう。

「部長、内線二番に電話です」

生野が声をかけてきた。唸り声だけで答えて受話器を手にする。そう、生野であってもおかしくなかった。局長は新人には意図的に声をかける。何かの折に私の話題が出たのかもしれない。まだ大学を出たばかりの子どもだ。会社の上の人間との世間話がどんな意味を持つのかを知らずに、口をつくまま喋ったのか。

電話は制作部のアカウント・エグゼクティブからの予算に関する業務連絡だった。私は受話器を置き、話した内容を克明にメモしながら考え続けた。

誰だ。誰が俺を追い落とそうとしているんだ。

猫のような執拗さで。弁当の名残の魚臭い息を吐きながら。

39

十一時過ぎに帰宅すると、ダイニングに枝実子の姿はなく、テーブルの上にはラップがかけられた一人分の夕食が載っていた。私はため息をついてケーキの箱を置く。

昨日の夜も、そして今朝も、枝実子との間に横たわってしまった重い空気は晴れることがなく、話しかけてもろくに答えは返ってこなかった。いままでなら喧嘩らしきことをしたまま家を出ても、その日の夜には会話が戻ったものなのだが。

待っていなくていい、自分でそう言ったくせに勝手なもので、実際に枝実子の姿がないとただでさえ重い体がさらに重くなった。会社の私に対する評価をくつがえしたい一心で、よけいな残業をしてしまった。

献立はキンメ鯛の煮つけ。昨日のしょうが焼きに不足していたＤＨＡを摂れということか。

食べる前からゲップが出た。

冷蔵庫からノン・アルコールビールを取り出し、気休めの０・５パーセントのアルコールをあおって、ひと息で中身を半分に減らす。そして拳でテーブルを叩いた。枝実子へ怒っていたわけじゃない。局長と、密告めいたことをした部員の誰かへの怒りだ。

少し休め、だと。冗談じゃない。CM撮影も終わった。同時に新聞や雑誌や交通広告のための写真《スチール》撮影も終了し、あとはカタチになるだけだ。このままいつまでも仕事を続けられるとは思っていないが、いまの仕事だけはまっとうしたかった。私の広告マンとしての最後の仕事になるかもしれないのだ。降りてたまるか。

一月の最後の日曜日には梨恵の結婚式もある。その時までは第一線で働く広告代理店の営業部長でいたかった。見栄のためじゃない。大手新聞社の記者だった渡辺君の父親と釣合いを取るためでもない。娘の結婚式に出るのは、いちばん自分らしい自分でありたかった。

よし、とりあえず明日のために食おう。皆無に等しい食欲を湧かせるために、ノン・アルコールビールを飲み干す。

「もう終わりだよ」

どこかで誰かの声が聞こえた気がした。思わず周囲に首をめぐらせてしまった。もちろん誰もいない。夜は静かな住宅街だ。家の外で酔っぱらいがくだを巻いているのかもしれない。冷蔵庫から新しいノン・アルコールビールを取り出していると、また。

「お前はもう終わりだよ」

部屋の中からだった。嗄《しわが》れた声。もちろん誰もいない。自分が知らないうちに声を漏らしたのではないかと疑って唇に触れてみた。ひとり言のはずはない。聞こえたのは私の声とは似ても似つかない、ゴムホースから空気が漏れるような囁き声だった。

まさか幻聴だろうか。いまの段階では心配ないと吉田先生は言っていたが、私の乏しい想像力が生み出したものとはとうてい思えなかった。

父親を思い出した。もう末期になった頃だ。父は抜け出ることがなくなったふとんの上で時おり起き上がり、誰かの言葉に耳をかたむけ、そしてその見えない誰かに話しかけていた。その姿が頭にちらついた。

私は二本目を飲み下して、0・5パーセントのアルコールにすがりついた。

食わなくちゃ。魚を食わなくちゃ。

皿の上のキンメ鯛の腹を箸でほぐし、申しわけ程度の量を口にふくむ。枝実子が手間をかけたことがわかる味だったが、とても味わうどころじゃなかった。ノン・アルコールビールで薬のように流しこむ。また同じ声が聞こえた。今度は笑い声だ。蝶番《ちょうつがい》の軋みに似た耳ざわりな声だった。

誰かの視線を感じて、私は身をすくませた。そんなことがあるはずもないのに、テーブルの向こうに誰かが、あるいは何かが、座っているような気がして、顔を上げることができなくなってしまった。

もうひと口だけ偽物のビールを飲み、意を決して顔を上げた。

もちろん誰もいない。誰もいない空間で、笑い声だけが響いた。耳を塞ぎ、顔を伏せる。キンメ鯛が私を睨んでいた。

見ていると、その目がきょろりと動いた。思わず椅子を引いた。幻覚を振り払うために頭を何度か振り、親指とひとさし指で目を揉みほぐした。

しかし皿の上の魚は周囲を窺うように目玉を動かし続けている。このところ影をひそめていためまいが始まった。私は食べたばかりの魚が胃から逆流するのを懸命にこらえる。

キンメ鯛が私の目を捉え、半身しかない体を活け造りさながらに躍らせた。

「おしまいだよ。もうおしまいにしようよ」

現実のはずがない。頭ではわかっていたが、私の目は確かに、魚が尖った歯の生えた口を酸素を求めるように動かしているのを見ていた。

恐怖と嫌悪と怒りが私の中にかわるがわる押し寄せてくる。私は取り落としそうになった箸を握り直した。

箸を魚の目に突き立て、くりぬき、それを口の中に放りこむ。確かここはＤＨＡの宝庫だ。跳ね躍っていた胸びれが静止し、開閉していた口がようやく動きを止めた。私はぽっかりと孔《あな》の開いた眼窩《がんか》に向かって言った。

「まだ終わってなんかいるものか」

魚を手づかみし、頭からかじりついた。背中に声が飛んできた。枝実子のいつもの声だった。

「なにしてるの、梨恵がまねするでしょう」

40

日曜日だが、まだ早い時間だったためか、生徒の数は少なく、私は工房に足を踏み入れるやいなや、空いていた電動ろくろにいそいそと近づいた。特にルールがあるわけではないが、数の少ないろくろはお互いに譲り合う、新人さんが体験入門に来た時には優先的に使わせる――そんな暗黙の了解があるから、誰も使っていないとわかった時には、ついバーゲンセール会場の主婦並みの足取りになってしまう。

ろくろに土を置く。つくるのは今日も湯呑みだ。新作展用の出品作にはまだ手をつけていないが、締切りは二月末で、こちらはまだ時間がある。「大物のほうが入選しやすい」という木崎先生のアドバイスに従って、私は黄瀬戸の大鉢に挑戦することにしていた。

慎重に息を詰めて土を上に伸ばす。それから右の手のひらで押さえ、心持ち前に倒しぎみにする。今度は土が下がりはじめる。これを数回繰り返すと、土がよく練れて、ろくろの回転になじむのだ。木崎先生が前に立っていることに気づいた。

三回繰り返してからろくろを止める。先生が声をかけてきた。

「佐伯さん、来月の益子《ましこ》行きの件なんですけど」

「益子？」

何も覚えていない。陶芸のためのメモをつくるのをすっかり忘れていた。会社での擬態に疲れ果てている私は、忘れてしまったことを隠す気力もなく、ぼんやりと先生の顔を眺めた。さすがの木崎先生も困惑した表情になる。

「登り窯に行く約束です。この間いらした時に、相談した件ですよ」

「ああ、はい」

生返事しかできなかった。登り窯のことは覚えている。先生にぜひ行きたいと言ったことも。しかし私の頭の中では、それだけで話は止まってしまっていた。

「佐伯さんは一月の遅くならないうちにっておっしゃってて、ほら、あの時、僕が先方に連絡したら、ちょうど一月の三週目から窯を焚く予定があって——」

覚えていない。動揺をあいまいな微笑みで隠した私に先生が首をかしげた。

「あれ、僕の早とちりかな」

「いえいえ、いいんです。無理を聞いていただいたようで、申しわけないです」

私が謝ると、木崎先生もなぜか謝罪めいた口調になった。

「面目ないんですが、行く前にお耳に入れておかなくちゃと思って。窯の持ち主は僕が陶芸を始めた時の師匠なんですが……なんて言ったらいいのか、突然素人が来るなら、参加料を取るって言うんです。昔はそんな人じゃなかったんだけど」

「いや、それは構いません。勝手に押しかけるわけですから。いくらですか？」

「それが……宿泊料込みだそうで――」

木崎先生が言いづらそうにしていたわけがわかった。贅沢な温泉ツアー並みの金額だった。たぶん日向窯のようなところだろう。師匠と木崎先生は呼ぶが、登り窯の主人は高名な陶芸家というわけではなさそうだ。窯を持っていたって優雅に暮らしていけるわけじゃないことは菅原老人を見ていたからよくわかっている。

「もしなんでしたら、断っていただいても、僕はいっこうに構いませんよ」

自分の師匠だという人物の剝き出しの商売根性に、先生も困惑し少々憤っているように見えた。私はきっぱり答える。

「いや、行きます」

それから、ふいに思いついて、もうひと言つけくわえた。

「先生、私、少しおかしいと思いませんでしたか」

「え？　なんのことです」

「物忘れにもほどがあるでしょ」

「……いや、まぁ、よくあることですから。僕なんかもここ最近……」

木崎先生は軽く聞き流すつもりのようだったが、返答に困って言葉を失っている。今日ここに来ているのは、私以外では、庭のレジャーシートで粘土遊びそのものはしゃぎぶりで手びねりをしている子どもたち数人だけだ。いい機会に思えた。

「木崎先生には話しておいたほうがいいと思うんです」

「はい、なんでしょう」

真剣な顔で見つめ返されてしまった。どうしてだろう。前々から思っていた。木崎先生には、自分の病気のことを知っていてもらいたいと。梨恵にも渡辺君にも会社の連中にも隠し通しているのだ。ここに来てまで同じ思いはしたくなかった。それに、たとえ仕事ができなくなっても、陶芸は続けていきたい。そのためにも先生には正直に話したほうがいいように思えたのだ。告解室の神父と向かい合っている心持ちで私は言った。

「私は記憶の病気にかかっているんです」

「記憶の病気？」

「じつは」次の言葉が口から出るのを嫌がっていたが、無理やり押し出した。「アルツハイマーなんです」

自分で自分の病気の名を口にしたのは初めてかもしれない。遅ればせながら、ようやく自分が事実を受け入れた気がした。

木崎先生が笑い出し、顔の前で手を振る。

「やだなぁ、いけませんよ、そういう質《たち》の悪い冗談は。あれはお年寄りの病気でしょう」

木崎先生にかぎったことじゃない。たいていの人間はそう思っている。私だって父親の発病がきっかけでたまたま生半可な知識を得ていただけだ。父親のことがあってからだって、若年性なんて天文学的確率でしか訪れない奇病の一種だと思いこんでいた。

「いえ、本当なんです。若年性です。ここにはこれからもお邪魔するだろうし、先生にはいろいろお世話になると思いますから、言っておかなくてはと。迷惑をおかけすることがあるかもしれないし」

冗談などではないことは、わかってくれたはずだが、先生はほんの一瞬だけ眉根を寄せ、それから笑顔になった。

「がんばってください。こんなところでよければ、いつでも気晴らしに来てくださって結構ですから。あ、この教室のことはどうか忘れないで」

「もちろんですとも」

先生の屈託のない笑顔に救われた。その直後の先生の言葉もさほど気にならなかった。

「早く治るといいですね」

私は曖昧に笑うだけにしておいた。先生の責任じゃない。いまの時代、不治の病——いまの私には聞きたくない言葉だ——なんてほとんどない。健康な人間はたいていそう思って暮らしている。

「私が何か忘れていたら、遠慮なく言ってください。たとえば、この間の箸置きの焼成代、まだ払っていないと思うんですが」

先生は何も言わないが「今度でいい」と言ってくれていた言葉は耳に残っている。木崎先生がにこりと笑って言った。

「ええ、まだいただいてません」

41

俺のところへ来てくれ、営業局長に声をかけられた時から、嫌な予感がしていた。

局長室は専用の部屋というわけではないが、営業局の一角をパーティションで仕切って個室風にしつらえてある。中には瑣末な書類など載っていない大きなデスクと応接セットが置かれていた。

局長は私にソファをすすめ、肥満気味の体を向こう側に据える。身を乗り出してきて、いきなり言った。

「君はアルツハイマーの薬を飲んでいるらしいね」

椅子から飛び上がりそうになった。

「どうして隠していたんだ」

言葉がなかなか出なかった。言葉より鋭く問いつめてくる視線に急《せ》かされて、これだけ言うのがせいいっぱいだった。

「……なぜ、それを？」

局長は答えず、ひざの上で組んだ両手をほどき、腕組みにかえる。もう一度、同じ質問を繰り返した。

「なぜ黙っていたんだね」

太い首に顎をうずめて私の顔を覗きこんできた。まるで犯罪を尋問されているようだった。

「……医者からは仕事を続けても構わないと言われましたので……」

会社には申告しておいたほうがいい、という吉田先生の忠告を無視したのは、こうなることがわかっていたからだ。依然として広告不況の中にいる代理店は、アルツハイマーに罹った外科の教授が執刀を続けていた、などという話もあるらしい大学病院とはわけが違う。

「難しい病気なんだろう。君も大変だな」局長が腕組みを解いて、背中をソファに預ける。一転、世間話を始める口調になった。要注意だ。「じつはうちの女房の母親もアルツハイマーだったんだ。同居をしていたわけじゃないが、いろいろ話は聞いている。だから少しは苦労がわかるよ」

わかるはずがない。黙りこんでしまった私に、局長が気やすく肩に手を置く調子で言う。

「療養に専念したほうがよくはないか」

「私はまだ初期です」本当にそうなのかどうかわからないが、そう言った。

「このことは私の胸の中だけに収めておくよ。早期希望退職っていうかたちでどうだろう。去年から募集しているあれだ。退職金の面でも君に損はないと思うがね」

やめてたまるか。梨恵の結婚式まであと一カ月半なのだ。

「病気のことは折を見て報告するつもりでした。しかし、いまのところ仕事にはさほどの支障がないと判断しまして……」

勢いこんで話しはじめたが、言葉はすぐに尻つぼみになってしまった。私に向けられたまなざしの冷ややかさに気づいたからだ。

「支障はなかったかね？」

眼鏡の奥のその目は感情の消えたガラスさながらだ。私の体内を探ろうとする内視鏡のようだった。反論を続けなければ。頭ではそう思っていても唇は動かない。先に口を開いたのは局長のほうだった。

「先週の部長会議に欠席したのはどうしてだい？」

いきなり白紙の書類を突きつけられて、読めと言われた気分だった。何のことだ？

「君は部長会議に出てこなかっただろう。なぜだ？」

私はばらばらの単語としてしか耳に届かない彼の言葉を頭の中へつなぎとめて、けんめいに意味を理解しようとした。

先週。部長会議。欠席。

部長会議は毎月、最終金曜日のはずだ。今月の場合、二十六日。来週だ――そこまで考えて、頭の芯がすっと冷たくなった。

本当にそうだったか？　確かなのか？　お前の記憶は正しいか？

ひじ掛けを握りしめていた手が、反射的にスーツのポケットへ動きかけた。できることなら、その中にしまってあるスケジュール用のメモを取り出して確かめたかった。局長の視線が私のふくらんだポケットに走ったのがわかった。

「私は君に直接声をかけたのだがね。年末は何かと忙しいだろうから、今月は早めにすませよう、そう言っただろ？　先週の金曜日、午前九時半だ。君は確かそのポケットからメモを取り出して、だいじょうぶだと答えた。覚えていないのかい？」

まったく覚えがなかった。うっかりメモを取り忘れたか、あるいはなくしてしまったのだ。

私は必死で記憶を探った。資料室のファイルキャビネットから重要書類を探すように。だが、何も出てきはしなかった。頭の中には薄靄《うすもや》が立ちこめ、過ぎ去った時間をぼんやりと霞《かす》ませている。

「まぁ、臨時の招集だったから、他にも欠席者はいたしね、君も急用が入ったのだろうと、あえて問い詰めはしなかったが、後で聞いたら、君はその時間、営業部の会議室にいたそうじゃないか。何をしていたんだね？」

「何を……していたか……ですか？」

先週の金曜？　私はソファに糊付けされたように身じろぎもできなかったが、頭の中では、髪を振り乱して手あたりしだいにキャビネットの引き出しを漁り続けていた。空の引き出しを閉め、また開けて、中を覗きこむ。

先週、先週、先週、金曜日、金曜日、金曜日、部長会議、部長会議。

探しても探しても引き出しの中は空っぽだった。あるいは白紙の書類だけ。先週の金曜の午前九時半どころか、その日一日、何をしていたのかも覚えていない。私は空白の引き出しと散乱する白紙しかない半透明の霞のかかった部屋で立ちすくんでいた。

局長がまた私のスーツのポケットに目を落とした。今度は左側。まるまるとふくらんだそちら側は、収まりきらないメモがフラップを押し上げて、顔を覗かせている。

「メモをつくっていたのか？」

局長の言葉は質問というより、すでに手に入れている事実を私の口から告白させようとしている調子だった。そうかもしれない。自分が必死でメモをつくっている姿が脳裏に蘇ってきた。しかし、いまや私のメモづくりは日課だ。それが何日の何曜日のことなのかは思い出せない。いつであってもおかしくなかった。

「君のメモのことは、クリエイティブの連中からも聞いている。全員の発言を速記録みたいに逐一、記録しているとね。彼らの一人が言っていたよ、言いにくそうにだが……」

局長自身も言いづらそうに口ごもった。

「少々……いや、そうとう常識はずれだ、とね。聞いたままをストレートに言えば、常軌を逸していると……」

足もとに大きな穴が開き、そこへ突き落とされた気がした。CDの粟野《あわの》も他の連中も確かに呆れ顔だったが、「経過を知らせろって毎回うるさいから、河村課長に分厚い報告書を送ることにしたんだ」「最近、物忘れが多いから。書いておかないと、ディカプリオに出演交渉しちまうかもしれない」などという私の苦し紛れのジョークに笑っていたはずだ。

「CMラッシュの試写会場を探して、君が第二ビルの中をうろうろ歩きまわっていた、という話も耳に入っている。ポケットからぽろぽろ紙切れを落としながらだったとか」

私は首を振った。局長の言葉の矢をよけるために。これ以上、何も聞きたくない。まったく記憶になかった。第二ビルはここからワンブロック先、本社が手狭になった十年ほど前から会社が借りている場所だ。細長型の四階建てで、迷うほどの広い建物ではない。試写ができる部屋もかぎられている。

CMラッシュの試写会？　もちろん私は映された未編集映像《ラッシュ》のことも、制作部《クリエイティブ》の連中と議論した内容も記憶している。しかし会場として指定された部屋までどうやって辿り着いたかは、まるで思い出すことができなかった。映りの悪いテレビにそうするように自分の側頭部を叩きたい気分だった。

いままでどおりの、ほんの数カ月前までの自分のままでいるために、決壊しようとしている脳味噌の縁に必死で積み上げてきた土嚢が、一瞬のうちに崩れ、流れ去った。自分はまともだ。普通に仕事をしている。少なくとも普通に仕事をしているように他人には見せている。そう信じていたのは、私だけだったのだ。

「何の理由もなく激昂して、いきなり部下を叱りつけることもあるらしいじゃないか。以前の君はそういう男ではなかったはずだ」

それは関係ない。いままでにもあったことだ。私は少々のミスで声を荒らげたり、衆人環視の前で部下を罵倒したりするタイプの上司ではないつもりだが、怒る時には怒らなければ、たとえ六人のチームでも動かすことはできない。

私は考えてみた。自分が部の誰かにゆきすぎた言葉を吐いたことや理不尽に叱りつけたことがあっただろうかと。私の頭の記憶装置は確かに壊れかけているが、自分の思考や感情はまだきちんとコントロールしている——それだけは信じたかった。誰かを怒ったとしても、理由もなく叱りつけたことはなかったはずだ。もちろん相手の受け取り方まではわからないが。

「体調が悪いんだろう。ストレスがたまっているんじゃないか。私はそのつど、苦情を訴えてくる人間に言い続けて、話を聞き流すようにしてきた。軽々しく上司を批判する言葉を吐くなとも言ったしね。だが、病名まで聞かされてしまえば、もうかばい立てするのは無理だよ」

局長の言葉に叱責している調子はない。動かしようのない結論へ私をやんわり誘導しようとしているように思えた。怒っているならまだ救いがある。私は彼の目の中にある憐憫の色に傷ついた。

「……誰が、私の病気のことを？」

薬の袋をデスクに置きっぱなしにしてしまった時に中を見られたのだろう。ピルケースなどを使う習慣はないから、病院から渡された袋を処方箋ごと会社に持ちこんでいるが、ふだんは「精神科」と表書きされている袋を人目に晒すことはなかったし、人前ではなるべく薬を飲まないようにしていた。

処方箋を見られたとしたら、心当たりは一度しかない。そのことはよく覚えている。数日前、誰かから電話で呼び出され——それが誰かまでは思い出せないのだが——薬を放置したまま席を立ったことがあった。打ち合わせ場所は社内だったからすぐに戻り、デスクに放り出したままの袋に気づいてあわてて鞄にしまいこんだのだ。

最近の病院の処方箋は薬名や服用方法だけでなく、それぞれの効能や注意書きがわかりやすい言葉で記載されている。私のものにも「抗痴呆薬」という文字が躍っていた。薬名にはアリセプトという商品名と正式名称のドネペジルが併記されていて、どちらにしろそれがアルツハイマー専用の抗痴呆薬であることは、検索しづらいと評判の悪いギガフォースの情報サイトでもすぐに調べられるだろう。

局長は私の言葉には答えず、ゆっくりと首を横に振った。目にはあいかわらず哀れみの色。

「私の義理の母親の場合、脳梗塞で入院したのが原因だったたし、年も八十近かったからね、君の場合とは違うかもしれんが、どう考えてもうちのような職種の仕事はまともにこなせない状況だと思うんだが。違うかな」

私に踏み絵を踏ませる口調だった。脳梗塞が原因なら、アルツハイマーじゃない。脳血管性の痴呆だ。私は即座に言葉を返した。

「違うと思います。私は若年性のアルツハイマーですから」

「若年性……そうか……まぁ、大変なのはわかる」

局長が困惑した表情になる。私の言葉の意味がよくわからないのだろう。また首を振ったが、何かの感情がこもったしぐさではなかった。

「そうだよ、君はまだ若いんだ。少し早いが第二の人生を考えたらどうだい。いま希望退職に応募すれば、金銭面でもかなり優遇されるよ。やり直すチャンスだってあるだろう」

若年性という言葉を曲解して、思いつきを口にしているだけのようだった。年の離れた人間を教えさとす口ぶりだったが、局長の入社年次は私より数年早いだけ。歳は三つと違わないはずだ。

チャンス？　どんなチャンスだろう。私の病気がじつは吉田医師のとんでもない誤診で、私はたちどころに完治し、業界五位以上の広告代理店にヘッドハントされるチャンスだろうか。何度そんな自分を夢想したことか。局長は繊細な人間とは言いがたいが、冷徹ではないし、思慮のない男でもない。そのことはわかっている。しかし私はいい加減な知識で人を慰めようとしている彼に腹を立てていた。

感情障害による怒りではないと思う。自分が患者になって初めて気づいた。世間がアルツハイマーに関してどれほど無知であるか、誤解しているかを。父親が患者であったにもかかわらず、私を憤らせる人間と大差のない知識しか持っていなかった自分も含めて。私はこの場で席を立ってしまいたい衝動を抑えつけて言った。

「もう少し待っていただけませんか……二カ月前までは私自身もこんなことになるなんて思ってもいなくて……まだ心の整理がついていないんです」

局長は同情の意を表するという具合に、何度か頷いて見せたが、私の言葉には答えてくれはしなかった。

42

ぼんやりとテレビを眺めていたが、内容はまるで頭に入ってこなかった。目はめまぐるしく変わる画面を追い、耳は騒々しいほどの音を聞いているのだが、それが意味あるものとして頭の中に像を結ばないのだ。私の病気のためだろうか、あるいは食卓の静けさをまぎらわせるためだけにテレビをつけているせいだろうか。

　昼間、局長に告げられた言葉は枝実子には話していない。話をするどころか、私自身も事実を受け入れるのを拒否して頭から締め出そうとしていた。本当にやっかいな病気だ。忘れたくないものは忘れてしまうのに、忘れたいことは忘れさせてくれない。

　画面に映っているのは、まだ家にいた頃、梨恵がよく見ていた番組だ。私たち夫婦は二人きりになってからも、梨恵と見ていた番組に、習慣的にチャンネルを合わせてしまうことがしばしばある。

　毎回、健康をテーマにした話題を流す情報バラエティ。血液をさらさらにする方法、隠れ肥満の脅威、カテキンの効用、紫外線から肌を守る知恵……若い女性が視聴者のメインであるらしく、ダイエットの特集もたびたび組まれる。私の目には少しも太っているように見えないのだが、梨恵はよくテレビの模範演技に合わせて妙な体操をしたり、へそに五円玉を張りつけて――これは枝実子と二人で――みたり、食べて痩せられるというパイナップルや豆腐やヨーグルトや唐辛子を買いこんできて、めったにつくらない手料理をこしらえ、私たちを辟易させたりしていた。

　今日のテーマは「眼精疲労の恐怖」。ＩＴ生活による眼精疲労が全身を蝕《むしば》むといった内容だが、いまの私に言わせれば、恐怖でもなんでもない。目の疲れのために肩が上がらなくなったと訴える体験者の談話も、贅沢な悩みとしか思えなかった。

自分がテレビをつけたくせに、枝実子は食事が終わったばかりのダイニングテーブルに新聞を広げている。夕食の後に朝刊の続きと夕刊をまとめて読むのが枝実子の習慣だ。新聞と顔との距離がずいぶん遠い。先月で四十七歳。本人は認めたがらないが、そろそろ老眼鏡が必要なはずだ。私も同じ歳から兆候が始まった。二、三年前から髪を染めるようになったのも、増えてきた白髪をめだたなくするためだろう。妻の老眼と白髪。なぜか自分自身が悩みはじめた時以上に、自分が老けこんでしまった気がする。

私はリモコンを取り上げてテレビを消し、流しへ食器を運んだ。茶を淹れるために席を立とうとする枝実子に言った。

「俺がやるよ。日本茶でいいよな」

もう玄米茶には飽き飽きしていた。キッチンに置いてあるはずの茶筒を探す。どこだっけ？　食後の茶は私が淹れることも多いのだが、日本茶は久しぶりだからわからない。枝実子に聞けば話が早いのだが、いまの私が置き場所など聞こうものなら、たちまち顔を曇らせてしまうことはわかっている。

ようやく食器棚の隅で見つけた。頬のほくろをこちらに見せていた枝実子の横顔が、私に振り向けられた。

「年賀状、そろそろ用意しないとね」

「ああ」

毎年のことなのに、いつも暮れが押しつまってからばたばたしてしまう。広告代理店の営業マンは、外注のデザイン事務所や印刷会社に頼みこんで凝った年賀状をつくる人間も多いが、私はいつも市販のものに住所と名前を印刷するだけだ。ただでさえ忙しい年末に下請けによけいな手間を取らせたくないし、そもそもオリジナルデザインなどまったく思いつかない。私たちは梨恵が幼ない頃にも年賀状に子どもの写真を使ったことがなかった。

「はがき、用意しておくから。何枚ぐらい必要？」

「去年と同じでいいかな」

「デザインはどんなのがいい？」

毎年、枝実子に同じことを聞かれている気がする。私の答えもいつもどおりだ。

「お前にまかせるよ」

「そう言って、いつも後から文句を言うくせに。イラストが子どもっぽすぎるとか、もっとセンスがいいのはなかったのか、とか」

そんなことを言ったことがあっただろうか。記憶にはなかったが、「文句は言わないよ」とだけ言った。

「じゃあ、まかされちゃうね」枝実子が頬づえをついて天井を見上げた。「ところで来年の干支《えと》ってなんだったっけ？」

口にしてから、しまった、という顔をする。すぐに私から表情を隠したが、頬にあてがった指が緊張してほくろのあたりに爪を立てていた。

枝実子は私の記憶力を試すような言葉を口にしなくなった。私の思い違いを否定したり、自尊心を傷つける言葉も。すべて『アルツハイマー患者を持つご家族のために』というタイトルのパンフレットに書かれていた注意事項だ。

いちおう広告業者のはしくれだ。毎年この時期は、私の部でも他の部でも、元旦の新聞紙面を飾る「正月広告」の原稿が大切な仕事のひとつになっている。来年の干支は知ろうとしなくても知ってしまう。私が即座に答えると、枝実子の指の緊張がほどけた。

「ああ、そうだったわね」

「お前にも来たか？ 気をつけろよ、二人揃って痴呆だなんてしゃれにならない」

枝実子はひとりごとめかして、ぽつりと呟いた。

「案外、それもいいかも」

私は聞こえなかったふりをして、キッチンを見まわした。今度は湯呑み茶碗が見当たらない。新聞をたたみながら枝実子が言う。

「お医者さんだって、いつも正しいわけじゃないのよね」

「ん？」

「夕刊に書いてあったの。医療ミスの記事。ひどい話よねぇ。同じ苗字の違う患者さんに注射をしちゃって、心臓発作で死んじゃったんですって。怖いわね。やっぱりいろんな病院で診てもらうっていうことも必要かもしれないわねぇ」

世間話じみた口調だったが、枝実子の言いたいことはわかっている。何度も話し合ったことだ。

大学病院とはいえ、いまかかっているところは、アルツハイマーを前提として選んだわけではない。不眠とめまいを診察してもらうつもりで行っただけだ。違う病院で改めて診察を受けたほうがいいんじゃないか、枝実子はそう言い、私もずっとそれを考えていた。

だが、アルツハイマーや痴呆の診療に定評のある医療施設を調べていくと、私の住む神奈川では、たいてい私がいま通っている大学病院の名前がそのひとつに挙がる。しかも、前回の診察を受けた時には精神科の教授が同席し、私と枝実子の気持ちを見透かすようにこう言った。「吉田君はまだ若いですが、痴呆の診療経験は豊富です。なんでも彼に相談するようにしてください」

研修医のように見えた吉田先生は三十代で大学の講師。アルツハイマーの専門医というわけではないが、痴呆病理が専門だそうだ。この病院には痴呆症の患者が自立した生活を送るためのリハビリルームがあり、スタッフも揃っているから、いつでも利用して欲しい、とも言われた。私より二十歳は上に見える老教授の口から、痴呆に関してのアドバイスを受けるのは妙な気分だった。

枝実子はいまだに言う。「誰だって間違いってあるもの。一人のお医者さんの診察だけじゃ信用できない。症状がよく似た違う病気だったら早く診てもらわないと手遅れになっちゃう」

しかし、私はもう他の病院へ行く気はない。まだ心の片隅に残っている、もしかしたら誤診ではないかという一縷《いちる》の望みが消え去ってしまうのが怖いのかもしれない。

湯呑み茶碗はすぐ目の前にあった。私は茶筒と湯呑みを交互に眺める。どうすればいいのだっけ。模範的とはいえないが、家事は手伝うほうだ。茶を淹れるぐらい手慣れているはずなのだが。

筒を開け、さじでお茶の葉をすくい、湯呑みに入れる。そしてポットを眺めた。頭の中で誰かが叫んでいる。「違う、違う」

そうだ。急須《きゅうす》が必要なのだ。思わず枝実子の様子を窺ってしまった。朝刊の折り込みチラシのチェックに余念がない。そっと茶の葉を茶筒へ戻し、急須を探す。水切りに置かれていたそれを抱きしめるようにかかえて枝実子に声をかけた。

「なぁ、別の病院を探すなら、一度、見に行ってみないか？」

「どこへ？」

「介護施設だよ」

枝実子が顔をしかめる。これも精神科の教授から勧められたことだ。

アルツハイマーの場合、五十歳の私でも、本来は六十五歳からの介護保険が利用できる。

ホームヘルパーの助けを借りて在宅介護を続けるという方法もあるが、症状が進み、それだけでは対処しきれなくなった場合のことを考えて、痴呆症患者を受け入れる公的施設を探しておいたほうがいい。そう言われたのだ。

私にではなく枝実子に向かって老教授は言った。

「ずっと預けっぱなしというわけではないんです。最近は昼間だけ預けられるデイサービスやデイケア、あるいは短期間だけ入所するショートステイといったカタチで利用するケースが多いんですよ」

公的施設というのは特別養護老人ホーム。あるいは老人保健施設のことだ。私は年齢に関係なく老人のために用意された場所に入ることになる。吉田先生からきちんと話が伝わっていないのか、教授は私の症状が進行していると思っていたらしく、そこに私が存在しないかのように、枝実子にばかり語りかけていた。枝実子がいまの病院に不信を抱いているのは、あの教授の無神経さも理由のひとつかもしれない。

枝実子の隣で、私は保護者に連れてこられた子どものようにぼんやり話を聞いていた。その時は、自分が入ることになる施設が老人用のものだという事実より、医師に会話を理解できない存在として扱われたことのほうがショックだった。

「若年性でも利用できるのが建前ですが、残念ながら若年性の患者の場合、高齢者より手がかかる、扱いづらいと敬遠されがちでして。年齢を理由に入所を断られたり、長く待たされたりすることが往々にしてあるようです。こうした施設は数も質もまだまだ充分とは言えませんのでね、早めにしかるべきところを探しておくべきだと思いますがねぇ」

ようやく手順を思い出した。まず湯呑みにポットの湯を満たす。こうして器を温め、湯の温度を少し下げてから、茶の葉を入れた急須に注ぐ。そうそう、これがいつものやり方だった。急須を揺すったりせず、静かに二分ほど待つ。その間、枝実子はひと言も口をきかなかった。私が湯呑みをテーブルに置くと、押し殺した声で言った。

「……私は、絶対に嫌よ」

「いまはそう言ってるけどさ、きっと大変になると思う」

本当は知りたくなどないが、最近の私は、このまま症状が進んだ場合、アルツハイマー病の患者がどうなっていくのかに関しての知識も積極的に得るようにしている。自分の動かしがたい将来など、たとえ健康な体だったとしても、できれば一生知らないままでいたいものだ。まして私の場合、明るい未来はどこにもない。しかし、枝実子のことを考えるとそうも言っていられなかった。アルツハイマーの症状は、しだいに患者本人の苦痛ではなく、介護する人間の苦痛になっていくのだ。

このまま症状が進むと、記憶障害や随伴症状だけでなく行動障害が起きるようになる。たとえば、徘徊。私の父の場合、これが酷く、母や兄や義姉は毎日のように道に迷った父を探し歩いていた。

異食。味覚や嗅覚が狂い、食物とそうでないものの区別がつかなくなる。石鹸を齧ったり、観葉植物を口に入れたり。本人は高級チーズや新メニューのサラダを食べているつもりなのだ。

失禁。排泄。十年前にはまだ大人用のおむつがいまほど普及していなかったから、父は母の縫ったサラシを使っていた。

不潔行為。「汚ない」という感覚が麻痺する。あるいは喪失する。入浴を嫌がったり、同じ服を着続けたり、排泄物を平気で摑んだり——。

考えただけで、体が震えてくる。つまり私が私でなくなっていくわけだ。私には自分が人ならざる怪物に変わってしまうように思えてならない。

「どうだ、今月中にでも、一度さ。次の土日は？　俺、ひさびさにまるまる二日間休めるし。よさそうな場所を探しておくから」

「遊園地へ行くみたいな言い方しないでよ。私は嫌」

枝実子は意地になって首を振るが、排泄物を垂れ流し、それを異食しようとする私を見ても、やはり首を振ってくれるだろうか。

43

ろくろの上で土が正確な円筒形になった。いままでの私なら、これだけで満足していただろうが、いまつくっている湯呑みは、ここからが勝負だ。

かたわらに用意していたコテを手に取り、それを円筒の中に入れた。コテで内側から力を加え、器を少しずつ変形させる。あまり力を入れすぎず、かといって躊躇せず。この加減が難しい。

陶芸のコテというのは特別な道具じゃない。薄い木のへらだ。最初は木崎陶芸工房に用意されているものを使っていたのだが、どれもしっくりこず、前回から家にあった古いしゃもじを拝借して削った自作のものを使っている。これにしてから、成形がうまくいくようになった。

コテを操りながら、すでにつくり終え、ろくろと同じ高さの台に置いたもうひとつの小ぶりの湯呑みに目を走らせる。

こちらの湯呑みは梨恵のためのもの。猫舌の梨恵のために飲み口は厚めにした。小ぶりと言っても下ぶくれになっていて、見かけよりカサがある。容量はいまつくっている渡辺君用のものと変わらないだろう。一見、夫を立て、気づかっているように見えて、じつは妻がしっかり実利を得る、そういう夫婦茶碗だ。結婚する娘を持つと、父親はとたんに女権拡張論者になる。

梨恵によると渡辺君はコーヒー党で、一日に五、六杯は飲むそうだ。「私がたまに日本茶を淹れてもたいてい飲み残しちゃうんだよ」若い頃の私と同じだ。玄米茶にしろとまでは言わないが、体のためには日本茶も飲んだほうがいい。彼のものは飲み残しても冷めにくいように中央部分を厚手にしてやろう。

今度は外側にひとさし指をあて、線状の紋様を描く。器を手にした時、握りやすいように指のあたる部分に溝をつくるのだ。私より手の大きな渡辺君は間隔を広くあけ、枝実子に似て手の小さい梨恵は狭くする。

これを終えると、最後は糸きり。糸を使って成形した土をろくろから切り離すだけの作業なのだが私はどうも苦手だ。何かにつけて詰めが甘い性格なのだろうか。薄く切り過ぎて底に穴を開けてしまったことが何回あったことか。

糸きりすべきところへ慎重に爪で印をつける。二カ所。湯呑みの底に高台をつくるためだ。まず上の印のあたりを窪ませる。さらに一センチほど下につけた印に糸をあてがう。あえて完璧な水平にはせず、少しだけ角度をつけて切り離した。

大きく息を吐いた。よし、成功。とりあえず成形終了だ。いままでの中ではいちばんいい出来だった。

てもできたばかりの湯呑みをそっと梨恵用の隣に置く。それぞれのカタチが体裁よく整ってい

ても、揃えて並べた時の釣合いが悪ければ意味がない。私はそう思っている。もしこれで駄目なら、つくったばかりの器をこの場で土に戻すつもりだった。

梨恵の湯呑みはすでに素焼きを終え、絵付けも済ませている。露草の絵だ。指の腹でつくった溝の部分がシンメトリーになるように揃えて置いてみた。二つの湯呑みは、少しずつお互いの方へ傾いている。寄り添うように。この角度に苦労したが、どうやらうまくいった。何とか登り窯行きには間に合いそうだった。私は木崎先生の姿を探す。

木崎先生は作業テーブルで初老の夫婦に手びねりの指導をしていた。二人は今日初めてここを訪れた無料体験入門の生徒なのだが、先生はまだおぼつかない手さばきに自分の手を添えたり、見本を見せたり、あいかわらずの熱心さだ。私は先生の指導が一段落するのを待つことにした。

登り窯があるのは栃木県の益子。最近は地方の窯場でも電気やガス、灯油式の窯が主流で、私や児島が日向窯《ひゅうががま》に通っていた三十年近く前に比べると、登り窯の数はずいぶん減っているらしい。

窯に火を入れるのは一月の第三土曜。その日から泊まりこみ、月曜までの三日間の予定で滞在する。窯出しまでにはさらに数日を要するから、焼き上がった瞬間を見ることはできないが、私はその週にもう一度、窯を訪ねて、完成した器を受け取りに行くつもりだった。

木崎先生は「せっかく行くんですから、もっとたくさん焼きましょうよ」と勧めるのだが、私は梨恵たちの湯呑みだけを焼くつもりだ。

初老夫婦の奥さんのマグカップが完成したようだ。先生はカップを眺めて「うん、これは――」と言ったきり絶句していた。木崎先生が作品を前にして言葉を失うのは、さすがの褒め上手の先生にも褒めどころが見つからない場合か、プロとしてひと言アドバイスをしたいがとりたてて欠点がない出来映えの場合か、どちらかだ。

「最初ですから、これでいいんです。天真爛漫な作品だ」

常連の生徒にはおなじみの苦しまぎれの時の褒め方だったが、自分のつくったモノを「作品」と呼ばれた奥さんは、少女のようなはしゃぎ声をあげる。

陶芸を年寄りの「枯れた趣味」だと思いこむ人は多いようだが、実際には大人を子どもにする魅力があるのだ。木崎先生に呼びかける私の声も子どものように弾んでしまった。

「先生、ちょっと見てください」

言葉の調子だけで、出来映えがわかったようだ。先生が私に笑顔を向けてくる。

「ついに、できましたか」

「ええ、できました」

私はウェディングケーキに入刀するように身を寄せ合った二つの湯呑みに手を差し伸べた。たぶん褒めてくれと言わんばかりの顔をしていただろう。

先生はぴしゃりと額を叩き、しばらく言葉を探していた。

「なるほど、こう来たかぁ。うーん、荒くなりましたね。いい意味で。これは佐伯さんならではだな。私には真似できない」そう言って唸ってから、プロの意地という具合に、ひと言つけ加える。「惜しむらくは、大きいほうはもう少々口縁の厚みが整っていたほうがよかったかな」

最後の苦言はかえって嬉しかった。先生はプロのくせに生徒が偶然であれ、いいものをつくると本気で悔しがる。半分は冗談にしても、私の器にほんの少し嫉妬しているように聞こえたからだ。

体験入門の夫婦も覗きにきた。奥さんは無邪気に目を輝かせ、旦那さんは自分たちのつくったカップと見比べて肩をすくめていた。ちょっと気分がいい。

「明日も来ます。削りをいっきにすませてしまおうかと」

施設を見に行こうという誘いを枝実子にふられた私は明日の日曜も暇だった。「削り」は器の最後の仕上げ。微修正を行なう。しかしもう修正すべき点はあまりなさそうだ。削りを終えれば、素焼きののちに絵づけ。あとはいよいよ登り窯だ。

「明日かぁ……僕、午後から出ちまうかもしれないんで、その時は置いといてください。素焼きをしておきますから。でも、いいんですか、ほんとにこれだけで」

「お……」

最近の先生は私を留守番がわりに工房へ残して、所用に出かけてしまうことがある。それが自分を単なる生徒以上の存在と見なしてくれているようで、私は嬉しかった。

「ええ、お願いします」

「今回は、やっぱり気に入らないからつくり直すなんて言わないでくださいよ」

「だいじょうぶ。今度こそ。じゃあ、その証拠として、焼成代を前払いしちまいましょうか」

私が胸をそびやかすと、先生が笑った。偉そうに言うほどのことはない、湯呑みひとつの焼成代は六百円。今日の場合、体験入門の夫婦ふたりのつくったものと合わせても、学生の一日のバイト代にもならない額だ。素焼きとはいえ五、六時間はかかる。そのわずかな金額で、先生は電気窯の前で何時間も火の加減のお守《も》りをするのだ。いくら陶芸が好きだと言っても、私にはマネができない。

小銭で払うのが申しわけない気がして、千円札を二枚取り出すと、先生が何か言いたそうな顔をしているのがわかった。記憶の欠落が多くなるにつれ、私は以前より人の表情に敏感になった。自分がおかしなことを言ってはいまいか、妙なふるまいをしてはいないだろうか、必死で考えてみる。思い当たることを、先生に言われる前に口にした。

「そういえば、この間の箸置きの焼成代、ちゃんと払いましたっけ」

木崎先生も私を探るような目つきになった。またやってしまったようだ。私は財布から札をさらに何枚か抜き出した。

「やっぱり、まだ払ってませんでしたか?」

少し口ごもってから先生が頷いた。「ええ」

「すいません、私、この間お話ししたとおりなもので……」

「いいえ、構いませんよ。いつでもいいんです」

いいはずがなかった。区が無料で始めた陶芸のカルチャー講座ができたとたん、常連だった主婦グループが木崎陶芸工房からそっくり抜けてしまった。気ままな一人暮らしだから、と木崎先生は言うが、私の支払うわずかな焼成代だって貴重な生活費のはずだ。

記憶がいかに大切なものか、それを失いつつある私には痛切にわかる。記憶は自分だけのものじゃない。人と分かち合ったり、確かめ合ったりするものでもあり、生きていく上での大切な約束ごとでもある。陶芸が小さな一工程を失敗しただけで、器にひびを入れ、形をだいなしにしてしまうのと同様、たったひとつの記憶の欠落が、社会生活や人間関係をそこなわせてしまうことがあるのだ。せっかく親密さが増してきた木崎先生との関係を、私はまだ壊したくはなかった。

44

またもや渋谷で迷ってしまった。しかも時刻は午後七時過ぎ。無秩序に輝き、点滅するネオンが目くらましとなって私の前に立ちはだかり、ただでさえ不慣れな街を迷路に変えている。

安藤の希望通り渋谷で忘年会を開くことにしたのだが、やめておけばよかった。みんなより遅れて一人で会社を出た私は、片手に地図を握ったまま街角で立ち往生している。安藤から渡された地図はかなり大雑把《おおざっぱ》だったが、いま歩いている通りで間違いはない。しかし創作和食の店だと聞かされためざす場所の看板はどこにも見当たらなかった。

見当識障害。時間や場所の感覚が狂ってしまうアルツハイマーの症状のひとつだ。私の父親も日課の散歩と釣りの時間が混乱し、続いて釣り場がどこにあるか、自宅へどうやって帰るのかがわからなくなっていった。

電話をして場所を聞けば、また情けない声を出してしまいそうで、私はさっきから携帯をしまってある内ポケットに手を伸ばしたり、引っこめたり、そればかり繰り返していた。冬だというのに額から汗が噴き出してくる。頭の中では局長の言葉がリフレインしていた。

「試写会場を探してうろうろ歩きまわっていたそうだね」このまま店が見つからなければ、体調が悪かったことにして帰ってしまおうか、とすら考えはじめていたのだが、すぐに思い直した。

一人だけ会社を出るのが遅れたのは、また局長に呼び出されたからだ。今回は三分で話が終わった。早期希望退職を拒否した私は営業部からはずされることになった。「悪く思うな。これでもいまの君にしてやれる最大限なんだ」局長はそう言う。おそらく部の全員が遠からず、メニエール病ということにしてあった私の本当の病名を知ることになるだろう。いまさら見栄を張ってもしかたないのだが、残りわずかな間だとしても、私は部長だ。失態は見せたくなかった。

もう一往復してみよう。そう考えて来た道を戻りはじめた私の目に、斜め横のビルのオフィス用にしかみえない真紅のドアと、その脇の小さな看板が飛びこんできた。看板には教えられた店の名前。なんだこれは。個人住宅の表札と大差のない、見つかるのを恐れるかのような小さな看板だった。これじゃあわかるはずがない。

「部長、遅かったじゃないですか。先に始めちゃおうかって園田さんが言ってたとこだったんですよ」

私の顔を見たとたん、安藤がビール瓶に手をかけた。

「お前が言い出したんだろうが」園田があわてて片手を振る。「店、すぐわかりました？　僕は散々迷いましたよ。こいつが嫌がらせみたいなところを選ぶから。こういう隠れ家風がいま流行りだとか言って」

「俺じゃないですよ。吉沢が教えてくれたんですってば」

たぶん私が迷っているだろうことが、手持ちぶさたにしていた彼らの格好の話題になっていたに違いない。適当に言葉を濁す。

「いやいや、なんとか辿りつけたからよかった。待たせて悪かったな」

グラスを手に取ると、ビール瓶を手にした生野が私に問いかけるように首をかしげた。

「だいじょうぶ、今日は飲むよ」

園田にうながされて乾杯の音頭を取る。グラスをかかげ、全員の顔を見まわす。この中の誰かが私を密告したのだ。そいつはもう俺が部長をはずされたことを知っているだろう。

「みんな、この一年は、特に夏場からは、新しいクライアントが入って、いろいろ大変だったと思う。よくがんばってくれた。お疲れさん」

安藤はグラスの中身に気もそぞろの様子だ。園田は神妙に私の話を聞いている。あくまでも一見だが。富永は火のついていない煙草をもてあそび、生野はまっすぐ私を見つめ返していて、吉沢の視線はすでにメニューの検討に入っていた。誰が告げ口しようがしまいが、遅かれ早かれ、私はいまの仕事が続けられなくなっていただろう。一人一人の顔を見ているうちに、つまらない犯人探しなどどうでもよくなってしまった。

「いろいろ無理を言ったりもしたけど、感謝してる。ほんとうにありがとう……」

自分が営業部を離れることを話そうと思って言葉を探したが、なかなか口をついて出てこない。安藤が急《せ》かしてくる。

「部長、今日はやけにくどいっすよ。もういいから、早くいつもの決めゼリフをお願いしますよ」

それでも私が口ごもっていると、業を煮やした安藤が、忘年会や打ち上げの乾杯の時、私が使ういつものセリフを勝手に横取りした。

「これからも、びしっといこう。来年もよろしくぅ」

午後十時を過ぎると、私の街の仕事熱心な商店街も、さすがに灯《あかり》が少なくなる。たいした量を飲んだわけではないのだが、しばらくぶりだったためか、薬の影響なのか、体がふわふわと軽かった。やっぱり酒はいい。酔いが私に突きつけられている現実の冷たい切っ先を、つかのまどこかへ運び去ってくれていた。

部内の忘年会や送別会にはいつも最後までつきあうことにしているのだが、今回は体調を理由に二次会の誘いを断って先に帰った。今年限りで部長を辞めることは、結局口にしなかった。部員たちにとっては久しぶりにハメをはずせる場だ。雰囲気を壊したくはなかったし、ひそかに喜んでいる人間を詮索する自分も見たくなかったからだ。

目の前でラーメン屋の派手なネオンが消えた。

ほろ酔い加減の目で通りを見るともなく見ていると、その先の飲み屋の看板もふつりと灯を落とす。

フェイド・アウト。唐突にそんな言葉が頭をよぎる。広告業界ではよく使う言葉だ。テレビCM、ラジオCMのBGMや効果音の切り方を示す用語。ぷつりと断ち切るように消すのが、カット・アウト。ゆっくりボリュームを絞っていくのが、フェイド・アウト。基本的に音の処理はこのどちらか。

考えてみれば、いつかは訪れる人の死もこのいずれかだ。私としては苦しみも恐怖も死の自覚もないカット・アウトを選択したかったが、どうやら私の場合は、フェイド・アウトになりそうだ。

ゆっくり、少しずつ、人生を消していく。まぁ、しかたない。幸いにしていまの病気は、時々悩まされる軽い頭痛以外に、痛みはない。この先には肉体的な苦痛が待っているのかもしれないが、たぶんその時の私はそれを感じなくなっているだろう。周りの人間には迷惑をかけることになるが、人生の引き際としては、悪くない。最悪ではないという意味で。

明日の朝になれば気が変わるに決まっているが、久しぶりのアルコールでとろけた頭の中で、私はいまの自分を肯定しようとしていた。自分の病気に抗《あらが》うことに疲れたのかもしれない。自分の不幸を嘆く涙がもう枯れてしまったのかもしれない。

どうせいつかはこの世から消えていくのだ。なるべくきれいに消えよう。フェイド・アウトはカット・アウトのような強い印象は残さないが、そのかわりに静かな余韻を置いていく処理方法だ。

しかし、そう思う一方で、やはり思うのだ。憎しみの感情に似た激しさで。

なぜ私が？

どうして私だけ？

私が何か特別なことをしただろうか？

いくら考えても、答えはない。

人はなぜ生きるのか、人はどう生きるべきか、人生の意味とはなにか。生とは？　死とは？　若い頃の一時期、哲学書を数冊かじっただけでいい気になっていた私は、そうした疑問に思いを巡らせ、答えを得ようとやっきになっていたことがある。

自分に人生の意味を問うには遅すぎる時がやってきて、ようやく少しだけわかってきた。なぜ生きるか、どう生きるべきか、人生の意味は？　生と死とは？　――人の命はそんな疑問や懊悩とはまったく無関係に生まれ、翻弄され、そして消える。

人の肉体はなぜ生きているのかなんて考えてはいない。心と心臓は別の場所にあり、脳は精神の苦悩とは無慈悲なほど無縁に、ひたすら機能的に動いている。

まぁ、しかたない――最近の私はひとりごとでこの言葉ばかり口にしているのだが――しかたない。生きられるだけ生きよう。いまはそう思っている。

記憶を失い、人格が崩壊してからの私が、生きていると言えるのなら。

人の死は、心臓の停止した瞬間に訪れるのか、それとも脳が機能を失った時からなのか、その論争に関してはいろいろな話を聞かされてきたが、記憶の死はどうなのだろう。記憶の死だってイコール人の死ではないのか。ぼんやりと考え続けたが、アルコールに冒されたいまの私の頭ではよくわからなかった。

路上に転がっている空き缶を蹴りあげて、近くに通行人がいないのをいいことに、私は言葉にならない声を張り上げた。

商店街のはずれの、いつのまにか消えた店舗の跡地では、新しいビルの建築が始まっていた。新たに鉄骨が組まれたその場所にかつてどんな店があったのか、私はまだ思い出せないでいる。

45

一月一日

新しい年が来た。いつになく静かな正月。

しばらくサボっていたこの備防録を一週間ぶりに書く。

梨恵から電話。年末から渡辺君の実家へ行っているのだが、わが家へは三日には来られるとのこと。

今年は年賀状の送り名を一まい一まいていねいに読んだ。

年をかさねていくとだんだんとつきあいの深い人間がへっていくが、なぜか年賀状だけはふえていく。送り名を見てもどこの誰だったか思い出せない人間は毎年何人もいるのだが、今年は気になって、顔を思いだすまで考えてみた。

どうしてもわからないものがたばになってしまった。

大塚裕子。井上佳織。田中恵美。おそらく結婚してみょう字のかわってしまった女性社員たちだと思う。田中恵美は、雪野恵美のことか。いい名前だったのに。もったいない。

何年も会っていない親類縁者は、名前の記憶はあっても、顔を思いうかべることができない。

自宅に年賀状をくれた社外の人間となるとお手あげだ。『今年はどうかお忘れなく』と書かれたものが一枚。

MTデザインオフィス　松原武司。何年も仕事をしていない外注のデザイナーだろうか。申しわけないが、忘れてしまった。

梨恵から電話あり。年末から渡辺君の実家へ行っている。わが家へ来るのは三日になりそうだとのこと。

正月限定で酒を開禁。久しぶりだったせいか、昼間から飲んだためか、おちょうし二本で酔って昼すぎまで眠ってしまった。なにはともあれ熟睡。不眠だけは改全されつつある。

夕方から枝実子と近所の神社へ。いつもはあまった小銭しか入れない枝実子が、さい銭箱に千円札を入れ、一分近く手を合わせていた。

私は神も仏も信じないから、いつもはカタチだけ手を合わせ、神社の前に立つ屋台で何を買って帰るかなどというバチあたりなことしか考えないのだが、今年は誰かは知らないが自分の運命を握っている存在に対して祈った。

来年の正月も、こうして自分が自分であるままむかえられますようにと。

46

「あ、動いた」

栗きんとんをもりもりほおばっていた梨恵が、つるりとお腹を撫ぜた。八カ月目。冬物のマタニティドレスはボウリングの球を隠しているかと思うほど大きくふくらんでいる。

「どれどれ」

マタニティドレスに手をあてた枝実子が小さく叫ぶ。

「すごい。蹴ってる、蹴ってる」

「ねぇねぇ、お父さんも、触ってみて」

そう言われても困る。渡辺君に酒をついでいた私は、片手を振った。成人した娘の腹を触るなんて、なんだか具合が悪い。

「ほら、すごいんだよ。早くしないと終わっちゃう」

梨恵がお腹を突き出してくる。子どもの頃とちっとも変わらない表情で。三重丸をもらったお絵描きの画用紙を私へかかげてみせた時も、初めて着た中学校の制服姿で私の前に立って、くるりと体を回転させた時も、こうして頬を赤くして、目をくりくり輝かせていた。そう言えば、セリフまで変わらない。近くの神社で縁日が立つ日など、朝から浴衣に着替えて玄関で足踏みをしながら私を急き立てた。「早くしないと終わっちゃう」

私は肩をすくめてみせてから、テーブルの向こうに身を乗り出し、梨恵の腹に手のひらをあてた。

「あ、ほんとだ。蹴ってる」

不思議な感触だった。体の上からもうひとつの体に触れている。まだこの世に生まれていない命が、自分がこれから生きる世界へ向けて存在を主張している。梨恵が生まれる前にも、枝実子のお腹をこうして触っていたはずなのだが、もう二十五年も前だ。病気のせいではなく、すっかり忘れていた感触だった。

「自分のお腹に別の人間がいるなんて、驚きだ」

梨恵が赤ん坊をなだめるようにまるまるとしたお腹をさすった。こんな体でウェディングドレスが着られるのか心配になるのだが、よくしたもので、妊婦用のドレスというのがちゃんとあるそうだ。

枝実子が自分の体にそうするように、梨恵の腹をそっと撫ぜてから首をかしげる。

「おかしいわね。こういうふうにお腹が尖ってるのはたいてい男の子なんだけど」

絶対に男の子。枝実子はそう断言していた。自分の予想がはずれたのが悔しいらしい。

「きっと男っぽい女の子なのかも」

梨恵が枝実子を取りなす。子どもができてから、二人は母と娘というより、女と女という別の絆で結ばれているように私には見える。

「でも、あなたの時は、まっ平らだったのよ、それなのに――」

「お母さん、それ、どういう意味？」

「まぁ、いいじゃない」

今日の枝実子はよく喋る。枝実子の心の底からの笑顔を見たのは、久しぶりだ。梨恵は二人ぶんの栄養をとらなくてはいけないというのを口実に、よく食べる。栗きんとんと八頭《やつがしら》は一人でほぼ全部をたいらげた。雑煮の中の餅は三つ。赤ん坊というのは、たいしたものだ。まだ姿も見せないうちに周囲を幸福にする。

「どうぞ」

渡辺君がお銚子を差し出してきた。親の目から見ても完全に居直っている梨恵に比べて、渡辺君は赤ん坊の話が出るたびに、ばつの悪そうな顔をするのだが、目の前に動かぬ証拠があるのだから、いたしかたない。

「お体のほうはいかがですか」

話をそらそうと私のぐい呑みに日本酒を満たすが、枝実子と梨恵はおかまいなしだ。

「うわ、また蹴った」

「どれどれ、あら、ほんと」

「ほらほら、いつもよりすごいよ、ナオちゃん」

私は渡辺直也君に言ってやった。

「君も、お腹、触ったら」

「あ、いえ、僕はしょっちゅう……」

そこまで言って、よけいなことを口走ったと思ったのか、あわてて口をつぐみ、身を縮める。

「名前はもう考えてるのかい」

「ええ、候補はいくつかあるんですが」

じつは梨恵からだいたいのことは聞いている。子どもの名前を人まかせにしたくない渡辺君は、あちらのご両親が姓名判断の本を買いこんでいるという話を聞きつけたとたん、あわてて漢和辞典をめくりはじめたらしい。「早く考えよう。それぞれ三案ずつって、コンペの時みたいな大真面目な顔で言うんだよ」梨恵はもう三通りを出し終えたが、渡辺君はそれこそ建築コンペ以上に慎重で、まだひとつも梨恵には披露していないそうだ。

梨恵が聞いてくる。

「そういえば、私の名前は、どうやってつけたの？　参考までに聞きたいな」

「前に話しただろ」

「覚えてないよ」

枝実子がかわりに答えた。

「私の枝実子っていう名前は、たまたまおじいちゃんが庭になってる栗を見て思いついたって、その話はしたことがあるでしょ」

「うん、それは聞いたことがある」

「私が、栗の木なんかを見て名前をつけられたのがショックだったたって、お父さんに言ったことがあるのよ。梨や杏《あんず》なら許せるのにって。お父さんはそれを覚えてて、じゃあ、女の子なら、梨に恵で梨恵か、杏の子で杏子《きようこ》にしようって言って」

「え、それだけ……それはそれで思いつきなんじゃない。だったら、私、杏子のほうがよかったかも」

「まぁ、それだけと言われれば、そうよねぇ」

枝実子が責任を放り出すように私に視線と言葉を投げ寄こしてくる。

「まぁ、語感とかも、いろいろ考えてだな、そう、一カ月は悩んだと思う」

一時間ぐらいだった気もする。

渡辺君がまたも私にお銚子を差し出してくる。私が孫の名前を考えると言い出すのではないか、と心配しているのかもしれない。心配には及ばない。私にはそんな気はなかった。斬新なネーミングのヒット作をいくつも世に送り出しているうちの会社のコピーライターがある時、言っていた。「子どもの名前は普通につけますよ。手堅くいきます。商品名とはわけが違いますから。失敗は許されないもの」

「あんまり、飲ませないでくださいね」

枝実子に言われて、渡辺君がまたまた長身を縮める。

「ナオちゃんもだよ。いくら電車で来たっていったって、飲みすぎないでね。お酒、弱いんだから」

九つ違いといっても、夫婦の力関係というのは普遍的なもののようだ。渡辺君はすでに結婚前から梨恵の尻に敷かれつつあるらしい。枝実子の軍門に私があっさり下ったように。

「すいません、佐伯さんはお強いから、つい」

渡辺君はいまだに私を苗字で呼ぶ。初対面で「お父さん」などと馴れ馴れしく呼ばれるのは嫌だが、そろそろ「お父さん」と呼んで欲しい気もしていた。枝実子のことはすでに「お母さん」と呼んでいるのだし。私が怖いのだろうか。

「いいんですよ、直也さん、苗字でなんか呼ばなくて。お父さんで」

枝実子がやんわりとけしかける。梨恵も口を揃えた。

「うん、いつまでもおかしいよ」

渡辺君が困った顔をする。私の場合、枝実子の父はすでに亡くなっていて、母親と二人暮らしだったから、たいして気を使うことはなかったが、婿というのは大変だ。私は助け舟を出すことにした。ぐい呑みを突き出して渡辺君に言う。

「いいよ、パパでも、父上でも。ほら、じゃ練習」

「では……」渡辺君が緊張した声を出す。「……お父さん、どうぞ」

枝実子と梨恵がはやし立てる。思っていたほど悪い気分じゃなかった。私はこうして一緒に酒を酌み交わし、口では勝てない女たちの攻勢に一緒に身を寄せ合える、自分をお父さんと呼んでくれる男の家族が欲しかったのだ。二階のもうひとつの部屋を使うはずだった、私とキャッチボールをするはずだった息子。学生時代はサッカー選手だったそうだから、キャッチボールはしてくれないだろうし、娘を埼玉の所沢に連れていってしまう息子だが、まぁ、しかたない。よしとするか。

素直じゃない私はわざと手を震わせてぐい呑みを揺らしてやった。枝実子には「やめなさいよ、馬鹿みたいなこと」と叱られたが、渡辺君はそれを私の体調のせいだと思いこんだらしい。お銚子を傾ける手をとめ、気づかわしげな視線を向けてくる。なかなかいいヤツだ。

とはいえ娘を嫁にやる以上、そうそう素直に受け入れないのが父親の務めだ。この人の娘を大切にしなければ後が怖い、という相応のプレッシャーを与えねばならない。

「そういえば、生まれてくる子どもの名前、いい名前を思いついたよ。使ってくれないかな」

私が言うと、渡辺君の背筋が伸びた。

「栗の子って書いて、栗子《くりこ》。どうだ」

やめてよ。いいかげんにしなさい。酔っぱらい。枝実子と梨恵から同時にブーイングが飛んできた。

「冗談だよ。二人でいい名前を考えろよ」

ようやく渡辺君が笑ってくれた。私の酒量に監視の目を向けている枝実子がキッチンに立ったのを見はからって、囁きかけてくる。

「お父さん、もう一杯」

「おう、すまん」

私はそそくさと盃を受け、梨恵が雑煮に気をとられているすきに返杯をする。

「どうだい、仕事は」

「おかげさまでなんとか。この間、お話ししたコンペもとれました。こういう時代ですから、先は見えませんが」

「そうだよなぁ、やっぱり」

「そちらは、いかがですか」

新しい息子が尋ねてくる。

「うん、ぼちぼち」

年明けから職場が替わる。新しくデスクを置くのは、社内資料管理課だ。

47

目が覚めたのは十一時過ぎだ。あわてて飛び起きてから、今日がまだ正月休みであることに気づいた。眠りにつくのがあい変らず深夜を過ぎてからのせいか、休みに入ってからは、ずるずる昼近くまで寝てしまうことが多い。

階下に枝実子の姿はなく、ダイニングテーブルの上には、朝食と書き置きが載っていた。

『昼すぎには戻ります』

コンロの上の味噌汁を温め直す。枝実子が家を出たのはだいぶ前だろう。暖房が消えた部屋は冷えきっていた。エアコンのリモコンを探し出し、スイッチを入れる。

いきなりテレビが音を立てた。リモコンを間違えたのだ。まったく違うかたちをしているのだが。

エアコン用のリモコンを手にしたものの、私は似たようなスイッチが並ぶそれをぼんやり眺めて手の中で転がしていた。どこを押せばいいのだっけ。「運転」と書かれたスイッチに気づくまで、ずいぶん時間がかかった。

正月休みで気が抜けてしまったのだろうか、ここ数日、こんなことが増えている。梨恵たちが来た日も、渡辺君に同じ話を繰り返して聞かせてしまった。私の病気を知らない梨恵の「お父さん、それさっき聞いたよ。お酒弱くなったね。もう酔ったの」そんなセリフを何度も聞いた。もちろん酔っていたわけじゃない。

自分で酒の燗をしようとして、やり方がわからなくなり、キッチンで突っ立ったままだった私は枝実子にお銚子を取り上げられた。枝実子は絞り出すような声で囁きかけてきた。「いいから、あなたは座っていて」梨恵たちが帰ったというのに、風呂から出た私はこう言ってしまった。「渡辺君と梨恵にも入っていってもらったらどうだ」せっかく枝実子に戻ったつかのまの笑顔を消してしまった。

昨日は隣町のスーパーマーケットの本屋まで行き、帰り道で迷った。枝実子には「少し遠出をした」と言い訳をしたのだが、たぶん何があったのかは薄々感づいているだろう。やっとのことで道を思い出し、家にたどりついた私は、恐怖のために体を震わせていたはずだ。

飯を食いながら、考えた。枝実子はどこへ出かけたのだろうと。頭の中にふいに男と腕をからめて歩いている枝実子の姿が浮かんだ。

馬鹿馬鹿しい。なにしろ私が思い描いた相手の男というのが、近所の八百屋の主人なのだから。そう思っても一度浮かんだ頭の中の光景はなかなか消えない。

嫉妬妄想——それがアルツハイマーの感情障害のひとつであることを思い出して、私は身震いした。

そうだ、枝実子はドレスメーカー時代の友だちに会うと言っていたんだ。昨日の晩、電話で待ち合わせ場所を決めていたじゃないか。受話器から漏れる声で聞くともなく用件まで耳にしてしまった。枝実子はこう言っていた。

「何か私にできる仕事はないかしら。技術職だなんて贅沢は言わないから」

枝実子は仕事を探しはじめている。私が営業部をはずれたことを話したからだ。私は遠からず新しい職場も離れなければならなくなる。しばらくの間は退職金と貯金でなんとかなるだろうが、そのしばらくがどのくらいの期間なのかわからない。介護保険が認定されるとはいえ、若年性アルツハイマーにどれだけの援助が得られるのかも見当がつかなかった。

いたたまれない気分になった。私は枝実子の荷物だ。つまらない嫉妬をする大荷物。

部屋に焦げくさい臭いが立ちこめている。キッチンからだった。コンロに鍋をかけたままだったことをすっかり忘れていた。あわてて消しにいき、今度は部屋がやけに寒いことに気づいた。どこをいじってしまったのだろう。エアコンは冷房にセットされていた。

アルツハイマーの進行には個人差がある——私はその事実をずっと心のより所にしていて、初期から中期、中期から後期へ進む平均的な期間、死に至る平均年数などは気にとめないようにしていた。何の根拠もなく、当然のように、自分は平均よりもよい状態であるという前提に立って。

しかし個人差があるということは、平均以上に進む人間もいるということだ。私は自分がそちら側の人間だとは考えもしていなかったのだ。

私の症状は想像よりずっと早く進んでいる。

味噌汁の具のタマネギが焦げてへばりついた鍋の底を覗きながら、私はダイニングルームに立ちすくんでいた。部屋はまだ焦げくさい。再び不安になってきた。コンロは消したっけ。キッチンへ確かめに行く。

コンロの火は消えていたが、今度はエアコンが心配になってきた。ちゃんと暖房になっているかどうかを調べるために送風口に手を当てる。するとまたコンロが気になり――飯を食うどころじゃなかった。私は知らない場所を眺める目で自分の家の中を見まわした。薄暗かった。カーテンを開けるのを忘れていたからだ。頭をわしづかみにして、中身を絞り出すように指に力をこめる。そうすれば、日に日に濃くなっていく頭の中の霞《かすみ》を少しは追い出せるのではないかと思って。目はぼんやりとリビングのカーテンレールを眺めていた。

そうだ、人生をカット・オフにする方法がひとつだけある。

私は掃きだし窓まで歩き、カーテンレールに手をかけてみた。金属製のポール型。案外に頑丈そうだ。窓の上部は高さ二メートルほど。ロープかベルトの長さを短めに調節すれば、私の身長でもじゅうぶん事は運べる。

起きてからずいぶん経つのに、半分眠っているような半透明の霞に覆われた頭の中に、ロープが浮かんだ。左手でカーテンレールをつかんだまま、私の右手は私の意とは別に動き、顔の前で輪を描いている。霞がかかった頭はロープを結ぶ手順を思い出そうとしていた。確か納戸に梱包用のロープがあったはずだ。

ロープ？

何を考えているんだお前は。まるで他人のものに思える自分の右手に視線を投げる。

ふいに梨恵のお腹で動く赤ん坊の感触を思い出した。姿かたちがなく、名前もないのに、確かにそこにいる存在だ。

そうだよ、俺はおじいちゃんになるんだ。孫に自分の顔を見せなくちゃならないんだ。その前に梨恵のウェディングドレス姿も見なくては。登り窯で焼く湯呑みもあるぞ。

右手が描く輪が小さくなった。私はまだ見ぬ孫の顔を思い浮かべてみる。私に似てしまったと梨恵に文句を言われる顎の形が遺伝していなければいいのだが。

そうとも、私にはすべきことがまだ残っている。

体の底からこみ上げてきた力が、左手に伝わったのだろうか。カーテンレールが軋みをあげ、はずれたボルトが床にころがった。そのとたんにようやく目が醒めた。

いかんいかん、枝実子が帰ってきたら、何を言われるか。

私はあわててボルトを拾い上げ、納戸へ急いだ。ロープではなく工具箱の中のドライバーを探すために。

48

机の上に積んだ一般紙や業界紙に一紙ずつ目を通す。新製品や広告宣伝に関する記事を探し、スクラップする。うちの会社の大手クライアントの情報はすべてチェック。集めた記事を要約し、社内回覧用メールにするために、パソコンへ打ちこむ。『ビジネス・トピックス』と銘打たれたこの社内通信をいったい誰が読むのかは知らない。少なくとも私が営業部長をしていた時には、一度も開いた記憶がなかった。

本社ビル三階、総務のフロアの一角、向かい合わせに三つずつ並んだデスクの通路側の左手。そこが私の会社での新しい居場所だ。社内資料管理課。大仰な名前のわりには仕事はローテクで、課長以下他の五人にもそれぞれ別の作業が割り当てられているが、皆、やっていることは私とたいして変わらない。仕事よりデスクで茶をするか、喫煙所に煙草を吸いに行くことのほうが忙しい様子だった。

正月明けで、まだこれと言った仕事はない。仕事とは無関係の将棋専門誌を一日中眺めている課長はそう言うが、この先もこれ以上の仕事はなさそうだ。

課員はたいていが私より年上で、それぞれに肩書はあるのだが、部下はいない。課長は来年定年。唯一私より年下の男は、海外ロケ先でマリファナを吸っているのを同僚に報告されて制作部をはずされた元CMディレクター。全員のここでの最大の仕事は、自分が月給泥棒であることを自覚して、一日も早く自主的に退社することだろう。仕事の内容のわりにはフロアの目立つ場所にデスクが並んでいるのも会社の思惑のひとつかもしれない。公開処刑場だ。

昼休みのいま、フロアに人影はまばらだ。課の連中は、正午前から連れ立つわけでもなく三々五々食事に出かけ、残っているのは私と、ワゴン車で売りに来る弁当を買いこんできた課長だけ。私は家から持ってきているビニールバッグから弁当の包みを取り出し、引き出しにしまってある玄米茶入りのポットをデスクに置いた。

「部長」

背後からの声に振り向く。

「こんにちは」

生野だった。課長に会釈してから、私に手を振ってくる。その手には紙袋が握られていた。

正月休みをはさんでたかだか二週間ほど顔を合わせなかっただけだが、パンツスーツ姿の生野は、いままでになく垢抜け、一人前の営業ウーマンらしく見えた。毎朝面接に来ているようだった入社したての頃を思えば、見違えるほどだ。

「お、久しぶり」

上から顔を覗きこまれるのが照れくさくて、空いている隣の椅子を勧める。

「元気でやってるか」

梨恵と顔を合わせた時の「ワンパターン」と言われている第一声と同じセリフを口にしてしまった。

「私より部長のほうは？　体の具合はどうですか？」

「もう部長じゃないよ」

生野は私の自嘲の言葉には答えず、デスクの上に紙袋を置く。

「すっかり遅くなっちゃいましたけど。発芽玄米茶をいただいたお礼です」

若い娘らしいブランドロゴの入った袋の中に、ビニールや紙製の容器がたっぷり詰まっている。玄米の健康食品だった。玄米朝粥、玄米釜飯、玄米ココア……。ひとつを取り上げて、生野は同好の士に熱く語りかける口調で言う。

「これ、新製品です。発芽玄米をジェットミルでパウダー状にしてあるんだそうです。さすがの部長もご存じなかったでしょ。便利ですよぉ。お料理つくった時に一緒にまぜちゃえばいいんです。野菜炒めでも、お味噌汁でも。牛乳に溶かしてもいいし。少々量を多く入れても、お料理の味は全然変わらないんです」

玄米食はいまも続けているが、過度の食餌療法はかえってマイナスになるという吉田先生の忠告に従って、最近は病院で処方されているもの以外のサプリメントを利用するのはやめ、普通のものを普通に食べている。魚や野菜を多めに。カルシウムやビタミンE以外のビタミンも適度にとる。塩分は控えめ。過食も小食もいけない。要するにバランスのいい食生活を心がければいいらしい。しかし、少しずつ使うことにしよう。その気持ちだけで、じゅうぶんに嬉しかった。

「ありがとう、もらっておくよ」

それだけ言うと、会話が途切れてしまった。若い娘と何を話せばいいのかわからなかったのだ。その後、便秘はどうだ、などと言うわけにもいかないから、仕事の話をすることにした。

「どうだ、ギガフォースのほうは。もう少し引き継ぎの時間があればよかったんだけど。安藤とはうまくやってるか？」

生野の眉根がすぼまった。弁当を食い終わり、爪楊枝で歯をせせっている課長の耳を気にして、私に顔を寄せてくる。いつの間にか生野は香水を使うようになっていた。

「新しい部長は家電にかかりきりで。ギガフォースは園田チーフが責任者になったんですけど、なんだか園田さん、いままでとは別人です。細かいことまでいちいちチェックして、全部自分で決めようとするし、すぐに怒鳴るし。私はまだいいんですけど、安藤さんがかわいそう」

ふむ。茫洋として見えるのは外見だけで、もともと神経質な男であることは知っていたが、園田が怒鳴り散らす姿はうまく想像できなかった。

「園田もたいへんなんだろう。河村さんに苛められてるんじゃないのか？」

「うーん、河村課長には露骨に接近しているようですけど、逆にうるさがられているみたいですよ。とにかくテンションが変です。言いつけるようなことは言いたくないですけど、部長の病気のことだって――」

生野が何を口にしようとしているかは、すぐにわかった。

「いいよ、生野。聞きたくない」

「よくないです。酷いです。部長の病気のこと、局長に話したのは、園田さんなんですよ。しかも噂では、かなり大げさに、実際にはなかったことまで。私、見てました。以前、園田さんが部長の薬の袋を開けて中を覗いているところ。安藤さんが怒って止めようとしたんですけど、『上司の健康状態を知っておくのも、部下の務めだ』なんて言って」

園田も今年で四十だ。同期の中には早々と部長になった人間もいる。焦っていたのだろう。私が不始末をしでかすと自分の査定に影響すると思ったのか、うちの会社の営業部長への昇進のカギのひとつは、有力クライアントに食いこんでいるかどうかだから、私の部が担当している家電メーカーを自分のものにしたかったのか。まぁ、いまとなってはどうでもいいことだが。

「新しい部長も、新機軸、新機軸って、ふた言めにはそればっかり。どうでもいい言葉も横文字に変えて喋るんです。ソリューションだとか、スキームだとか。普通に言えばいいのに」

「愚痴をこぼしにきたのなら、もうやめなさい。ここは学校じゃないんだ。会社なんだぞ」

「私、いまの部長より、部長のほうがいいです」

子どもじみた口調でそう言い、口を尖らせる。課長が将棋専門誌を眺めるふりをして生野のタートルネックの胸もとに目を走らせていた。

「どっちにしても、私の体が悪いのは事実なんだから。しょうがないんだよ。上司なんか気にするな。若い時は直属の先輩のほうが頼りになる。安藤とはうまくやってるんだろ？」

生野が即座に頷く。

「仲間に一人でも頼れるやつがいればだいじょうぶだ。がんばれ」

もうすぐ午後一時。フロアには少しずつ人が戻り、あちこちで電話が鳴りはじめている。課員の一人が帰ってきたところで生野が腰を浮かせた。

「部長もがんばってください。あ、がんばるって言わないほうがいいらしいですね。マイペースです、部長」

私の病気のことを理解してくれている言葉だった。痴呆症患者は他人に「がんばれ」と言われても困るのだ。もしかしたら気にかけて少しは調べてくれているのかもしれない。

「だから部長じゃないよ。いまは課長代理」

生野が立ち上がりかけた椅子に戻り、私に向き直った。

「私、前々から思っていたんです。部長のこと――」

声をひそめて囁きかけてきた。頬がいくぶん染まっている。まさかな、と思いつつも少々胸の鼓動が速くなってしまった。俺に惚れるなよ。アルツハイマー病患者なんだから。

「高校の時の美術の先生にそっくりだって。やっぱりそうです。さっき私をちょっと叱ったとこなんか、喋り方まで。すごく優しい先生だったんです。もう定年退職してしまいましたけど」

「ああ、そうなの」

まぁ、なんでもいいが。ほんとうに嬉しかった。フロアが替わってしまったためか、部署を移ってから、部員たちとまともに話すのは初めてだ。一度だけ吉沢とエレベーターに乗り合わせたが、曖昧に挨拶だけ寄こして、私と目を合わせようとはしなかった。

「わからないことがあったら教えてください。また、来てもいいですか」

「いいとも。ただし、もう土産はいらないぞ」

娘の結婚式が終わったら退職する。ここに配属された時から決めていたのだが、そんなことは言えなかった。

49

私は二週間に一度、火曜日の午前中に大学病院へ行っている。

最近は特に診察はなく、ただ話をして帰るだけ。半分は雑談なのだが、吉田先生の視線や言葉の端々には、私の言動に変化はないか、良からぬ兆候がありはしまいかと、注意深く探っている節がある。「いまの状況を正直に話して欲しい」念を押すように何度も聞かれ、私はそのたびに、こう答える。

「とくに変わったことはないですね。薬のせいか、前より調子がいいです」

嘘だった。

作話——初期の記憶障害の段階で、自分の記憶が欠落したことの辻褄《つじつま》を合わせようとして、患者が勝手に話をつくりあげることを言う——だ。

酷い人格障害はないと信じるが、自分の記憶が日に日に曖昧になっていることはわかっていた。日々の生活や他人との会話が、霧に包まれた中を手さぐりでおそるおそる歩いている状態になりつつあるのだ。アルツハイマーの患者は症状をうまく自覚できないことが多いそうだが、私の場合、幸か不幸か、頭からさらさらと砂がこぼれ落ちていくような記憶の崩落を確かに感じ取っていた。

「そうですか、じゃあ、しばらくは、このまま様子を見ましょう。ほんとうに何かあったらおっしゃってください」

吉田先生の目を見ると、いつも思う。私の嘘をとっくに見透かしているのではないかと。

私は目をそらし、ファイルケースの上に飾られた幼児の習作のような紙人形を眺めた。吉田先生に子どもはいない。これは彼の患者からもらったものだそうだ。

正直に話したほうがいいことはわかっているのだが、やはり、話せない。自分がいままでの自分とは違う人間に変わりつつある。自分でも無理やり心を押さえつけて認めている事実だ。それを人に知られることは、耐えがたい苦痛だった。

会社へは午後から出社するつもりだったのだが、気が変わって、木崎陶芸工房に寄ることにする。課長に「今日は休む」と連絡したら、あっさりオーケーが出た。営業部にいた頃は、平日の半日を通院で潰してしまうことにずいぶん気をつかい、スケジュールの調整にも悩んだが、いまの職場では、まるで気にならない。私がいなくても誰も困らない仕事だ。しかも辞めることを決意したとたん、周囲の評価などどうでもよくなってしまった。

券売機の上の路線表示を眺め、財布を取り出す。金を出す前に、折りたたんでしまってあるメモを取り出した。木崎陶芸工房に関して覚えておかねばならないことを書き記したもの。工房の最寄り駅の名前が思い出せなかったのだ。

私の住む街の駅から、二駅先の駅だった。降りてからは迷うことはなかった。念のために電車の中でメモを読み、今日すべきことや道順を記した地図を読んでいたからだろう。

先生以外誰もいないかもしれない。自称工房の代貸《だいがし》としては、最近の木崎工房の人の少なさが心配だったが、今日は先客がいた。二人連れがこちらに背中を向けて電動ろくろを回している。

窯のある台所から顔を出した木崎先生は、私のスーツ姿に驚いた顔をした。

「どうも、会社をサボって来てしまいました」

「まだお勤めを続けてらしたんですか」

意外そうな声で言う。私のスーツは特別高価なものではないのだが、先生は自分の土と絵の具で汚れたTシャツに目を落として、気まずそうな顔をした。たかが服ひとつのことだが、陶芸の先生と生徒、私服の時はそれだけだったお互いの関係が、工房の外での二人の立場のようなものを持ちこんでしまったらしい。私もスーツのままでここを訪れたことが決まり悪くなり、あわてて言葉を添えた。

「素焼きの具合がどうなのか、気になって見に来ただけです。絵付けはまたの機会に――」

新しい生徒さんもいるようですし、そう言うかわりにろくろの前に目を走らせたが、先生は二人に見向きもせず、ぼんやりと工房を眺め回しただけだった。

「そうですか、じゃあ、いまお持ちします」

もともと誰に対してもていねいな言葉づかいで話す人だが、「お持ちします」などと言われたのは初めてだろう。私は襟もとを堅苦しく締めつけていたネクタイを緩めた。

あちこちをテープで補修してある磨《すり》ガラスの扉の向こうに先生が消えると、先客の二人が声をひそめて話しはじめた。

「もうだめだね、あの人は」

一人の囁き声に、もう一人が頷いている。失礼な連中だ。

「誰も来ないものな、ここには」

木崎先生が私の湯呑みを持って戻ってきた。たとえ成形が終わっても、器は実際に焼いてみないとわからない。この素焼きに続いて、本焼きをすればさらに思いもよらない変化をとげる。それが陶芸の難しさであり、面白さでもあるのだ。

「ほら、いい感じですよ、佐伯さん」

先生が焼き上がった器を私のネクタイの胸もとに突き出してきた。確かにいい具合だった。私は二つの湯呑みを手の中で回してみたり、上や下から覗いたり、いつまでも眺めていた。木崎先生は私のかたわらに立ったままだ。そうだった。焼成代を払わなくては。財布を取り出すと、先生が言った。

「申しわけないです、佐伯さん……あのぉ、この間の箸置きの焼成代なんですが……」

そこで言葉を切り、私の言葉を待つように口をつぐむ。自分では言い出しにくく、私自身に思い出して欲しい様子だった。

「もしかして、お金、払ってませんか？」

「ええ、すいませんが」

先生の口調は、本当に申しわけながっている調子だった。申しわけないのは、こっちのほうだ。まったく私はどれだけ先生に迷惑をかければすむのだ。あわてて財布から一万円札を抜き出した。

「では、おつりを」

先生が再び奥の部屋へ消えると、二人組がまた喋りはじめた。

「あいつには、気をつけろよ」

右側の男がそう言った。どうやら私へ向けた言葉のようだ。左側のもう一人が相手の男に言う。

「何を言っても無駄だよ」

よく見れば二人とも私と同様、陶芸工房にはそぐわないネクタイ姿だった。右の男がまた私に言った。

「金なんか払っちゃだめだよ。何回、同じことをされればわかるんだい」

私のかわりに左の男が答えていた。

「無駄無駄。何を言ったって無駄。短期記憶が完全に欠落しているんだから」

なぜそんなことを知っている？　私が二人の背中に目を凝らすと、むこうも同時にこちらを振り向いた。私に笑いかけてくる二人は、どちらも私と同じ顔をしていた。

片手に握りしめた財布を開け、しまってあったメモを取り出した。去年からの覚え書きを読む。十二月の後半の日付けのところに、こんな書きこみがあった。

『12／20 梨恵たちの湯のみ成形完了。しょう成代支払う。湯のみ1200円、はし置き2800円。』

間違いなく私の字だ。私は深々とため息をついた。肚の底から体があわだつような感情がこみあげてきて、私の胸を突き上げる。怒りではなく悲しみだった。二千八百円。その金額の少なさが哀しかった。

戻ってきた木崎先生に私は言った。

「つりはとっておいてください」

「は？」先生が訝しげな声をあげる。

「申しわけないですが、週末の益子の登り窯、あれは行けなくなりました。ささやかですがキャンセル料がわりにしていただければ」

先生の目は私が握っているメモに釘づけになっていた。そこに何が書かれているのかを知りたそうな顔だ。それから私を上目づかいで覗きこんでくる。見つめ返すと、目を伏せてしまった。

「この湯呑み、絵付けがまだですけど、持って帰ってもいいですか」

なぜ登り窯に行けなくなったのか、先生は理由を聞こうとはしなかった。メモのかわりに私の顔に書かれていたものが読めたのだろう。

「あの、佐伯さん、もしかしたら、僕は勘違いをしていたかも……」

「いや、いいんです。思い違いは誰にでもある。私なんて最近はそればっかりですから」

「怒らないでください。ほんの行き違いだと思います」

本当にそうであれば、どんなにいいだろう。答えるかわりに私は言った。普通に喋るつもりだったのに、少し唇が震えてしまった。

「登り窯で焼くのは、今度の工芸展に応募される作品でしょう？　がんばってください」

日本伝統工芸展は、私が応募するはずだった新作展よりもレベルが上の、プロたちが競い合う公募コンテストだ。私の人物を見る目は曇っていたかもしれないが、素人とはいえ多少は陶芸作品を見る目はあるつもりだ。木崎先生のつくるものは、どれも素晴らしい。工芸展で優秀賞をとって注目されれば、焼成代をごまかしたりしなくてすむだろう。

「期待しています、ほんとうに。がんばってください」

それだけ言って、言葉を口にしかけて唇を動かした木崎先生に背中を向ける。ろくろの前の二人組はいつの間にか消えていた。二度と来ることはないだろうから、木崎陶芸工房に関するメモは、黒釉枝垂桜文のごみ箱に捨てた。

ここを去るのは、もしかしたら、すでに決心を固めている会社を辞めることよりつらいかもしれない。

先生が何か声をかけてきたが、私の耳にはろくに入ってこなかった。だから、工房の外に出たとたんに忘れてしまった。

50

携帯電話が鳴った。午後五時半まであと少々、私が社内資料管理課のデスクで帰りじたくをしていた時だった。

――ちょっとぉ、佐伯選手、どうなってんのよぉ。

聞き慣れた早口の高音。いまのように語尾が長く伸びる時は、たいてい怒りの電話だ。

「ご無沙汰しております。急なことでしたので先日はろくな挨拶もできず……」

――だめだよ、まったく。

途中までしか聞かず、一方的に人の話の腰を折るのはあいかわらずだ。新聞のスクラップ並みの仕事しかしていないいまの私には、懐かしさすら感じる強引なクレーム電話だった。

――園田ちゃんじゃ無理だよ。今度のCM、上のほうが気に入ってるって言ったら、彼、頼みもしないのに、いきなり四月のフレッシュマン・キャンペーンのCMコンテと新聞広告のカンプを持ちこんできてさぁ。だめだよ、ああいうの。社内の空気っていうのがあるんだから。タイミングを読んでくれないと。部長が留守で次長がいる時なんて最悪だよ。部長をすっ飛ばして専務にまで話が上がっちゃってさ。かんべんしてよ。佐伯さんはよく知ってるでしょ。うちの次長と部長の関係。

ギガフォースの社内事情のことだ。私がいた頃よりもさらにややこしくなっているらしい。

――街頭キャンペーンのしきりもなってないし。陣頭指揮なんかしたって意味ないじゃない。そんな暇があったらスタッフの教育をするべきでしょうに。頼むよ、もう。佐伯さん、なんとかしてよ。

「はぁ?」

――はぁ、じゃないでしょう。いつ戻ってくるのさ。そろそろ復帰できるんじゃないの。

相変わらず人の話をまるで聞いていない。体調不良を理由に部長職を離れるという私の説明を、一時的な休養だと勝手に解釈していたらしい。

「課長、申しわけないんですが、私は戻れ……いや、戻らないんです。もう営業からは離れました。病気が思っていた以上に長引きそうですので」

一瞬の絶句ののち、怒りの声が私の耳を突き刺した。

――ちょっと待ってよ、そういうふうには聞いてないよ。

挨拶に行った時には後任の部長がまだ決まっていなかったため、私や園田の説明の歯切れが悪かったのも事実だ。新しい部長の横山は、私の事情をまったく話していないらしい。

「申しわけありません。でも園田を長い目で見てやってください。まだ不慣れで、やる気が空回りしているんだと思います。覚えてらっしゃいませんか。私が部長になりたての頃もそうだったじゃないですか」

——ねぇ、佐伯さん、知ってるかい。

課長の声が少し低くなった。園田も覚えておくといい。知っているも何も、主語が抜けているのだが、彼と話す時には、ここであいづちを入れるのがコツだ。

「いえ、なんでしょう」

——最近は中高年の概念が変わってるんだよ。昔より医療技術が発達したし、栄養状態もよくなってる。そのせいなのかどうなのかは知らないけど、精神面の成熟も昔ほど早くないから、人の肉体年齢や精神年齢は三、四十年前に比べると、八がけになってるんだって。つまりいまの八十歳は、昔の六十四歳ぐらい。六十は四十八ぐらい。六十五歳以上は老人なんていう人口統計上の概念はもう古いのさ。

「はぁ、なるほど」

一方的にまくし立てる彼がひと息ついたところで、合の手。これもコツだ。

「つまり、私はまだ四十そこそこってことですね」

——そうそう。

「課長は三十代後半か」

——後半じゃなくて半ばだよ。

「すいません」

——だからさ、まだ人生は長いんだよ。佐伯さんや僕なんかまだまだひよっ子さ。病気っていったって、こうして僕と普通に話ができるわけだろう。病院のベッドで寝ているわけでもなく。幸せだよね。

普通にしているのかどうか自信はなかったのだが、彼が言うのだから、そうなのだろう。

——ポジティブ・シンキングさ。だめだと思えば、人生だめになる。いけると思えば、いけるんだよ。病気だってそうさ。ポジティブに考えると体に免疫ができるんだって。だめだって思うと、免疫力が落ちて、ストレスが体をよけいに蝕む。たとえば、もしも病気や怪我で片腕がうまく使えなくなったとするでしょ。そういう時にね、ああ片腕が使えない、と思うとだめなんだって。よし、まだ片腕があるぞって、そう考えるといいんだってさ。わかる？

「ええ、わかります」

彼なりに私を元気づけてくれようとしているらしい。相変わらず自分勝手にどこかから仕入れてきた受け売りの持論を喋るだけだが、その身勝手さが、なぜか妙な気づかいをされるよりも快かった。

——負けちゃだめだよ。なんの病気か知らないけどさ。また営業部に戻りなよ。ギガフォースを担当してよ。嫌かもしれないけど。だって、安藤君とデカメロンへ行っても面白くないんだもん。彼ばっかりもてちゃって。

「わかりました、一日も早くデカメロンへ」

自覚するかぎりでは、いまのところ私は症状が進んでも、突出した感情障害に悩まされることは少ない。しかし、涙腺が以前よりゆるくなった。私は同僚たちから顔をそむけて、受話器を握ったまま頭を下げた。

「ありがとうございます。課長」

心からそう言った。本当はきちんと名前を呼んで礼を言いたかったのだが、残念ながら、私はどうしても彼の名前を思い出すことができなかった。

51

塩漬けの桜が浮いた湯ばかりすすっていたから、小さな器の中身がすぐになくなってしまった。

「私のも飲む？」

枝実子が茶碗を差し出してくる。

「岩辺さんの時と違って、今日はおとなしく座っているだけでいいんだから。私たちが緊張してもはじまらないわよ」

岩辺は私の元部下だ。三年前、生まれて初めて私たちが仲人をした。あの時はばたばたしていて緊張する暇もなかった。

「そういうお前もさっきからトイレにばっかり行ってるじゃないか」

「女がトイレに行くのは、他にいろいろやることがあるからなのよ」

目尻の斜め下にある枝実子のほくろは化粧のためにいつもより色が薄い。トイレだけじゃない。枝実子はさっきから数分置きに時計を眺めている。

「梨恵がそろそろ着替える頃だわね。ちょっと私見てくる。あなたは？」

「俺が行くわけにもいかないだろう」

花嫁の父というのは、居心地の悪いもんだ。枝実子が姿を消すと、親族控え室に三々五々集まりはじめた招待客の相手を一人でしなくてはならなくなった。誰もが入ってくるなり私の顔を探し、声をかけてくる。

私が緊張していたのは、花嫁の父として出席する式に対してではない。集まった人々の顔に、知らない顔がたくさんあったからだ。

梨恵と渡辺君は、当初はごくうちわだけの人間を呼ぶ、レストランを借り切った会費制の式を考えていたようで、私も枝実子もそれに異を唱えたりはしなかったのだが、一世代上の渡辺君の両親は説得しきれなかったらしい。

東京まで親戚を呼ぶのだから、せめて人並みの式を――渡辺君は三十そこそこで自分の設計事務所を立ち上げたぐらいだから、私の見るかぎり、我が社の同世代の連中よりずっとしっかりした男だが、昔気質《むかしかたぎ》の両親には勝てないらしい。とくに母上。「もしかしたら、マザコンかもしれない」梨恵は少し心配そうに言っていた。

そういうわけでこちらもある程度の数の親族を招待することになった。私は兄と二人兄弟で、枝実子は一人っ子だから、梨恵には叔父と叔母が一人ずつと従妹弟が二人だけしかいない。祖父母も私の母だけだ。そのかわりにもう何年も会っていない私たちの叔父や叔母を呼んだ。

声をかけられるたびに、肝を冷やす。子どもの頃から知っているはずの顔なのだが、顔と名前が一致しない。

「マサユキ、泣くなよ」

声をかけてきたのは、八十近い白髪の老人。隣に立っている小柄な老女は、確か母方の泰子叔母さんだから、おそらく修平叔父だ。

「今日は天気がよくてよかったですね」

こちらは他人行儀な喋り方からして枝実子の親戚だろうか。まるで思い出せない。曖昧に挨拶を返した。

「梨恵ちゃん、きれいになったなぁ。お前に似なくてよかったな」

これは私の兄。

「兄貴のほうこそ――」私は梨恵より二つ年下の姪に顔を振り向けたとたん、褒めるつもりだった彼女の名前を忘れてしまったことに気づいて言葉を濁した。「――似なくてよかったじゃないか」

アルツハイマーのことはまだ兄にも話していない。もちろん十年前に同じ病気の夫の最期を看取った私の母にも。私は「少し痩せたかい」と問いかけてくる母親に、体重が落ちてもなぜかサイズの変わらない下腹を突き出して、叩いてみせた。「とんでもない」

「梨恵ちゃんもやるなぁ、腹がこんなだったぞ。ぽんぽこぽん」

他の親戚たちが顔を強張らせるのも構わず、肩を叩いてくるのは、この人は忘れもしない忠雄叔父。梨恵には悪いが忠雄叔父だけ呼ばないわけにはいかなかった。私と枝実子の時もそうだったが、結婚式というのは話が進むにつれ、だんだん本人たちだけのものではなくなってしまうのだ。

式は神前でもキリスト教式でも仏前でもなく、人前結婚式。

二人に深い理由や主義主張があるわけではない。信者でもないのに教会で式を挙げることを渡辺君が嫌い、最初二人は無難な神前にするつもりだったらしいが、臨月近い梨恵に着られる和装がなかったのだそうだ。

双方の年配の親戚たちは少なからず戸惑っていたようで、私自身も一度だけ友人の結婚式で経験したことがあるだけだが、あっさりして、なかなかいいものだ。渡辺君の友人の建築デザイナー氏の巧みな司会ぶりもあって、お互いの親戚を紹介し合う時には、出席者全員がすっかり打ち解けた雰囲気になった。私たちの時も、これでやればよかった。

私と枝実子が式を挙げたのはこんな贅沢な場所ではなく、ひなびた旅館のような式場だった。出席者は今日の半分ぐらい。

直前記憶や短期記憶が失われつつあるというのに、不思議なものであの日のことはよく覚えている。さすがにすべてとはいかないが、断片的なシーンが――それもなぜかどうでもいいような場面が――次々と頭に浮かんでくる。

結婚指輪を交換する時、さっきの渡辺君と同様に緊張して一度目は失敗したこと。

文金高島田の枝実子の姿を初めて見た時に、つい噴き出してしまい、枝実子の機嫌を直すのに苦労したこと。ウエディングドレスはなかなか似合っていたが、いま考えてもあれはおかしい。力士の大銀杏《おおいちょう》みたいだった。

その私も友人たちからさんざんからかわれた。二十四歳の私は仲間の中の誰よりも結婚が早かったから、みんな珍しかったのだと思う。紋付きの時は落語家、タキシードを着た時は漫才師みたいだと笑われた。

司会をしてくれた大学の友人に、新郎のスピーチの時間をつくって欲しいと頼みこんで酔いにまかせて招待客相手に延々と喋ったこと。我ながらあの若さにしては見事な挨拶だと思っていたのだが、後から兄に聞いたら、親戚たちからは顰蹙を買ったそうだ。

すべてが、ついこの間のことのようだ。

「信じられない。あのコ、お色直し前だっていうのに、お料理をぱくぱく食べてたわよ」

隣の席から枝実子が私に囁きかけてきた。披露宴半ば、梨恵がお色直しに立ち、新郎もそれを迎えに行くために座を離れ、広くも狭くもない、ほどよい大きさの会場には人々の交わし合う声が満ちている。余興の時間はまだ先だが、斜め前の席で歌を歌いはじめたのは、忠雄叔父だろう。

「腹が減ってたんだろ。二人分食わなくちゃならないんだから」

「だから式が始まる前に何か食べておきなさいってあれほど言っといたのに。ほんと、恥ずかしい」

結婚し、もうすぐ子どもができる娘だというのに、母親というのはいつまでも心配なものらしい。枝実子はウェディング用の靴のヒールの高さにまで気を回している。

「だいじょうぶかしらねぇ」

「そんなこと心配したってしょうがないだろう」

「だって、赤ちゃんがいるのよ。あの子、小さい時からよくころんだもの」

そういえば、小学校の入学式の時もそうだった。あの時のこともはっきり覚えている。もう梨恵がひとりっ子になることは半ばわかっていたし、一生に一度のことになるだろうと、私は会社を休んで出席することにしたのだ。朝方まで雨の日だった。玄関を出たとたん、梨恵はぬかるみに足をとられて、水たまりに頭から突っこんでしまった。服も新調した靴も泥だらけ。おでこをすりむいた痛さより、お気に入りの一張羅を着ていけなくなったことが悲しかったらしい梨恵は、いつまでもひーひー泣いていたっけ。

キャンドルを手にして梨恵と新郎が入ってきた。同じマタニティだが、梨恵のお色直しをしたドレスは、緑がかった黄色。梨の色だ。「梨恵ちゃん、きれいになった」人にはそう言われても、自分の娘は、どうも私に似た部分にばかり目がいくせいか、容姿に関してはたいした感想は抱かないのだが、今日ばかりは思った。親馬鹿は承知の上で。きれいだった。自分の娘とはとうてい思えない。枝実子もため息をついて、私に囁きかけてくる。

「……あの梨恵がねぇ」

枝実子の目は潤んでいた。私も大きく頷いてしまった。泥水にまみれてひーひー泣いていたあの子が、おでこにバンソウ膏を貼った姿で、下唇を突き出して記念写真に収まっていた梨恵が、親ですらまぶしい娘になっている。どう考えても信じられない。

披露宴の最後に両親への花束贈呈があるとは聞いていたが、こんなことばかり型通りにして、どうすると言うのだ。特別なことはしたくないと言っていたのに、ピアノの演奏までつけて。私たちは会場の奥に立ち、花束を持って近づいて来る二人を待っていた。

新郎と新婦は自分の親への花束も用意していた。新郎の両親へ渡し終えた梨恵が横目で私の顔を窺ってくる。私がほんとうに泣いていないかどうかを確かめるためかもしれない。私はにんまり笑ってやった。公約通り泣いてはいない。以前より緩くなった涙腺がいまにも決壊しそうだったにせよ。さすが私の娘だ。梨恵も披露宴終盤の花嫁とは思えない満面の笑顔だった。

「花嫁なんだから、笑ってばかりいないで、少しは神妙に泣け」

そう耳打ちするつもりだったのだが、やめた。花束を抱えて顔を寄せてきた梨恵が、笑いながら泣いているのがわかったからだ。


一月末の寒い日だったが、結婚式場は盛況だった。廊下では複数のカップルが記念撮影をしたり、友人たちに囲まれて冷やかしの言葉を受けたりしていて、トイレまでまっすぐに歩けなかった。

便器の前に立ち、ファスナーを下ろして、私はひとりごちた。

「いい式だった」

トイレに誰もいないのを幸い、さらにもうひと言。

「よかったな、梨恵。俺もよかったよ、ここまで来れて」

洗面台の鏡に映った私の顔は、この数カ月でずいぶん痩せてしまっていたが、頬は満足げにゆるんでいる。何がおかしいのやら微笑みを浮べていた。私は鏡に映った自分に話しかけた。

「終わったな」

そう呟いた瞬間、張りつめていた心と体が急に弛緩した。忠雄叔父にむりやり勧められた正月以来の酒が回ってきたのかもしれない。足がもつれ、その場に立っていられなくなって、両手を洗面台について体を支えた。

ぷつん。

頭の中で何かが断ち切れる音がした。比喩的な意味ではなく、私の耳は体の中のその音を確かに聞いていた。時計の針が進む音をフルボリュームで響かせたような音だった。私はそのまますするりと床にへたりこんだ。

尻もちをついたまま天井を見上げる。しばらくそうしていた。そして考えていた。ここはどこだったっけ。私はなぜここにいるのだろう。

背後で誰かの声が聞こえた。

「だいじょうぶですか」

トイレに入ってきた男が駆け寄ってきた。私の両腋に手を添えて立たせようとする。

「平気です。ちょっと酒を飲み過ぎただけで」

朝、目覚め、寝ぼけ眼で天井を見上げている時のように、私の目と頭の焦点は少しずつ合ってきた。私は助け起こそうとしてくれている見知らぬ青年を振り仰いで言った。

「すいません。ほんとうにだいじょうぶですから」

青年は訝《いぶか》しげな顔をして、私を覗きこんできた。

「どうしたんです？　僕です。渡辺ですよ、お父さん」

52

座布団

ベスト（毛糸のもの）

湯呑み

マグカップ

置き傘（チェック柄）

写真立て（使ってないだろうけど）

枝実子につくってもらったリストを眺めながら、デスクの上と引き出しの中とロッカーの私物を片づけた。

引き出しから、もう長い間使っていないだろう万年筆が出てきた。ロッカーからはキャラクターデザインの入った筆箱。中学生だった梨恵から貰ったものだが、体裁が悪くて使えず、ずっとしまいこんでいたものだ。

不要なものは捨てることにしたにせよ、二十七年間勤めてきた私が、去り際に手にした荷物はあっけないほど少なかった。紙袋がひとつだけ。今日は私がこの会社を去る日だった。

「がんばって」

「寂しくなるね」

社内資料管理課からの退職者は今年度で三人目だそうだ。課長と同僚たちの慣れた調子のおざなりな挨拶を背にして私は部屋を出た。いままでたくさんの退職者を見送ってきた経験から言えば、誰かが会社を辞める時でも会社はあい変わらずあわただしく動き続けていて、周囲はなかなか本人のセンチメンタルな気分につきあってやれない。そのことはわかっていた。わかってはいたが、こんなに寂しいものだとは思わなかった。おざなりな仕事しかしていない社内資料管理課の連中まで、急にやり手の広告マンに見えてくる。ひとつの進行方向へ急ぐ群衆の中を一人だけ逆に歩いている気分だった。

世話になった人たちに挨拶をしてまわろうと思っていたのだが、結局やめにした。

一階へ下り、エントランスホールに立って、周囲を見回した。会社がこのビルに社屋を移したのは、私が三十五歳の時だから、十五年間ここへ通っていたわけだ。バブル期に建てられたビルだけあって、天井が高く、端々に凝った装飾がほどこしてある。出入り口の回転ドアの上部に天使のレリーフが彫られていることに、会社を去る今日になって初めて気づいた。回転ドアの前でしばし立ち止まった。出てしまえばもう戻ることはない。かと言って誰が引きとめてくれるわけでもないのだが。

ドアに手をかけた瞬間、背後で声がした。

「部長っ〜」

振り返ると、階段を駆け降りてくる人影が見えた。若い男だ。花束を振り回してこっちに走ってくる。私の前でたたらを踏んで立ち止まった。

「よかった、間に合ったぁ」

「おお」その男の名前がちゃんと口をついて出てくるかどうか心配だったが、だいじょうぶだった。こいつは忘れない。「安藤か、どうした」

荒く息を吐きながら、安藤が花束を差し出してくる。

「社資管理課に行ったら……いま出たところだって……聞いて……エレベーターがなかなか来なくて……それで……」

「ありがとう、こんなすごい花束、よかったのに」

「生野が……選んだんです……あいつも来たがってたんだけど……会議中だったもんで……俺、一人で勝手に抜け出して」

「落ち着いて話せよ。時間があるのなら」

私は応接コーナーのソファを指さした。

「今日、部長の送別会を開くつもりで準備してたんです。それなのに園田さんがギガフォースの部内会議をむりやりスケジュールに入れちまったんですよ」

息を整え終えても、安藤の鼻息は荒いままだった。

「まったく園田さん、何考えてるんだろう。怖くて部長の顔を見れないんじゃないですかね。生野から話は聞いたでしょ」

「うん」安藤と生野の仲は私の想像以上に親密なようだ。なるほどね。

「自分が部長代理になれるとでも思っていたのかな。だけど、ほら、新しい部長はあの人より入社年次がひとつ上なだけでしょ。しかも歳は同じ。園田さん、へこんじまって、俺たちに八つ当たりですよ。性格が暗いことはわかっていたけど、あんな陰険だとは思わなかった。部長、辞める前に一発殴っていかなくていいんですか。なんだったら俺が……」

「もういいんだよ」

「悔しくないんすか、部長」

「うん」

園田が局長に報告をしようがしまいが、私が第一線に踏みとどまっていられる時間は、そう長くはなかったはずだ。第一、園田という名前は覚えているが、私はうまく顔を思い出す

 こともできなくなっている。

安藤は正面玄関の外まで出て見送ってくれた。

「送別会、絶対やりますから、来てくださいよ。園田さんも出席させます。引きずってでも」

こいつなら十歳近く年長の園田に、口だけでなく本当にそうするかもしれない。出世するかどうかはわからないが、いい広告マンになるだろう。

「うん、行くよ」

駅へ向かって歩きはじめた私に、安藤がまた声をかけてきた。

「部長っ、びしっといきましょう、俺もびしっといきますから」

振り向いてしまうと、何度も振り返ってしまいそうだったから、私は前を向いたまま、安藤に片手でガッツポーズをつくって見せた。

53

因果なもので、会社を辞めてひと月半が経つのだが、いまだに朝は通勤していた時と同じ六時五十分に目が覚める。とはいえ長く悩まされ続けていた不眠からは解放されつつある。起きなくてはならない時刻までの残り時間をかぞえて焦ることがなくなったからだろうか。

快眠とまではいかないが、睡眠導入剤を飲み、床につけば、一時間ほどで眠れるようになった。

私は朝食の準備をするためにキッチンへ立った。枝実子はいない。予定日を過ぎてもいっこうに生まれる気配がなかった赤ん坊が「いよいよ」だという連絡が梨恵から入ったからだ。なにが「いよいよ」なのか男である私にはくわしくわからないのだが、「女親がついていなければ」と、昨日から所沢にある梨恵たちの新居へ行っている。

昨夜の残りものの煮物を火にかける。コンロの先の壁には、ちょうど私の目の高さに貼り紙がしてあった。

『コンロの火をお忘れなく』

枝実子の字だ。冗談めかして下手なイラストを添えているが、私のプライドを傷つけないための文章を何通りも考え、何度も書き直していたことはわかっている。枝実子が家を出た後のキッチンのゴミ箱には、プレゼン間近のコピーライターのデスクさながらに書き損じたたくさんの紙がまるめて捨てられていた。

給湯器のリモコンの横にはこんな貼り紙もある。『空焚きは罰金千円!』玄関の扉には、これ。『おサイフもった? ハンカチもった? 戸じまりオーケー?』

私をひとりで家に残していくことを枝実子はずいぶん心配していた。独身時代から自炊していた私は料理するのが苦にならないほうだ。平気だと言ったのに、冷蔵庫には二日分の食事がラップにくるまれて入っている。

枝実子が心配するのも無理はなかった。知的機能に関する私の能力は、落葉樹から葉が散っていくように日に日に欠落しつつある。家にこもってしまうのはよくないと医者から言われているから、なるべく昼間は外出するようにしているのだが、散歩をしていても不用意に脇道には入れない。自分の居場所がどこなのかわからなくなってしまうからだ。

買い物をする時には、レジへ向かう前に自分が同じものをすでに買ってはいないかどうか、必ずポケットにしのばせたメモを確かめる。この一カ月で私は陶芸に関する同じ本を数冊、シェーバーや整髪料をいくつも続けて買い、三日連続で一箱六個入りのまんじゅうを枝実子への土産に持ち帰っていた。

症状は日によって、そして時間帯によって変わる。フィラメントが切れかけた電球のように、私の頭の中では光が差したり、暗く陰ったりが延々と繰り返されている。うたた寝をし、覚醒と昏睡と、そのどちらでもない混沌とした意識とがかわるがわる訪れる気分だ。ともすれば安穏な無意識の世界へ潜りこもうとする自分を、私は冬山のシュラフの中で目ぶたをこじ開け続けるのに似た努力で目覚めさせ続けている。

食器棚のいちばん目につくところにある私の茶碗を取り、米をとぐ手順と操作方法を記したメモが貼られた炊飯器から飯をよそう。炊きたての米の匂いに胃が重くなった。

依然として食欲はない。なぜ食欲不振が続いているのか、理由がわかってきた。最初は抗痴呆薬の副作用のためだとばかり思っていたのだが、それだけじゃない。味覚と嗅覚が狂いはじめているのだ。魚からはどんな調理法をしようが、海辺の潮だまりに似た臭いしかしない。青物野菜は喉に藁を詰めているようだ。肉は血の臭いのするゴム。米やめん類、じゃがいもやにんじんなどの根菜類の味は、いままでどおりわかるのだが、好物だった乳製品はそろそろ危ない。いまのところ石鹼とチーズを間違えることはないが、食べても味の区別はつかないだろう。

温め直した煮物のじゃがいもをおかずにして、ご飯を一膳。枝実子のつくり置きのサラダを飼い葉のように食い、バリウムを飲む気分でカルシウムを摂るためのヨーグルト・ドリンクを片づける。

玄米茶をすすりながら朝刊を開いた。見出しと写真だけを眺めてめくっていく。最近は何かを読むことがますます億劫になっている。本や新聞を読んでいても、文字が意味するものがすぐに頭に入ってこない。無理して読み続けていると、文字が蟻の行列となって蠢き出す。そのうち蟻たちは列を乱し、紙面の外へぞろぞろと這い出ていく。昔からいちばん熱心に読むスポーツ欄なら気楽に読めるのだが、残念ながらまだプロ野球はオープン戦の情報だけ。大相撲の星取り表は、いまの私には無作為に印をつけたマークシートにしか見えない。

書くのはさらに骨が折れる。続けられる間は書くつもりでいる日記も途絶えがちで、週に二、三日、それも短い文章を書くのがやっとの状態だ。

会社を辞めた当初は、自分のこんな状態が腹立たしく、焦りに身をよじり、その苛立ちを枝実子にぶつけてしまいそうになるのが恐ろしくて、頭を冷やすために散歩ばかりしていた。だがその状態も一過性の発作だったように薄れはじめている。最近の私は焦る気力も失せかけている自分に焦燥している。

右にある紙を左へ、流れ作業同然に新聞をめくり終え、食器を洗うために立ち上がると、ぷつ。

頭の片隅で切断音がした。流しにボウルを置き、カランを押すと、また、ぷつり。

最近、頻繁に聞くようになったこの音のことは、吉田先生にも話していない。錯覚だと言われるに決まっている。しかし私には現実に耳の奥ではっきりと聞こえる。頭の中のフィラメントが途絶する音。私にはそうだとしか思えない。

皿を洗い終えて、煙草をくわえた。復活した喫煙の習慣は、どうやらもう治せそうにないが、一日十本だけと自らに課した約束は、最後の砦として守り続けている。

煙草を吸いながら考えた。こうなることはあらかじめわかっていた気がする。会社を辞めたことが症状を加速させている原因だろう。

自分が閉じはじめている。そのことを私は自覚していた。なんとかしなくては、このまま人間の脱け殻になってしまう。

再就職はできないだろうか、いつもそう考える。いまの自分にもできる仕事はないか。私は再び新聞を開き、この半年で度数が0・5上がった老眼鏡をかけて求人欄に並んだ文字を睨みつけ、その意味するものを解読する作業に取りかかった。

訪問販売セールスマン。近所の道ですら迷ってしまう人間には無理だろう。

飲食店フロア係。団体客の注文を覚えられるか？　病気になる前の私にもできそうになかった。

同じ店のレジ係。これもだめだ。最近は計算がのろく、間違いばかりしていて、買い物をする時も札しか出さない。

悩むまでもなかった。私はふいに自分の年齢を思い出した。どのみち、すべての募集の年齢制限をオーバーしている。確か私は去年で五十歳になった。間違いないはずだ。毎日、午前中は比較的意識がしっかりしているのだ。夕方がいけない。午後の遅い時間の私は、三十代に戻ったり、二十代にさかのぼったりすることがある。

五十。その数字を頭に刻みこんでから、もう一度、蟻の行列に目をこらした。

警備員（夜間）。六十歳まで。

道路工事誘導係。年齢不問。

フィラメントが点滅を繰り返す頭で何度確かめても、このふたつだけだった。警官を模した制服を着て懐中電灯を手に暗い廊下を歩く自分、ヘルメットをかぶり赤色灯を振る自分を想像してみた。いまさらプライドなど持ち出すつもりはないが、想像もつかなかった。第一、私のミスで、もしとんでもない事故が起きてしまったら——幻聴に決まっているが、私の耳にクルマの急ブレーキと衝突音が聞こえた。

ため息をついて、煙草のパッケージを振る。心なしか手の甲のしみがふえた気がする。灰皿でフィルターだけになった煙草がくすぶっていることに気づいて、くわえようとした煙草を箱の中へ戻し、もう一度ため息をつく。

とりあえず今日一日をやりすごす方法を考えてみる。ダイニングテーブルに頬づえをついて思案したが、何も思いつかなかった。すべきことを自分で見つけるのはもともと苦手だ。情けないことに三十年近く会社勤めをしていると、たまさか長い自由時間を与えられても、うまく使いこなせなくなる。

私はぼんやりと窓の外を眺めていた。三月後半の日足がリビングの床を淡く染めている。枝実子は「エアコン」「テレビ」「CDコンポ」と貼り紙をつけたリモコンをテーブルの上に並べて置いてくれているのだが、今日は暖房の必要はなさそうだった。散歩には絶好の日だが、迷わずにすむ決まりきったルートだけの散歩はもう飽き飽きだ。

そうだ。ひとつだけすべきことを思い出した。私は納戸へ向かった。

階段下にある小さな納戸は、私には立ち入れない枝実子の領域だ。こまごまとしたモノが整理棚や収納ボックスにきちょうめんに収められているが、間借りをしている私の私物の置き場所がさっぱりわからない。

どこにあるだろう。陶芸教室を辞めた後でもあれだけはとっておいたはずだ。忘れないように目立つ袋に入れておいたのだが。

探し物は整理棚のひと隅にあった。いつか新入社員の若い女性に玄米食品をもらった時のブランド物の袋だ。中には余った粘土や成形だけして結局焼かなかった失敗作の器が入っている。取りだすと、袋から小さな紙片が落ちた。拾い上げるとそれは、便箋を模したメッセージカードだった。

『部長、マイペースです。あせらないで、じっくり。復帰お待ちしてます。生野』

私に玄米食品をプレゼントしてくれた女性の名前をようやく思い出した。生野だ。生野啓子。

辞めてしまった職場の人間で、私がいまでも名前を覚えているのは、長いつきあいの安藤だけだ。

安藤からは何度か電話をもらった。そのたびに私は、もう自分に無縁の仕事の進行状況を尋ねる。むこうは会社の話題は避けようとしているようだが、私は聞かずにはいられなかった。

私の担当クライアントだったプロバイダーは、わが社の夏に向けたキャンペーン第二弾の企画が気に入らず、急遽、競合プレゼンテーションを実施したそうだ。わが社はそれに負け、チーフだった男が担当をはずされることになるらしい。安藤は確かこんなことを言っていた。

「円形脱毛、今回は二つできたようです。五百円玉クラスが。因果オーホーってやつですね。とばっちりを食らって俺もはずされちまいそうですけど」

話をしている間だけは、すっかり記憶から抜け落ちている人の名前や社名を少しずつ思い出し、自分がまだ現役の営業部長であるような錯覚に陥る。とはいえ、すべてが古い映画をつぎはぎで眺めている感覚に似た遠い昔話に思えてしまうのだが。

クライアントの宣伝課長は相変わらずで、安藤は彼のおともをして月に二回はキャバクラ通いをしているそうだ。「たまりませんよ。本人は話題豊富なナイス・ミドルのつもりらしいけど、喋れば喋るほど、女の子に嫌われるんですよね、あの人。蔭でうんちくエロオヤジって言われてるのがわかってないんだもん。フォローが大変すよ」

そのことはいまだに覚えている。安藤はまだいい。オヤジ二人で、自分の娘より年下の女の子が待ち受ける店へ行くつらさは忘れようにも忘れられない。ただでさえ盛り上がらない場を、あの人がよけいにシラケさせてしまうのをとりもつのは、煮つまった企画会議の音頭を取るよりたいへんだった。

「送別会、申しわけないです。あの円形脱毛野郎を引っ張ってくるって約束、破っちまって。まさか当日になって早退するとは思わなかった。でも、部長が思ったより元気そうでよかったですよ」

安藤の話では退社した後、私のために送別会を開いてくれたらしい。悪いが、その夜のことはまるで覚えていない。部の連中と飲みに行った時の酔いでかすんだ記憶の数々の中に埋没してしまったらしい。唯一覚えているのは、その時の情景だったのかどうか自信はないが、みんなが酔った散会近く、安藤と生野が肩を寄せ合って話しこんでいた姿だけだ。誰かが冷やかしの声をあげていたっけ。よっ、お二人さん。もしかしたら声の主は私だったかもしれない。

生野の可愛らしい袋から取り出した、すっかり乾燥している器をハンマーで細かく砕く。それを水を張った洗面器の中に入れる。しばらく漬けておき、柔らかくなったら天日で干し、今度は適度な硬さになるまで乾かす。陶芸教室の先生に教えてもらった土の再生方法だ。陶芸用の土は焼く前なら、何度でも蘇らせることができるのだ。

春の光がこぼれ落ちている窓辺へ洗面器を持って行き、水の中に溶け出していく土をじっと眺めた。私の両手は待ちきれずに、膝の上で手びねりの動作を繰り返していた。手びねりの指づかいはいつしかろくろを回す手さばきに変わる。陽光は暖かく、柔らかく、心地よかった。

そうだ、梨恵たちに贈る夫婦茶碗を二階のライティングデスクの上に置いたままだった。ひとつはまだ絵付けをすませていない。絵の具も納戸にしまってあるはずだった。探して露草の絵を描かなくちゃ。私はうらうらした日差しの中で、ぼんやりとそう考えていた。もう器を焼く窯のある陶芸教室に行くことはないのに。

私は夢想していた。自分のひからびた脳味噌を頭の中から取り出し、砕き、水に浸す。ほどよい状態に再生したら、それを頭に戻す。そして私は長い微睡《まどろ》みのような状態から覚醒する。馬鹿げた空想だとはわかっていたが、私はそれが現実になりはしまいかと、半ば本気で願った。

本来なら、半日は水に漬けておかなくてはならないのだが、私は乾燥途中の粘土を取りだして、その日のうちに三つの小鉢をつくった。

54

三月二十四日

梨恵にこどもがうまれた。女の子。2680グラム。予定日をすぎてうまれたわりには少々小つぶ。

恐れていたことがおきてしまった。おとといから梨恵たちの家へとまりこんでいた枝実子によると「あなたによく似ている」とのこと。すまん。ほんとうにすまん。

渡辺くんからも練らくをもらった。梨恵はいたって元気で、私にもはやく子どもの顔をみせたいといっているという。ざんねんだが一人で所沢までゆく自身がない。さいきんのわたしは電車ののりかたもおぼつかなくなっているのだ。

なにはともあれ、めでたい。ひとり家の中、ノン・アルコールビールで祝杯をあげた。

わたしによく似た女の子。梨恵たちには申しわけないと思いつつ、心のどこかで私の神経細胞よりもっと奥底にひそんでいるDNAが拍手かっさいを送っている。

でかした。してやったり。

55

サイドボードにしまってあるいちばん新しいアルバムを開き、最後のページに挟まれたDPEの袋を取り出した。中にはまだ未整理の写真が入っている。結婚式が終わった後、梨恵夫婦がわが家を訪れた時のスナップ写真だ。赤ん坊のことを考えて、結局ふたりは新婚旅行を取りやめ、それぞれの実家へ一泊ずつ泊まっていった。その時のもの。元々の写真は梨恵たちに送ってしまったが、枝実子は「写りのいいものだけ」と言いながらほとんどすべてを焼き増しして残している。その中から一枚を選び出し、しばらく眺め、写っている顔を脳裏に焼きつけた。

「あなたぁ、したくはできた〜」

玄関から声が飛んでくる。枝実子は昨日遅く戻ってきた。今日は二人で所沢市内の病院へ赤ん坊の顔を見に行くのだ。

「待ってくれ、もう少しだから」

カメラを向けられて照れくさそうに笑っているのは梨恵の夫、私の娘婿だ。今日は彼も病院へ来るから、会った時、すぐに本人だとわからないと困る。こうしてわが家にある写真を眺めていれば、もちろん彼が娘の夫であることは理解できる。しかし突然顔を思い出せと言われたら、私は往生してしまうだろう。頭の中に浮かんでくるのは、初めて会った時の「遅くなって、申しわけありません」という彼の第一声と長身を深々と折り曲げた時の背中だけだ。顔は写真から目を離したとたん、焦点の合っていないファインダーで眺めたようにぼんやりしてしまう。

私の場合、日常の言動や行動にかかわることに関しての酷い認知障害はまだない——自分でそう信じているだけだが——かわりに人の名前や顔に関する記憶がすっかりだめになっている。枝実子が用心深く口にする名前にあいづちを打つふりをしてはいるが、実際は努力しなければそれが誰だったのか、どんな容貌だったのかを思い出せないことが多い。

長く営業の仕事を続け、一日何十人もの人間に会う日々の中では、忘れることも仕事のうちだった。名刺ファイルがいっぱいになると古い名刺を束にして捨てた。アドレス帳を新しくするたびに、記録することが不要になった人間を切り捨てた。そんな日々に対して罰《ばち》があたったのかもしれない。

いままで会ったすべての人々を思い出してみたい。どんな人物だったか、どんな風貌だったのか、どこで会い、何を話したのか、切れかけた電球のように記憶がおぼろげになっていくいまになって、私はそう思う。

娘婿の名前はまだ覚えている。写真の裏に鉛筆で「渡辺ナオト、梨恵の夫」と書く。そしてシステム手帳の中に挟みこんだ。

会社を辞めたいまも、私は肌身離さずシステム手帳を持つことにしている。会社勤めをしていた時と同じ手帳だが、中身はずいぶん違う。

挟みこんであるのは、大量のメモだ。自宅近くの地図、いきつけの本屋や陶芸材料の店や喫茶店までの道順、薬の服用法、煙草の本数などを記録するスケジュール表。自宅もふくめた主な場所の電話番号。かつてアドレス欄だったページには、友人、親戚、近隣の住人、私が記憶しておくべき身近な人々の名前とプロフィールをひとり一ページずつ使って記してある。

佐伯忠雄＝父の弟。七十七才。元・電電公社職員。妻、かずこ（平成十三年没）、長男（ひとし＝別記）夫婦と同きょ。しゅ味、ぼんさい、酒（日本酒）。酒ぐせわるし
という具合に。写真があればそれを貼る。電話をもらった人物や、枝実子との会話の折に出てきた名前が誰だかわからなくなると、わが家に残る私信などの記録と、私に残された頼

りない記憶を総動員して、すみやかにつくるようにしている。だから私の人物用メモは日に日に増えていた。

外出する時の必携品であるウエストポーチを腰に巻いた。システム手帳が入る大きなサイズだ。中にはいつも鈴のついたキーホルダーも入っていて、家の鍵と、もう使わなくなったクルマのキー、自宅の住所と電話番号が書かれたプラスチック製の札が吊るされている。ポーチに財布と携帯電話と煙草も入れ、ファスナーを閉じる。閉じた瞬間に再び開けて、中に入っているモノを点検してしまうのはいつものことだ。もう一度見ても同じであることはわかっているのだが。

「あなたぁ、そろそろ行くけど、いい?」

枝実子がせっかちなのは昔からだが、最近は私の行動を急かすことをしなくなった。今日は特別だ。一刻も早く梨恵と赤ん坊のもとへ飛んでいきたいらしい。時間が遅くなると、赤ん坊が保育室から出てくる授乳時間に遅れてしまうのだそうだ。

「いま行くよ」

玄関へ向かいかけてから、踵を返してサイドボードに戻り、再びアルバムを引っ張り出した。

もう一枚、写真を抜き出した。カメラに向かって舌を出したおどけた表情。梨恵の写真だ。昔からそうだった。女の子なのだからカメラの前ではすまし顔をすればいいものを、照れ隠しなのか、私や枝実子が写真を撮ろうとすると、わざと変な顔をしてみせるのだ。梨恵はわが家のアルバムのあちこちで百面相をしている。

梨恵の顔をしばらく見つめた。まさかまだ自分の娘の顔を忘れるとは思えないが、百パーセントの自信はない。最近、私が思い浮かべる梨恵は、なぜか少女の頃の姿をしている。

56

エレベーターを下りて右手すぐの四人部屋だと教えられていたのだが、見つけることができずに、私は産婦人科のある三階の廊下をうろうろと歩き回っていた。

枝実子は先に病室へ行っている。私は一階の喫煙所に寄った。横浜市からここまでは電車で二時間あまり。「ずっと煙草を吸ってないから、一服させてくれ」というのは口実で、本当は電車に乗って三駅目あたりで頭からすっかり消えてしまった渡辺君の顔を、もう一度確かめたかったのだ。枝実子は心配して待っていてくれるだろうと思っていたのだが、今日ばかりはあっさり置いてきぼりをくってしまった。まだ対面していない赤ん坊に私は少々嫉妬し、いじけて、二本の煙草を立て続けに灰にしてしまった。もったいない。今日、三本目と四本目。正の字で本数をメモする。

もう一度エレベーターの前へ戻り、右手に歩いてみる。いちばん手前の部屋。扉の前には確かに四人の名前を記したプレートがかかげられているのだが、やはり梨恵の名前はない。また見当識障害が始まったのだろうか。あるいは枝実子の言葉を記憶違いしているのか。再びあてどない彷徨を続けるべく歩き出そうとしたとたんに、気づいた。

名前はちゃんとあった。ネームプレートの下段の右。渡辺梨恵。「佐伯」で探していたからわからなかったのだ。そうだ、もう娘は自分とは苗字が違うのだ。私には娘が嫁に行ったことが、結婚式が終わったいまも信じられない気分だったのだが、ようやくそれが現実であることを思い知った。

部屋の奥、窓際に枝実子がいた。隣に立っているのは、さっき写真で確かめ直した渡辺君だ。枝実子が両手でかかえこんでいる白いタオルの中には、梨恵の赤ん坊がいた。渡辺君が先に私に気づき、写真と同じ照れた笑顔を向けてきた。笑い顔の中の目が気づかわしげだった。

梨恵と渡辺君に私がアルツハイマー病であることを告白したのは、二人がわが家に泊まった翌日。スナップ写真に梨恵がおどけた表情で収まった直後だ。

渡辺君は結婚式場のトイレでの私の異変を梨恵には伝えていなかった。もう少し新婚気分を味わっていてもらいたかったのだが、話すことにしたのは、いつまでも彼の胸に収めさせておくわけにはいかないと思ったからだ。

「一緒に住まない？」

梨恵は、アルツハイマーなどたいした病気じゃないという下手な芝居を続けながら、そう言った。渡辺君もその場で賛成してくれたが、即座に断った。枝実子も同じ意見だった。結婚直後は誰だって、自分たちの愛情がどんな困難にも打ち勝てるし、奇跡すら起こせると信じてしまうものだ。実際には相手の親との同居や介護の問題だけで、愛情には簡単にヒビが入るし、二度とつながらない具合に割れてしまうこともある。梨恵と渡辺君がそうだとは言わないが、その可能性のひとつにはなりたくなかった。

「ひさしぶり」

ベッドから声をかけられた。顔を見た瞬間、安堵で膝が折れそうになった。心配することは何もなかった。そこには私のよく知っている梨恵の顔があった。結婚式の時の別人かと思わせた娘ではなく、十代の終わり頃から見るたびにこちらを置いてきぼりにするように大人びていった娘でもない、昔どおりの梨恵だった。私を見上げてくる、髪を三つ編みにした化粧気のない顔が、子どもの頃のままに見えたからだろうか。

「元気そうで、よかったよ、お父さん」

ベッドの中で梨恵が笑っている。口角を力強く吊り上げて、頰をゆったりとゆるめたその笑顔は、私の子供ではなく、もう子供の母親のものだった。

「お前もな」

「あ、お父さんじゃなくて、もうおじいちゃんだね」

こんな時まで憎まれ口を忘れない。この性格はいったい誰に似たのだろう。

「ほら、見て見て、抱いてみて」

赤ん坊は重かった。軽いのに重かった。命の重さだ。

記憶の欠落に悩んでいるこの私に、不思議なことに二十五年も前の、梨恵を初めて抱いた時の感覚が蘇ってきた。頭ではなく両手が覚えていた。あの時と同じ。私は自分がなぜこの世に生を受けたのか、その答えのひとつを受け取った気分だった。

「梨恵に似てるかしら。目もととか」

「そうかなぁ、お義姉《ねえ》さんは鼻はナオちゃんだって言ってたけど」

私には、目つきも鼻のかたちもあったもんじゃない、じゃがいもみたいに見える赤ん坊の顔に、枝実子と梨恵が大まじめに品評を加えている。

「女の子だからねぇ、僕に似るっていうのはまずいな」

二枚目の渡辺君でも、やはり私と同じ心配をするらしい。

「顎はお父さんだよね、絶対」

梨恵がそう言うと、枝実子も頷いた。渡辺君まで。私が「すまん」と赤ん坊に呟くと、三人が笑った。

ぷつん。

頭の奥で小さな音がした。聞き慣れた不吉な切断音。だが、いつもとは違って、それは重荷を降ろした安堵のため息のように聞こえた。

私は赤ん坊にべろべろばーをしながら、薄く目を閉じた小さな寝顔に心の中で声をかけた。

「頼むぞ」

57

「絶対に嫌ですからね」

キッチンから夕食の皿を抱えて出てきた枝実子が、髪を揺らして首を振る。私がダイニングテーブルの上に置いた数枚のプリントに、クロスのシミを見つけたような目を向けて、指先で押し返してきた。

「見に行くだけじゃないか。ほら、ここを読んでみろよ。若年性アルツハイマーの方のケア体制も充実。現在、多数の方が入所って書いてある」

痴呆症患者の施設に関するプリントだった。インターネットで検索し、プリントアウトしたものだ。私が手に取って一カ所を指さすと、枝実子はすかさず空いたスペースにかぼちゃのグラタンを置いた。

「どこだって、うちはよそと違います、みたいなことを言うけど、あてにならないもの」

最近の枝実子の言い分は「世間に期待したって無理」だ。少し前、私たちは吉田先生の勧めに従って、介護保険の介護サービスの利用申請をした。通常の年齢制限である六十五歳に満たない私の場合でも、特定疾病の中の「初老期における痴呆」の項目が該当するからだ。

介護サービスを利用する際には、訪問調査で要介護認定を受けなければならない。わが家にやってきたのは区のケア・マネージャー。介護保険というより生命保険の外交員を思わせる女性だった。

「基本的に自己申告ですから、できるだけ包み隠さず、症状の悪いところは悪い、できないことはできないとはっきり言ったほうがいいです」吉田先生からはそうアドバイスされていた。要するにより有利な認定を受けるためには、重症であることを訴えたほうがいいらしい。

ケア・マネージャーは私をそっちのけで、枝実子とばかり話をした。枝実子の口から出てきたのは、私が自己診断している症状より、深刻な状態を示すものばかりだった。後から枝実子は「大げさに話すぐらいでちょうどいい、って吉田先生が教えてくれたから」と言いわけをしていたが、おそらくそれがいまの私の本当の姿なのだろう。

枝実子への聞き取り調査を終えると、調査員は私に質問をぶつけてきた。

「お洋服はひとりで着られます？　着替えの時に不自由することはありませんか」

「お金の計算はだいじょうぶ？　お財布からのお金の出し入れも自分でできてますか？」

「お風呂に入る時に誰かの助けは必要ですか？」

腹立たしかった。彼女の質問も。口調も。職業上の習性なのか、大きな声でゆっくり話し、わかりやすい語彙だけを使う、老人に対する特有の話し方だった。痴呆症とはいえ私はまだ五十歳なのだ。私は質問にいちいち首を振り、いまの自分には何も問題ないという「作話」をしてしまった。くだらないジョークまでまじえて。

「洋服？　ファスナーが閉めづらくなることはあります。手袋をしている時などは」

これではまるで会社をリストラされて家でぶらぶらしているいかがわしい中年男だ。枝実子は呆れ顔をしていた。

数週間後、私に下された認定は「要介護1」。五段階に分かれた要介護レベルのいちばん軽いクラスだ。支給限度額も低く、若年性は敬遠されがちという大学病院の教授の言に従うなら、公的施設への入所は絶望的な評価だった。悪いのは私なのだが、枝実子は世間話同然の調査で判断が下されることに憤り、自分ひとりでなんとかするという前々からの決意をますます固めてしまった。

だが、どちらにしてもたいした違いはなかったかもしれない。私のつたないインターネット検索でもほどなく公的施設は圧倒的に数が足りず、若年性アルツハイマーどころか、要介護度がかなり高い高齢の痴呆性老人ですら入所に苦労しているという事実がわかった。待っている間に寿命が尽きてしまうような長い順番待ちの列に加わらなくてはならないらしい。

だから私は、私のような若年性アルツハイマー患者を受け入れてくれそうな民間施設を探した。プリントはそのひとつの入所案内だ。名前は『あすなろナーシングホーム』。

「第一、これ、東京でしょ。うちからは遠すぎるわよ」

「他にはないんだよ。調べた中じゃここがいちばん近いんだ。金も思っていたよりかからないみたいだし。行ってみようよ」

「嫌、です」

枝実子の気持ちはわかっている。怖いのだ。患者たちを見るのが、私の将来の姿を見るのが。私だって同じだ。しかし、見ておかねばならなかった。

「いいよ、じゃあ俺一人で行く」

「やめてよ、まだだいじょうぶよ。普通に暮らしてるじゃない」

普通じゃないはずだ。私にはまるで覚えがないのだが、「ひとりでぼんやりしていたり、ひとりごとを長く呟くことはありますか」というケア・マネージャーの質問に、枝実子ははっきり首を縦に振っていた。

「その話はもうなし。ほら、冷めちゃう。ご飯、たべましょ」

あの手この手で週に一度は出すかぼちゃ料理に、枝実子はいつもどおり先に手をつけて、範を示す。私はスプーンを宙に浮かせたまま言った。

「悪かったな」

「何が」

私の口調が普通ではなかったらしい。枝実子が見つめ返してくる。瞬きを繰り返す目は怯えているようで、眉間に刻んだ縦じわは怒っているように見えた。病気がわかって以来ずっと、自分の言動を不審に思われていないかと人の顔色を探ってばかりいたせいか、私は他人の表情に敏感になっている。考えてみれば、二十五年間連れ添った妻の表情を、これほど真剣に読み取ろうとしたことはいままでにはなかった。これが見納め、そんな真剣さで私は妻の顔を見つめた。

枝実子の顔は疲れているように見えた。娘の出産と私の病気、このところずっとその二つを一人で背負ってきたのだ。疲れていないわけがない。

「こんな男でさ」

枝実子がスプーンを置いて耳を塞ぐ。耳にあてた手のひらをシンバルを連打するように小刻みに動かした。結婚する前からおなじみの、聞きたくないという意思表示だ。私がさらに何か言おうとすれば、いつも決まって言葉にならない声をあげて妨害するのだ。

「ほんとうに悪かったと思うよ」

「あーあーあー」

二十五年間、ずっと仕事ばかりだった。自分はいい夫、いい父親ではなかったと思う。そうして家族を犠牲にしながら、たいして出世をするわけでもなく、あげくの果てにあっさり会社から捨てられた。しかも日に日に枝実子のやっかいな荷物でしかない存在になっている。

アルツハイマーだと診断される前は、梨恵の結婚式が終わり、仕事が一段落したら、休暇を取って二人で旅行をしよう。枝実子が行きたいというなら、結局、二人では一度も行っていない海外旅行をしてもいい。そんな殊勝なことを考えていたのだ。それなのに、海外旅行どころか近所を散歩することもままならない体になってしまった。

「世間体なんか気にすることないぞ。おふくろも兄貴もアルツハイマーの大変さはよくわかってるんだから、俺からも言っておくし」

「うーうーうーうー」

この男と結婚したのは失敗だった。枝実子はそう思っているに違いない。打算的な女ではないことはわかっているつもりだが、もう結婚して二十五年。梨恵たちとは違う。誰だってそのくらいの損得勘定はするだろう。

「いっそのこと、性格の不一致ってことで、離――」

枝実子がせりふの続きを察して、私の言葉を遮る。

「変な言い方しないでよ。私がそんなふうに考えてると思ってたの。見損なわないでよ。いつだってそうやって一人で決めて。したかったら、勝手にすれば！」

目を吊り上げて睨み返してきた。ふくらませた頰のほくろも吊り上がる。こんな表情を見せるのは珍しい。私は視線をそらし、何も言い返せずに口を閉ざした。

いまの私には妻の怒りに反発することも受けとめることもできない。きっと介護される人間と介護する人間の微妙な力関係がそうさせているのだ。プリントと気まずい空気をテープルの上に置いたまま、私たちは無言で夕食を続けた。

沈黙を破ったのは、一本の電話だった。救われたという様子で枝実子が席を立つ。電話の相手が誰かは、枝実子の返答を聞いているだけでわかった。

「だいじょうぶ、もう夕飯はすむところだから。どうしたの？……熱は……あら、大変。直也さんは……出張？……いつ帰ってくるの……うん、わかった。なるべく早く行くから。芽吹《めぶき》にうつったら大変だものね」

芽吹は孫娘の名前。どうやら梨恵が風邪でダウンしてしまったらしい。

ほら、やっぱりな。大切なのは、俺より梨恵と芽吹のことだ。嫉妬衝動のひとつだろうか、娘と孫を心配する前に、そんな子どもじみたやきもちを焼いている自分が情けなかった。

「育児疲れもあるのかもしれないわね。とにかく食べなさい。なんでもいいから食べること……ううん、だいじょうぶ。こっちの心配はいらないから。明日には——」

枝実子が振り向いて私の顔を覗きこんでくる。私は父親である自分を取り戻し、黙って頷いた。いまは自分のことより梨恵のことだ。あいつはいまいろいろと大変なんだ。私は梨恵を思った。浮かんできたのは、氷嚢をひたいに載せ、真っ赤な顔をして寝汗をかいている姿だ。小学生の頃、おたふく風邪にかかって四十度近い熱を出した時の梨恵。あの時は枝実子と交替で朝まで看病したっけ。そこで私の頭は真っ白になった。

いまの梨恵の顔が思い出せない。

目を閉じてみた。網膜にその姿が映りはしないかと。だめだった。枝実子の声に耳をかたむけた。そうすれば電話の向こうの梨恵が目に浮かぶのではないかと思って。だめだ。頭は白いままだった。

私は熱意なくつついていたグラタンの中からかぼちゃの塊を掘り出してむさぼった。そうしないと二度と娘の顔を思い出せなくなってしまう気がしたのだ。かぼちゃだけを全部食い、口の端にわかめを張りつけて、潮だまりの臭いの海藻サラダを頬ばった。受話器を置いて戻ってきた枝実子が目を丸くする。

私は決めた。自分ひとりで自分の入所する施設を探すアルツハイマー病患者——そんな人間が世の中にどれくらいいるのかわからないが、私はそうせねばならない。手遅れにならないうちに。

58

四月二十七日

ゆめを見た。

ゆめの中の私はまだ二十代で、枝実子と結こん式をあげたばかりだ。新こん旅行で海外へゆくと中だった。

新こん旅行なのになぜか梨恵もいっしょにいる。

梨恵はまだ六才。どろんこになって着ていくことができなかった入学式のための服を身につけている。今日は出がけにころんだりはしていないから、ブラウスはまっ白で、新調した赤い靴もぴかぴかだ。

いつしか私たちはイスタンブールのイスラム寺院の前にいた。

「ほら、あれが——名前を忘れちまったけど、有名な建物なんだよ。どうしても見せたかったんだ」

ゆめの中の枝実子がわらった。

ゆめの中で梨恵もわらっている。

「このお舟、どこへ行くの」

梨恵が聞いてくる。街中の寺院の前にいるのになぜか私たちは舟にのっている。私は首をかしげて、「わからない」とだけこたえた。

わすれてしまったのかもしれない。なにもわからないんだ。お父さんはアルツハイマーだから、そう言うべきかどうか私はまよっている。

そこで目がさめた。

五十才のアルツハイマー病かん者であることを思い出した私は、ふたたびゆめの中へもぐりこもうとしたが、消えてしまったゆめはもうもどってこなかった。

59

久しぶりにネクタイを締めようとしたが、思うようにいかない。三十年近く、何千回と繰り返した動作のはずなのだが、どうしてもうまく締めることができなかった。新入社員の頃のように鏡の前に立ってやってみる。今度は右と左の区別がつかなくなり、ネクタイは私の胸で襟巻きになってしまった。

もういいや。私はネクタイを放り出し、簞笥《たんす》からいつもの散歩用のシャツとウインドブレーカーを取りだした。自分が入所する施設を見に行くのに、見栄を張る必要などどこにもない。お前は颯爽としたスーツ姿で見学に訪れる患者を気取ってみたかったのか？　笑い物になるだけだ。

枝実子は昨日の午後から所沢に出かけている。電話のあった翌日も娘の熱は下がらず、娘の夫は出張であさってまで家を空けているそうだ。

「お前もたいへんだな、赤ん坊が二人だものな」

出ていく時の枝実子は私の言葉が聞こえなかったふりをし、事務的に二日分の食事を用意していることを説明して、またもや大量の書き置きを残していった。前の晩から引きずっていた気まずい雰囲気も残したままだった。

枝実子に内緒で、私も出かけることにした。東京の国立市にあるあすなろナーシングホームの場所はドライブマップで確かめて、乗るべき路線、乗り換え駅、駅からの道順まで、すべてを詳細なメモにしてある。

着替えをすませて、もう一度メモを読み、頭の中でシミュレーションしてみた。そして、ふいに気づいた。あすなろナーシングホームのある国立市から少し足を延ばせば奥多摩だ――。

日向窯《ひゅうががま》に行ってみよう。

なぜそんなことを思いついたのか、自分でもよくわからなかった。二階のライティングデスクに、暇にあかせて絵付けをした夫婦茶碗が置かれているからだろうか。とはいえ、窯のあるじの菅原さんは私が通いはじめた二十七年前からすでに老人と呼べるような年だったし、若い頃に妻と子どもを亡くした彼に跡継ぎなどおらず、窯がいまも存在している可能性はどう考えても少ない。

しかし、いったん考えはじめると、どうしようもない。はやる気持ちを抑えることができなくなった。単なる思いつきだったはずなのに、そこが行くことをあらかじめ義務づけられた場所であるような気さえしてきた。

あすなろナーシングホームから奥多摩までのルートを調べた。いまや私にとって冒険旅行に等しい道のりだったが、国立まで辿り着ければ、その先もなんとかなるだろう。

二階へ行き、ライティングデスクの上の二つの湯呑みを手にとった。露草文の絵は、私の知的機能の具合にもかかわらず、いい出来だった。ていねいに新聞紙でくるみ、梱包用ロープでぐるぐる巻きにしてナップザックに詰める。腰には命綱を繋ぐようにウエストポーチを巻いた。

何度もナップザックとポーチを開けて、あるべきものがあることを確かめてから玄関の前に立った。枝実子の貼ったメモを読む。

『おサイフもった？　ハンカチもった？　戸じまりオーケー？』

ドアを閉めたとたん、コンロの火を消したかどうか不安になった。いつものことだ。消してあることがわかっているのに、不安で確かめずにはいられなくなる。枝実子がいない日には、そのために結局外出ができなくなることもあった。今日ばかりは、私は自分の壊れかけた記憶力を信じることにしてドアに鍵をかけた。

よし、出発、びしっといこう。

60

車内アナウンスに耳をすまし、行き先を記したメモとドアの上の路線図を交互に眺めながら、次の駅名を口の中で唱え続け、ようやく最初の乗り換え駅に着いた。

迷路のような長い地下街を歩き、どうにかJR線の改札口に辿り着く。広い構内ホールには人があふれ返っていた。頭上の電光掲示板が無数のランプでつくった文字と数字を点滅させ、スピーカーからの複数のアナウンスが張り合うように叫び続け、靴音とざわめきが地鳴りとなって私の耳に押し寄せてくる。足早に歩く人々の誰もかれもが私に向かって突進してくるように思えた。少し前まで日常風景だったはずの都会の雑踏は、目と耳から入ってくる情報をきちんと理解できなくなっているいまの私には、人工のジャングルだった。雑踏の中で立ち止まった私は、肩を押され、足を踏まれ、舌打ちを浴びせられた。そうしているうちに、わからなくなってしまった。私はいまどこにいるのだろう。

今日は平日のはずだが、なぜこんなに人が多いのかもわからなかった。携帯電話で日付けを確かめた私は、自分がまるまる一カ月カレンダーを間違えていたことに気づいた。いまは四月の下旬。そうか、今週末から連休が始まるのだ。早めに休みをとった人出らしい。

その場にうずくまりたくなる衝動をこらえて、携帯の待ち受け画面を眺めた。赤ん坊の写真だ。まだ生まれたばかりで笑うことも知らずに産毛を逆立てて眠っている。私はしばらくそれを見つめ、ともすれば霧散してしまいそうな自分がいまここにいる理由と、これから行くべき場所の記憶を頭に繋ぎとめる。何度も失敗を繰り返して設定メニューから自分の携帯電話の着信音を呼び出した。

もう長いあいだ鳴っていない私の携帯電話から聞き覚えのあるメロディが流れはじめた。私は着メロをダウンロードする方法など昔から知らなかったはずだから、誰かに入れてもらった曲だ。いつ、誰が選んだ曲だったのかは忘れてしまったが、「こういうのはあまり好きじゃない」と悪態をついた記憶だけが残っている。だが、いまはすがりつくように携帯を握り、けんめいに耳を傾けた。頭の中をそのメロディで満たして他の音を遮断し、周囲を見回した。

ホールの右手に構内案内図らしき掲示板を見つけた。人波を縫ってのろのろと歩き、霞がかかった目で、幾何学模様にしか見えない案内図を眺める。

幾何学模様の中にびっしりと黒い甲虫が蝟集し、這いまわっている。何度もまばたきをして、それが虫ではなく文字と数字であることが理解できるまで見つめた。システム手帳を開き、メモを読む。ようやくめざすホームがこの駅のいちばん端にあることを理解した。神奈川を抜け、東京都下へと続くローカル線だ。私はお守りよろしく携帯電話を握りしめて、階段をゆっくりと下りた。

駅の片隅のホームだが、ここにも人が多かった。あわただしく行き過ぎる人々の足取りは、老人並みの歩調の私よりはるかに速く力強い。白線を道しるべにして歩いていた私は体を押され、よろけて、線路の方向へ体をぐらつかせた。背後から電車が近づいているのがわかった。日常のほんの一歩先に死がぽっかり口を開けて待っている。いまの私は驚きはしなかった。

落ちたってかまわない。頭の中ではそう考えていたが、体は私の意思とは無関係に動いた。両手が全身のバランスを取り、両足はホームの縁でしっかり踏んばった。

目の前を轟音を立てて電車が滑りこんでくるまでに、数秒もなかっただろう。自分を裏切り続けていた自分の体に助けられた気がした。生きろ、と体が心に言っている。

自分に問いかけてみる。辿りつけたとしてもおそらく誰もいない奥多摩へ、お前は何をしに行くつもりだったのだ？　あすなろナーシングホームで見たものが恐ろしくなった時のためじゃないのか？　湯呑みを包むのにわざわざ梱包用ロープまで使ったのは何のためだ？

私はホームのベンチでナップザックを下ろし、新聞紙をくるんだ必要以上に長い梱包用ロープを解く。そしてロープをゴミ箱に捨てた。

61

廊下の向こうから歩行補助器を押して老婆が歩いてくる。ゆっくりした足取り。銀色の髪の上品な顔立ちの老女だった。血色は良さそうに見え、頬にはゆったりと微笑みを浮かべている。

私の視線に気づいたのか、あすなろナーシングホームの職員がぽつりと言った。

「多幸表情ですね。アルツハイマーの特徴のひとつです。どうしてああいう表情になるのかは、先生方にも確かな理由はわからないそうです。不思議ですよね。あの方、しっかりしているのはほんの短い間だけで、ふだんは自分が嫁入り前の大切な体だって言って、ヘルパーたちが排泄介助をしようとするだけで騒ぎ立てるのに。あの顔を見ていると嘘のようです」

老婆の患者服の下半身はおむつのかたちに盛り上がっている。介護スタッフではないらしい事務係長だというこの中年女性はどこまで理解しているだろう。私にはなんとなくわかる。老女は笑った顔の下で泣いている。つかのま現実に目覚めた時には、記憶の巨大な空洞の前でたじろぎ、傷ついたプライドと闘っている。牢獄と化した肉体の中で精神が助けを求めているはずだ。

私はどうにか辿りついた最寄り駅から十分ほどの道のりの途中で迷い、結局タクシーを拾ってここへやってきた。見学をしたいとだけ告げた私を、最初は患者の息子だと勘違いしていたようだ。自分の症状がどのくらい進行しているのか私にはまったくわからなくなっているのだが、初対面の人間には、まだかろうじて普通に見えるらしい。若年性のための施設を見せて欲しい。私がそう言うと、今度は妻か兄弟のために下見に来たと思ったらしく、急に口ぶりが同情的になった。もちろん同情しているのは介護する人間に対してだ。

「大変ですよねぇ。若年性の場合、ご本人にもまだ体力がありますし、体格のいい方が多いから」

私は少々痩せたとはいえ、ウエストサイズはあい変わらずの自分の体を見下ろして言った。

「ええ、そうですね」

ホームの入居室は個室が中心だ。部屋は四畳半程度で、広くはないが清潔で居心地はまずまずに見える。完全入所をしている人間は少なく、ショートステイ、あるいはミドルステイと呼ばれるやや長めの滞在システムを利用している患者が多いらしい。

「介護が大きな負担になっている方には、一週間程度のショートステイでは短すぎるんでしょうね。最近は一カ月前後というミドルステイのご希望が多くて、入所スケジュールの調整をさせていただくのがたいへんです」

当ホテルのご予約はお早めに、というような口調で事務係長が言う。

「初・中期の方に比較的自由に生活していただけるグループホームに近い形式と、症状の重い方のための完全介護、両面を兼ね備えた体制をとっています」

民間施設にしては料金が安かったことが、ここを選んだ理由のひとつだが、考えが甘かった。インターネット上に示されていたのは最低料金で、やはりそれなりの金はかかる。これは誤算だった。とりあえずショートステイだけだな。私はそう考えた。枝実子にはできるだけ多くの蓄えを残してやりたいし、ほんとうのことを言えば、たとえ記憶をなくしても、できるなら少しでも枝実子のそばにいたい。悪くない誤算かもしれない。

若年性の患者の部屋をいくつか見せてもらった。最初の部屋の主は不在だったが、個室とはいえホテルのようにプライバシーが守られるわけではないらしい。事務係長は勝手に部屋へ入り、私を招き入れた。

部屋に置かれたわずかな私物で患者が女性であることがわかる。壁一面におびただしい数の写真が貼られていた。写真の下にはすべて名前が入っている。家族や友人、知人らしい老若男女、ここのスタッフの制服を着た人間たち。壁が彼女の失った記憶装置がわりなのだろう。ベッドの脇には、同じ人物の写真が何枚も貼られている。私と同年輩の男。それからまだ高校生と中学生に見える男の子と女の子。たぶんこの部屋に滞在している女性は私より年下だ。

次の部屋の主は、私を温かく迎えてくれた。

「やぁやぁやぁ、待ってたよ」よく喋る男だった。私の肩を親しげに叩いてくる。「久しぶりだな、杉本。どうしてた？ 俺が職場復帰したら、また例の店に行こうな、な、な」

私に意味ありげなウィンクを寄こしてくる。例の店がどこかは知らないが、私がウィンクを返すと、喜んでくれたようで、さらに饒舌になった。

「知ってるかい、杉本ちゃん。イチョウ葉エキスは効かないって言うけど、あれは嘘だよ。俺、だいぶよくなったもん。復帰は時間の問題だな」

人相も体格もずいぶん違うはずだが、私の知っていた人間とよく似ている気がする。誰だっけ。少々うるさいが、友だちになれないことはないだろう。

事務室へリノリウムの廊下を戻りながら、事務係長がそろそろ本題をという顔で私を見上げてくる。

「症状がいまどのくらいのレベルなのかわからないのです。医者からは少し前までは初期と言われていましたが、最近は言葉を濁している感じで……もう少し進んでいるかもしれません」

「中期の場合、問題行動などの周辺症状が顕著になる方と、おもに中核症状である記憶と認知の障害にとどまる方と、患者さんによって差がありますねぇ。入所を希望される方はたいてい周辺症状が重くなってしまった方ですね。さきほどの男性も暴力衝動に奥さんが悩まれてミドルステイされているんです」

「うーん、たぶん後でおっしゃっていた中核症状にとどまっているタイプだと思うのですが……」そうであることを祈りたい。

「ただ、いきなり進行する場合もありますし、症状が変わることもあります。入所をご希望されるなら、とりあえず入会の手続きだけでもとっておかれたほうがいいと思いますよ。うちもこのところ、お問い合わせとご予約がどんどん増えていますから」

まだ設立して間もなく、彼女に言わせると「穴場」であるらしいこの施設は、今後の存続と繁栄に自信たっぷりの様子だった。私は少々意地悪な質問をしてみた。

「近い将来、アルツハイマーが治せる薬ができるって噂がありますよね。だいじょうぶなんですか。こんな立派な施設をつくってしまって」

数年後には抗痴呆薬ではなく根本的に治療のできるワクチンが完成するという話はほんとうなのか。——大学病院の先生には何度も同じ質問をしている。彼は曖昧に微笑んで、「信じましょう」としか言わない。事務係長は大学病院の先生よりずっとわかりやすい笑い声を立てた。

「だいじょうぶでしょう。うちの先生方は、まだ十年はかかるだろうって言ってますから。日本の場合、過去の例をみても認可に時間がかかるでしょうし」

まぁ、いろいろな意見があるのは悪いことじゃない。私は気を取り直して言った。

「申しわけない。もう一度だけお邪魔してから決めることにします。今度は妻も連れてきますので」

「ああ、そうでしょうねぇ、初・中期の方なら、ご本人様だって多少のご判断はありますでしょうし」

急によそよそしくなった事務係長の鼻先に指をつきつけた。

「もうひとつ質問していいですか。入所中に外出はできますか。この近くというより、少々遠出をするという感じの外出です。たとえば奥多摩とか」

日向窯がもうなかったとしても、ここからほど近い奥多摩や青梅には、首都圏では数少なくなった窯場が複数存在する。この御時世だから、たいていの窯場はかつては拒絶していた素人を招き入れているという話だ。残念ながらこの事務係長はさほど好きにはなれなかったが、その意味では、ここは絶好のロケーションだった。

「ご家族の方の付き添いがあれば、もちろん構いません。このあたりは足を伸ばせばすぐそこに、自然がたくさん残っていますから、スタッフが患者さんをそういう場所へお連れすることもあるんですよ。奥様とご一緒に山歩きですか？　いいですねぇ」

ここぞとばかりにセールス口調に戻る。確かに悪くない。枝実子は賛成してくれるだろうか。お愛想に応えずに、にやついている私が急に不安になったのか、事務係長が私の顔を覗きこんできた。

「ただし事前に許可できる状態かどうか、奥様を診察させていただくことになるとは思いますけれど」

「妻を診察？」

「ええ、私どもはあくまでも正規の医療機関が母体ですので」

「それには及びません。こちらにお世話になるのは私ですから」

事務係長が目を丸くして見つめ返してきた。

62

携帯が鳴った。送信者の名前は「枝実子」だ。

——もしもし、どう？　だいじょうぶ。

「ああ、変わりはない。そっちはどうだ」

電波状態がよくない。あすなろナーシングホームを出た私は、再び駅のホームにいた。横浜へ戻る路線ではなく、国立市からさらに遠く奥多摩へ向かう電車のホームだ。

——うん、心配いらない。梨恵はまだ熱があるけど、少し下がったから。

心なしか枝実子の声がよそよそしく聞こえる。私の返答も硬い声になってしまっている。おとといの晩の諍《いさか》いの後、会話を取り戻す間もなく枝実子は娘の家へ行ってしまっていたから、私たちは気まずさを引きずったままだった。

——ちゃんとお昼は食べた？

「ああ」駅の立ち食いそば屋で。久しぶりの外食だ。野菜と魚介類もしっかり摂った。かけそばにカキ揚げをプラス。

——梨恵はもう平気だって言うの。お父さんのところに帰ったほうがいいって。なんだか大人ぶってそう言うから、今日は帰る。少し遅くなると思うけど。

そいつはまずい。二日ぐらい泊まることになるだろう。枝実子はそう言って出かけていったのだ。時刻はもう昼下がり。これから行く場所に迷わず辿りつけたとしても、いったいいつ家に戻れるのか、見当もつかなかった。

「いいよ、無理しなくても、俺ならほんとにだいじょうぶだから」

――いまどこなの。家の中じゃないようだけど？

「散歩だよ」

――ねぇ、どこ？　電車の音がしたみたい。

「ちょっと遠出しただけだ。平気だからさ。心配するなよ」

ダイニングテーブルに書き置きは残してきたが、行く先は書いていない。私が残した痕跡といえば、ライティングデスクの湯呑みがなくなっていることぐらいだ。それに気づいた枝実子が私の通っていた陶芸教室に連絡を取ろうとするかもしれないが、未練を残さないように教室の所在地や電話番号の書かれたものはすべて処分してある。枝実子を動揺させないためには、まっすぐ引き返すしかないのだが、私はもう自分の心を日向窯――あるいはかつて日向窯があった場所――から引きはがすことができなくなっていた。

「ほんとうに心配しなくていいから」

――ねぇ、私、ほんとうに……たとえあなたがどうなったって、あなたはあな……

ノイズがひどくなってあとの声は聞こえなくなった。私は枝実子に呼びかけたが、向こうにもこちらの声が届かないのか、それきり返事はなかった。結局、会話が途切れたまま私は滑りこんできた電車に飛び乗った。

63

山間を縫って走る列車の窓から、流れていく景色をずっと眺めていた。外国を見ているようだったいままでの風景とはあきらかに違う。あすなろナーシングホームからはタクシーで立川駅まで行った。そこで奥多摩行きの電車に乗るのは、なぜか最寄り駅やターミナル駅で進行方向すらわからなくなった時に比べたら、はるかに簡単だった。

車窓を行き過ぎる山のかたち、鉄橋、渓流、道路、昔ながらの看板。少しずつ見覚えのある風景がふえていく。私は古いアルバムのページを逆にめくっているような窓の向こうに、目を凝らし続けていた。日向窯に通っていた頃へタイムスリップしている気分だった。

駅名を告げるアナウンスを聞くまでもなく、窓の外に見える稜線で降りるべき場所に着いたことを知った。車内は行楽客で半分がた埋まっていたが、この駅で降りるのは私ひとりだった。

終点のいくつか手前の小さな駅。駅舎は昔とは様変わりしていたが、簡素な改札の向こうに見える風景には確かに見覚えがある。

改札を抜けると、ひんやりした山の空気が肌を撫ぜた。都心からほんの少し離れただけなのに、遠くの土地へ降り立った気がする。この感触も二十七年前、初めてここへ来た時に味わったものと同じだった。日向窯までの道のりは調べようもなかったが、私はもう迷うことはなかった。頭ではなく体が右だと言っている。

駅から窯までは、たいていの人間が徒歩で行くことを躊躇《ちゅうちょ》する距離がある。駅前にタクシーが一台だけ気だるげに客待ちをしていたが、昔そうしたように、私は迷わず右手に続く坂道を歩きだした。あの頃は児島も私も若くて金がなかったから、タクシーなんてとんでもない贅沢だった。あったのは体力と空元気だけ。私は片手に立川の駅で買った一升瓶をぶら下げていた。菅原老人への手土産。生きていなければ、墓前とはいかないが、供え物にするつもりだ。

街中より季節の訪れが遅いこのあたりも、すでに木の葉が明るい色合いに変わりはじめていたが、山を覆う薄緑の中には都会ではもう散ってしまった桜の花色が混じっている。街で見る桜より命の濃い色をした山桜だ。

緩やかに登っていく坂道を辛抱強く歩き続け、ハイキングルートにも入っていない高さまで登れば、小さな吊り橋に辿りつくはずだった。手前には山小屋風にしつらえた喫茶店がある。オーナーは脱サラをして店を始めたという雰囲気の商売っ気のない中年男で、菅原老人とどういうつきあいがあったのか、コーヒーカップは老人のつくったものが使われ、店の一角に専用コーナーを設けて作品の販売もしていた。店主の厚意にもかかわらず並べられた品々はいつも埃をかぶっていた。

空気は冷たかったが、すぐに汗ばんできて、ウインドブレーカーを脱ぐ。もう少し歩けば着くはずだ。何度もそう思い、裏切られる。昔からそうだった。そうして期待するのをやめた頃に吊り橋の前に出るのだ。

吊り橋が見えてきた。記憶のままの小さな橋だったが、危うい木製だった踏み板はコンクリートに変わっていた。

喫茶店はなくなっていた。そのかわりに山の中では異物にしか見えない自動販売機が置かれていた。

吊り橋を渡ると、勾配はさらに険しくなり、道は細くなる。二十数年前は舗装されていなかったはずだが、いまは車道になっていた。ただし車の姿も人影もない。

つづら折りの山道を私は息を切らしながら昇り続けた。両側は神殿の柱を永遠に並べたような杉林。道程の中でここがいちばん厳しい。酸欠気味の頭が朦朧としはじめ、遠くの景色を眺める余裕がなくなっていたが、山の奥へ進めば進むほど、記憶だけは鮮明になっていった。

この杉林を抜けると、眼下に渓流が望める。いまの季節なら吹き渡る風が心地よい場所だ。ほどなく渓流の音が聞こえはじめた。木立ちが日差しを遮って、道にまだら模様をつくっている。頭上で木々が鳴り、山を渡る風が頬をなぜた。ほら、やっぱりだ。

このところ自分の記憶に裏切られることばかりだった私は、爽快な気分になった。立ち止まって息を整え、大きく深呼吸し、胸いっぱいに山の空気を吸う。脳味噌までふくらむようだった。頭の奥でぷつり、と小さな音がして、私は大学生に戻った。

私は二十三歳で、就職も決まり、まもなく学校を卒業する。友人の児島に誘われて陶芸の窯場に通いはじめたばかり。ジジイみたいな児島の趣味を笑っていたが、案外に陶芸は面白い。

片手にさげた一升瓶に目を落とした。足りるかな。児島と違って菅原さんはずいぶん飲むから。こいつが空いてしまえば、あの人は例の怪しげなドブロクを持ち出すに決まっている。

私は背後の児島に声をかけた。

「さぁ、いこう。もう少しだ」

この先で道はしばらく平坦になる。その途中の大きな岩がいくつもころがったあたりで、児島はいつも言いだすのだ。「一服していくか」実際に一服するのは煙草を吸う私。児島は駅前で買った缶ジュースを開ける。

私は児島の言葉に従って、平たい岩のひとつに腰を降ろす。柵のない崖の上からは、さっきよりさらに細くなった渓流が見下ろせる。頭上には山桜が梢を広げて、紅色の花びらを散らしていた。私は隣の岩に話しかけた。

「最近、面白くなってきたよ、陶芸が」

返事はない。顔を振り向けると、岩の上に児島の姿はなく、静かな山気の中で桜の花が舞っているだけだった。

私は誰もいない岩に首をかしげ、煙草を探す。どこだったっけ。遠くかすかに聞こえる渓流の囁きが、崖の下から私に誘いかけてくるように聞こえた。

煙草は腰に巻いたポーチの中にあった。中には使い古したシステム手帳が一冊。私はあらかじめ指令がセットされている機械のように手帳をめくり、迷いのない手つきで、スケジュール欄のいちばん新しい日付けのページを開く。煙草の本数を記している「正」の字に一角をくわえた。今日、五本目。それからメモを見た。

今日のよてい

あすなろナーシングホームを訪問。入所のための下見。若年性アルツハイマーかん者のしょぐうについてきくこと。

日向ガマを訪門。まだカマがあれば、のぼりガマを使わせてもらえるかどうかかくにん。結こんし、こどもが生まれた娘ふうふに湯のみをおくるため。

人物用のメモのいちばん新しいページを開く。そこにはこう書いてある。

梨恵＝娘。二十四才。東光ハウジングきん務（休識中）。夫、直也（別記）。娘（芽吹）。しゅ味／アンティークあつめ、スキューバダイビング（はじめたばかり）、音楽（オペラからヘビーメタルまで、広くあさく）、温せん旅行、料理（たぶんいっているだけ。とくい料理はソースかつどん）、好物／スパゲティ・ナポリタン、チョコレート（酒のつまみにも）

――ほんとうに自分が書いたのだろうか、憑かれたように延々と記述が続いている。そしてわずかしか残っていない余白に写真が貼ってある。私はまばたきも忘れて写真を眺めた。

少し顎が張っているが、端正な顔立ちだった。私の娘? 今度はまばたきを繰り返した。信じられない。私は写っている女性の顔の輪郭を指でなぞった。皺の多い指だった。手の甲にちらほら浮いたしみを見つめて、私はまた首をかしげた。

ひんやりとした風が頬を撫ぜて、私を現実に引き戻す。そうだ、児島は死んだ。俺は大学生じゃない。結婚し、娘が生まれた。娘は成人し、赤ん坊が生まれた。私はいま五十歳でアルツハイマー病なのだ。あわてて立ち上がった。早くしないと日向窯に辿り着く前に日が暮れてしまう。

五十歳であることを思い出したとたん、体が重くなった。しかし、険しい勾配に悲鳴をあげている足と肺の懐かしい痛みが、確かにここが昔通っていた場所であることを教えてくれた。

山道が二股に分かれた場所で、山側の細い道へ入る。ここを登り切れば日向窯だ。とば口の小さな空き地にいつも軽トラックが停まっていたのだが、トラックどころか草木に覆われて空き地すらなくなっていた。

道は記憶のままだった。笹藪を貫くけもの道同然の、廃材や平たい石を足場にしている滑りやすい坂道。ところどころに石のかわりに割れた陶器のかけらが埋められているのも昔どおりだ。陶器に描かれた絵柄まで覚えている。電気スタンドの芯や花瓶、菅原老人が請け負った大量注文の品を両手に抱えてそろそろと下り、バイト代も出ないのに働かされていることに悪態をつきながらまた昇った道だ。この場所は変わらないが、私は昔の私じゃない。あの頃より息が切れ、足が萎え、勾配を厳しく感じることだけが違っていた。

白化粧土を使った刷毛目の大鉢のかけらを踏みしめれば、坂道の上の平地までほんの数歩。菅原老人の住むあばら家が見えてくる。ふくらんでくる期待を抑えつけて、何度も自分に言い聞かせる。あるわけないじゃないか。失望することには、もう飽き飽きしていた。

家はあった。トタン屋根の平屋。板張りの壁は「張りつけ紋様」をほどこした陶器のように継《つ》ぎ接《は》ぎが重ねられていて、元々の壁がどこなのかまるでわからない。継ぎ接ぎがさらにふえているのは間違いなかったが、もともとが古びた家だったせいか、昔と変わらない佇《たたず》まいに見えた。

下半分が曇りガラスになった窓から中の様子を窺う。菅原老人の姿はなかった。置き捨てられてしばらく経つのだろうか、室内は荒れ果てている。はすかいに板を打ちつけた入り口の扉は開かなかった。

ポンコツの体を山の上まで運んできた両足がすっかり力を失ってしまった。私は入り口の脇に積まれた廃材に腰を落とし、煙草に火をつけた。

メモに新しい「正」の字の一本目を書き、自分がここまで来た目的をもう一度読み返す。メモに貼られた娘の顔に首をひねっているというのに、あばら家を見たとたん、菅原老人の姿が鮮明に蘇ってきた。小柄な体。日に焼けて皺の多い顔。ぎょろ目の上の濃い眉が半分白くなっている。私は一升瓶を手にして腰を上げた。せっかくここまでやってきたのだ。帰る前に老人と一献。

ナップザックから湯呑みを取り出し、老人がよくひなたぼっこをしていた濡れ縁へ置く。素焼きしただけだったはずだが、いつ描いたのか、ちゃんと露草の絵が入っている。二つの湯呑みへ酒を注ぎ、縁《ふち》と縁を触れ合わせ、ひと口だけ飲み、老人のぶんの酒をいつもサンダルを置いていた沓脱《くつぬぎ》石に撒いた。

「なにをしている」

いきなり声をかけられた。

「もったいないことするな」

心臓が停まるかと思った。振り返ると、背後に小柄な老人が立っていた。半白だった眉は真っ白で、頭もほとんど禿げ上がってしまっていたが、忘れはしない、菅原老人だった。言葉を失って顔を見つめてしまった。向こうも白目の濁った瞳で私の顔を覗きこんでくる。

「誰だ、お前は？」

声の張りは少々失っていたが、ぶっきらぼうな口調は昔どおりだ。

「佐伯と言います」

「さえき？」

老人が首をかしげる。無理もない。ここに通っていた頃ですら私は名前で呼ばれた記憶がなかった。いつも「おい」か「おまえ」。もとから私の名前を知らなかったとしても驚きはしない。

「以前ちょくちょくここにお邪魔していた者です。友人に連れられて――」友人の名前を覚えているといいのだけれど。老人ではなく私自身が。心配するまでもなかった。するりと名前が出てくる。「児島という男です。覚えてらっしゃいませんか」

「こじま？」

「ええ、だいぶ前のことになりますが、日向窯にはよくお邪魔していたんです」

「ひゅうががま？」

頭頂にだけ残った産毛のような白髪をほわほわと揺らしながら、老人が目をしばたたいた。菅原老人は何も覚えていなかった。私と同じ、もしくは同系の病気を患っているらしい。

「こちらの窯場は日向窯では？」

私は記憶障害の度合いを競うように尋ねた。

「おうおう、日向窯。そういえば昔はそんな名前だったような気もするな」

「もう窯場はやってらっしゃらないのですか？」

「いまここは菅原陶芸の里だ。素人相手の陶芸教室を開けば窯を続けられる。そう言われて、このあいだ名前を変えたんだ」

老人が不承不承そうしたことがわかる不服そうな口調で言う。このあいだではないはずだ。確かによく見るとあばら家の軒先に、「菅原陶芸の里」と読めないこともないかすれた文字の小さな看板がさがっている。気づかなかったのは、すっかり朽ち果ててしまっていたからだ。ずいぶん前から看板の役割を果してはいないだろう。私は濡れ縁に置いた湯呑みを手にとった。

「ここで焼くことができたらと思って持って来たのですが」

陶芸のことは忘れてはいないようだった。老人は私の湯呑みに腕を伸ばし、しばらく手の中でころがした。目をすがめて、ぽつりと言った。

「これは、お前がつくったのか？」

私はちょっと肩をそびやかせて、「ええ」と答える。

「何年やきものをやっている？」

「実質四、五年といったところですが、足掛けですと二十七年になりますか」

「四、五年……」老人は私の言葉の後半を無視して真っ白な眉をひそめた。「それにしては、まるでなってないな。まだまだ素人《トウシロ》。できそこないだ」

そびやかした私の肩は五センチぐらい落ちただろう。

「……そうですか」

「ここで焼くと?」

菅原老人の白濁した目に睨まれて、私は視線を下へ落とした。登り窯に火を入れるのは大仕事で、日向窯の場合、せいぜい月に一度だった。勝手に訪れて「できそこない」を焼いてもらえるなどと考えていたのが甘かった。

「もし、今度、窯に火を入れる時に、隅のほうに一緒に置いていただければ……そのぉ、ありがたいと……」

遠慮して言葉を選ぶ必要はどこにもなかった。老人があっさりと言う。

「窯はもうないぞ」

肩が十センチ落ちた。私にというより私が持ってきた一升瓶に語りかけるように老人が言う。

「誰だか知らんが、まぁ、中へ入れ」

裏手の戸は開いていた。菅原老人の家に入ったとたん、私はまたしても時間の感覚を失った。当時からかなり年季の入った家で、実際にはあちこちを補修しているはずだが、家の半分を土間が占めていて、そこにろくろが置かれているのも、板の間にカーペットがわりの毛布が敷かれているのも、割れたガラス窓に新聞紙を貼ってあるところも、昔のままだ。そうだった、荒れ果てていたわけじゃない。この家は、もともとこういうありさまなのだ。

ここで語られた老人の言葉、児島の言葉、私が喋ったこと、閉ざされていた倉庫の扉が開いたようにすべてがいっぺんに蘇ってきた。思わず窓に貼られた新聞紙の日付けを確かめてしまった。さすがに二十数年前ではなく、五年前のものだった。

「もう陶芸はやられていないのですか」

私は尋ねたが、すぐに愚問だと気づいた。ろくろにはまだ新しい土がこびりついていた。壁一面を覆った棚には陶芸品――老人の言葉に従えばやきもの――がずらりと並べられている。半分は成形したまま焼かずに置いてあるもののようだった。作品は昔とはずいぶん様変わりしている。壺や皿などの器ものの数は少なく、大きさもかたちも日用品として使うようなものばかりだ。残りはすべて埴輪を思わせる人形。よく見ると人形はどれも二体で一対になっている。小さいほうが子供、大きいほうは女に見えた。菅原老人はたくさんの母子の人形の中で暮らしていた。

「これ、焼かないんですか」

人形の一対を見つめて私は聞いた。二つの人形は手を胸に組み合わせて祈っていた。

「もう飽きるほど焼いてきたからな。俺ぐらいになると、焼かなくても完成なんだ。どういうものになるかは頭の中でわかる」

「作話」だと思う。確か火に入れて初めて土はやきものになる。私や児島にはそう語っていたはずだ。

「もったいないなぁ」

本当にもったいないと思った。自分の湯呑みが焼けなくなったことより、そのほうが気にかかってしまった。老人のつくりかけの器は、どれも私など足もとにも及ばない素晴らしいものばかりだった。

私が言うのもなんだが、昔の作品よりごつごつとたくましい。けがれがなく、自由闊達だ。これを焼き、完成させたらどんな姿になるのか、ぜひ見てみたかった。

老人は棚から抹茶茶碗を取り出して、勝手に酒をつぎはじめた。足はだいぶ弱っている様子だが、一升瓶を持つ手はしっかりしている。いったいいくつになるのだろう。若かった昔の私が彼を実際以上の年寄りと見なしていたとしても、もう九十近く、いや越えているかもしれない。

老人は私の前にも抹茶茶碗を置き、なみなみと日本酒をつぐ。酒が入るとただでさえ曖昧な意識がさらに混濁してしまうだろうから迷ったのだが、結局、口をつけてしまった。一杯ぐらいいいだろう。酒は高級なものじゃない。学生時代から日向窯の土産に携えてきた、どこの酒屋にでもある酒だ。だが、昔と同様にうまかった。

老人はうがいをするように酒を口の中でころがす。少しずつだがひっきりなしで、茶碗はすぐに空になった。

「ところで、お前は誰だ。何をしにきた」

症状は私よりうわてのようだ。私は老人に二杯目をつぎながら、もう一度名前を告げ、ここへ来た理由を説明する。

「窯はもうないぞ」

「はい、わかってます。でも、来てよかったと思います」

「窯のことは話したか？」

「ええ」

老人が茶碗に目を落とし、酒に語りかけるように呟いた。

「俺は痴呆だそうだ。酒の飲み過ぎかもしれん。このあいだ町の老人支援のボランタンとやらの人間が来て、むりやり病院に連れて行かれてな。施設に入れって言われた。何が痴呆だ、何が病気だ。そんなこたぁ、俺が自分で決める」

「私も痴呆なんです。アルツハイマー型の」

老人が鳥のように丸くした目を向けてきた。

「お前も施設から逃げてきたのか？」

「まぁ、そんなところです」

どこかの施設にいたらしい老人の逃亡成功を祝して、私は彼に三杯目をつぎ、自分にも二杯目をついだ。菅原老人が酒を飲み下し、ぼんやりと壁を眺めながら、うむと喉を鳴らす。私も新しいひとくちを飲み、うむと唸る。老人は私がかたわらに置いた湯呑みに目を落とした。

「これはお前がつくったのか?」

もう酷評は聞きたくなかったから、言われる前に言う。

「ええ、まだまだです。できそこないでして」

「久々に焼いてみるか」

ふいにそう言って立ち上がり、曲がった背中に腕を回して外へ出て行こうとする。私はあわててのんびりしたスピードスケート選手のようなその後ろ姿を追った。登り窯は使えないんじゃなかったのか? まったくもって痴呆症患者の言葉はあてにならない。

老人の住む家の裏手、斜面を昇ったところに屋根と壁だけの建物がある。簡素な丸太造りだが、屋根は母屋より大きい。登り窯はその下にある。菅原老人のものは石を積み上げてつくられたドーム型の窯が三つ。三連房だ。

老人がため息とともに佇んだのは、その残骸の前だった。三連房のうちの二つは土に埋もれ、残るひとつも半ば崩落していた。

「このあいだの土砂崩れで埋まってしまった。どっちにしてももう年でな。薪も割れんし、長く火を入れてはおらなかったのだがな」

半壊した最後のひとつも苔むしていて、石の間から雑草が伸びている。老人のいうこのあいだというのは、ずいぶん昔のことのようだった。

「……直せないでしょうかね、これ」

時間はかかるだろうが、土砂の中から掘り出し、崩落した場所を修復すれば、復活させることができるかもしれない。

「誰が直すというんだ」

私は迷いつつ遠慮がちに自分の胸を叩いてみせたのだが、目が悪いらしい菅原老人は気づかなかった。

「よし、始めるか」

崩壊した登り窯の前で老人が手を叩き合わせる。丸太小屋の隅に積んであった藁束《わらたば》を顎でさし、今度はその顎を私に向けてしゃくった。

「それを焼いて灰にしろ」

昔からそうだった。文字通り人を顎で使うのだ。

「藁を？……でも、いったいどこで？」

私は自分よりうわての痴呆症患者の妄想につきあわされることを覚悟していたのだが、老人の顎は登り窯ではなく、丸太小屋の外をさしていた。地面が三十センチほど掘られ、周囲に石を並べてある場所だ。焚き火用の穴らしい。

「ああ、中じゃない。外で燃やせ」

言われたとおり石の外に藁束を積み、ライターで火をつけた。藁が踊るように燃え上がり、白煙が夕暮れ空に吸いこまれていった。

「何をするんですか」

何も言わずに母屋へ戻ろうとする老人に尋ねた。くの字に折れた背中が答える。

「野焼き」

野焼き。陶芸の最も古くて原始的な焼成法だ。縄文土器を焼いていたのと同じやり方。いまでは陶芸マニアのイベントか保存会の定例行事ぐらいでしか行なわれていないだろう。

菅原老人が棚に並べてあった人形と器を荷車に積んで戻ってきた。それらを穴の中に積み上げると、私に命じた。

「よし、いいぞ。灰をかぶせろ」

「……あのぉ、私の器は？」

「おお、すまん、忘れとった」

私が手渡した二つの湯呑みを、老人は自分の作品のすき間へ無造作に突っこんだ。だいじょうぶだろうか。野焼きは本格的な作品づくりには向かない、細かな温度調節ができないから器が破損してしまうことが多い、という話を聞いたことがある。

「バタ材を持ってこい」

「バタ材？」

役に立たないやつだという表情で、小屋の片側に顎を振る。どこかの製材所から安く譲ってもらったらしい半端材が積み上げてあった。私は何度も往復してそれを野焼きの穴の前まで運んだ。二十七年前からまったく出世していない。下働きのままだ。

老人は穴の前にしゃがみこみ、長さも大きさもまちまちの半端材の薪を器用に井桁《いげた》状に組み上げていく。薪を積み終えると、今度は周囲の石を並べ替えはじめた。無作為に置かれているように見えるが何か決まり事があるのだろうか、何度もやり直してからようやく立ち上がり、うむ、とひとこと呟いた。

「火」

あれだけ手間をかけたのに、もったいぶった動作ひとつ見せるでもなく、私の渡したライターであっさり火をつけた。火が薪を舐め、ほどなく人の背丈ほどの炎になった。

「よし、いいだろう」

「……これで終わりですか?」

老人が頭頂の綿毛を揺らして頷く。

「酒持ってこい。飲み直しだ」

焼成時間は何時間何分に設定するか? 焼成温度は1200度と1250度、どちらが適切か? 酸化焼成かはたまた還元焼成か? 陶芸教室で他人まかせにしているくせにそんな半可通をひけらかして喜んでいた自分が馬鹿に思えてきた。

日が落ちると、山は舞台が暗転するようにたちまち闇に包まれた。灯《あかり》ひとつない闇の中で、唯一の光と熱を放つ炎から私は目をそらすことができなかった。それはどんな人工の芸術品より、この火で焼こうとしている陶芸品より、美しく見えた。地べたにゴザを敷き、老人と並んであぐらをかいて、私は火を眺め続けた。教えられた通り、薪が燃え落ちるまで待ってから新しい薪を加える。

老人が軍手をはめ、火の中に突っこんだ空き缶の蓋をつまみ上げる。中身は酒だ。自分と私の茶碗に満たし、ひと口すすって呻いた。

「うむ、うまい。やっぱり夜は燗だな」

「確かに」

夜は山へ闇とともに冷気も運んでいる。

「そろそろ焼けた頃だな」老人は熾火《おきび》の中からアルミホイルにくるんだ塊をいくつか掘り出した。「あちち」

そのひとつを素手の私に放って寄こす。

「あちちちち」

アルミホイルの中身は丸ごとのじゃがいもだ。熱さに指先を躍らせながらホイルを剥き、ほくほくと湯気を立てているじゃがいもを割り取って、皮ごとかぶりついた。

「うん、うまい」

「こっちも食ってみろ」

菅原老人は地べたに開いたアルミホイルを箸でつついている。こちらは丸のままの玉ねぎだ。老人をまねて手近な小枝を箸にし、炭化した薄皮をこそげ取って、口に運んだ。

「うん――」

言葉の続きより先にもう一度箸が伸びる。あらかじめたっぷり振った塩と、焦げた外側の皮と、やわらかく溶けた甘い実が、口の中で混じり合う。食い物をほんとうにうまいと思って食べたのはいつ以来だろう。発病してからはもちろん、ここ数年来経験していなかった気がする。

「これでバターがあれば言うことないな」

「馬鹿者、塩だけのほうがうまいに決まってる。この塩は天草の天日塩だぞ」

老人のかたわらには安物の家庭用食塩の徳用袋と、じゃがいもや玉ねぎの入った段ボール箱が置かれている。老人はそこから新しい玉ねぎをつかみ出し、大量の塩を振ってホイルに包み、火の中へ投げ入れた。私はじゃがいもを放りこむ。

新しい薪をくべると、火は肌が痛むほど熱くなる。それでも私は火を見つめ続けた。頬は熱くほてっているのに、背中に感じる山の冷気は身が引き締まるほどだ。体を温め、あるいは冷やすために、ひたすら飲み、ひたすら食った。

酒がうまい。じゃがいもがうまい。玉ねぎがうまい。火が熱い。風は冷たい。私は生きている。

火を角材でつついていた老人が唐突に尋ねてくる。

「お前には妻子はあるのか」

一瞬、答えに躊躇した。頭の中は混乱していた。まどろみから覚めた時の、それまで見ていた夢と、目の前の現実とが混じり合っているような具合だった。ぼんやりした記憶のかなたを探り、自分に妻と娘がいたことを思い出した。

「ええ」

そう答えたが、他人が喋っているようだった。本当の私はまだ就職を控えた大学生で、暇を持て余してここに遊びに来ているのではなかったろうか。炎の魔力に囚われた私は、爆《は》ぜる火の粉を惚けたように見つめながら訝しんでいた。自分は結婚し、娘が生まれ、その娘も結婚し、いまや孫までいる。そちらのほうが長い夢だったように思えてくる。私は自分の妻と娘の名前をけんめいに思い出そうとした。

「そうか。俺にもいる。息子は七つだ」

老人は昔から多くを語らないのだが、生きていれば私より年上のはずの息子のことだ。七歳は息子の死んだ年なのだろう。私と同様、老人は老人で現実と妄想をうまく区別できないでいるようだった。区別できないことが幸せであるように見えた。

「そうそう、思い出した。お前のこと。一度、若い娘を連れてきたな。別嬪《べっぴん》さんだった」

唐突に老人が言う。昔の記憶ばかり確かなのも痴呆症の特徴だ。別嬪さん？　私の妻のことだろうか。私は首をかしげて、返事のできない口にじゃがいもを放りこむ。

「お前、それは何個目だ。さっきも俺のぶんまで食ってたぞ。忘れとりゃせんか」

「そうかもしれません」

「おや、酒がない」

「もうとっくに飲んじまいましたよ。いまはこいつです」

私はドブロクの瓶を指さした。老人は自分で持ち出してきてついでいた茶碗の中のドブロクに目を落として、悲しそうな顔をする。

「ドブロクじゃ燗はだめだな。いったいお前は何杯飲んだんだ」

「忘れちまいました」

じゃがいもは何個目だったろう。忘れてしまった。私は煙草をくわえて薪から火を移す。何本目だったっけ。忘れてしまった。忘れるってことも悪いことばかりじゃない。

「薄気味悪いやつだ、にやにや笑いおって。何がおかしい」

「いえ別に。なんでもありません」

「あと二、三時間は火を絶やすなよ」

私にそう命じると、菅原老人はゴザの上にごろりと横になった。

64

目が覚めた時には野焼きの火はすっかり消えていた。周囲はほのかに明るくなっている。灰の中から立ちのぼる白く細い煙が、淡い光を宿しはじめた空へ消えていく。

いつの間に眠ってしまったのだろう。老人に言われるまま火の番をし、何度か新しい薪をくべたことは覚えている。ドブロクの減り具合から見ると、私はひとりでずっと火の前で酒を飲んでいたようだ。病気によるものではなく酒による空白。アルツハイマー病患者にあるまじき生活態度だ。

菅原老人は私のかたわらで眠っていた。老人がくるまっている毛布は住まいの万年床から私が持ち出してかけたものだが、自分のぶんをもってくるのを忘れていた。私は二の腕をさすり、くしゃみをして、毛布を揺すった。

「菅原さん、菅原さん、朝ですよ」

ぴくりとも動かない。いつ死んでもおかしくない年だ。私は本気で心配して、背中とおぼしきあたりを揺すり続けた。そのうちに、もそりと毛布が動き、不機嫌そうな呻き声がした。

老人は目やにをこそげ落とし、毛のない頭を掻きながら、灰の山と私の顔へ不思議そうに目を往復させた。

「お前は誰だ？」

「佐伯です」

「ここで何をしている」

「師匠と野焼きを」

「師匠？　お前は俺の弟子か？」

「はい」

老人は疑わしげな目を向けてきて、何か言いたそうに唇を動かしかけたが、何も言わず、かわりに大きなあくびをした。

「野焼きか、ひさしぶりだな」自分で積み直した石を初めて見るように眺めてから、角材を拾いあげて灰をかき回した。「ふむ、そろそろいいか」

「どうすればいいんでしょう」

「あわてるな。火を入れたのは、いつだ」

「さぁ」時計を見るどころか、腕にはめていたことすら忘れていた。「たぶん日が暮れる頃だったと思います」

「火が消えたのは？」

「さて……明け方にはなっていなかったと思いますが」

「もう少しだな」老人は空を見上げ、しばらく何かを探して首を動かしてから、中空を指さした。ひときわ高い杉の梢だった。

「あそこまで日が昇ったら起こしてくれ」

老人はまた毛布をかぶってしまった。


燃え残った薪を取りのぞき、灰をかきわけ、中から器を取りだした。

噂通り野焼きは登り窯で焼く以上のギャンブルだ。菅原老人の二つの壺のひとつはまっぷたつに割れていた。二体の人形の小さいほうは頭が半分欠けてしまっている。老人は寂しそうに呟いた。

「こいつはいつもそうなんだ。体が弱い。昔からそうだ」

私は夫婦茶碗の灰を払った。無造作に突っこんでいたように見えたが、老人が自分の作品を盾にしてくれたのか、あるいは単なる偶然か、私の二つの湯呑みは割れも欠けもしていなかった。ただし仕上がりは想像とはまるで違うものだった。

電気式の窯で完全燃焼させれば青味を帯びた色合いになるはずだったが、焼成温度が低く空気の量が少なかったためか、全体がもとの土に近い淡い黄色で、ところどころの焼けむらが露草の模様に勝手な濃淡をつくってしまっている。

しかし、いままで温度や空気量が自在に調節できる電気式の窯でばかり焼いていた私には、新鮮な驚きだった。眺めているうちに、これはこれで悪くない、そんな気がしてきた。デパートで売っている既製品のような合格点の完成度を求めようとしていたのが、間違いだったのかもしれない。菅原老人が私の湯呑みに目を走らせて、低く唸った。

「あのできそこないがなぁ。見られるやきものになったじゃないか」

「やはり、そう思いますか」

「偉そうに言うな、素人のくせに。これをつくったのは、お前じゃない。火がつくったんだ。火のおかげだよ。これだからやきものはわからん」

毒舌とはいえお墨付きをもらって私は嬉しくなった。まだ熱い湯呑みを両手で握りしめる。

「師匠、飯を食いましょう」

「うむ、今度は茄子を焼くか。あれ、茄子はどこだ?」

「茄子は最初からありません。だいじょうぶ、用意しておきました」

老人が寝ている間に、台所の粗末な調理器具で飯を炊き、箱詰めのままの野菜や骨董品さながらの冷蔵庫にあった乏しい調味料で一品だけこしらえておいた。もはや味つけに関しては自信がないが、独身時代の得意料理のひとつだから、手はまだ動いてくれた。

「肉じゃがです。肉は入っていませんが」

私は土間で土をこねていた。老人は縁側で昼寝をしている。

ろくろ、土練り台、たたら板、口縁を切るための竹弓、剣先カンナ、馬かきベラ、小判ゴテ……ここには何でもあった。専門店でけっして安くはない用具の前でため息ばかりついている素人陶芸家にはパラダイスだ。すべて古いものだが、大切に使われ、保存されていたことがわかる。

私が通っていた陶芸教室にもあった土練機だけがない。そう、菅原老人はすべての土を自分の手や足でこねていたっけ。食料庫と兼用の納戸には、幾種類もの陶芸用の土がビニール袋にくるんで保管してあった。土はその中からほんの少しを拝借したものだ。老人自身の手で精製されてはいたが、陶芸教室の市販の粘土とは違って、そのまますぐに使えるわけじゃない。

私はひたすら土をこね続ける。まず荒練りをして硬さを均一にし、それから菊練りに入る。左手の手のひらのつけ根近くを使って、ろくろの回転と同じく左まわりに練っていく。こうすると、練り上げたあとが菊の花に似たかたちになる。菊練りは重労働だが、手間を惜しむと土の中の空気が抜けず、きちんと焼けないと聞かされた。昔の私にはほとんど何も教えてくれなかった菅原老人の数少ない教えだ。

前腕が萎え、背骨が軋みをあげるまで土練りを続ける。ひたいから汗が噴き出してきた。気持ちいい汗だった。自分の頭の中から、汗と一緒に悪しきものが溶けだして流れていくようだった。嫉妬妄想も、怒りの衝動も、生き続けることへの恐怖も、私の頬を伝い、顎から垂れて、土と混ざり合った。

念入りに菊練りをした土をたたら板の上に置き、両手でころがして細長い筒状にする。均等な力がかかるように両手の動きを揃え、正確な円筒形にした。私は土のフルートをつくるつもりだった。以前、陶芸教室の先生が体験入門の小学生たちにつくり方を教えていたのが面白そうで、子どもたちにまじって挑戦したことがあるのだ。

満足のいく円筒形になったところでしばらく乾燥させる。私はパッケージの中の最後の煙草を抜き出して吸った。

目の前に置いた焼き上がったばかりの湯呑みに触れてみた。火の余韻がほのかに手のひらを温めた。さっきから何度もこれを贈る娘の顔を思い出そうとしているのだが、うまくいかなかった。披露宴の時の誰からも「きれいだ」と声をかけられていた姿を蘇らせようとした。宴の終わりに花束を持って私に近づいてきた時の顔。目を閉じてみる。しかし、やっぱり梨の色のウエディングドレスしか浮かんでこない。なぜか声だけが耳に残っている。

「ありがとう、おとうさん」

礼を言われるようなことは何もしていないのに。あの時は言えなかったが、こっちこそ、ありがとうだ。

いつだったか、他人行儀な文面の手紙とともに赤ん坊の写真が送られてきた。その中に生まれたばかりの子どもを抱いた写真もあったはずなのだが――まるで覚えていない。私と違う苗字の下に書かれた娘の名前をぼんやり見つめていた記憶はあるのだが、その名前もなかなか頭に浮かんでこなかった。

時間が止まったようなこの山の中にいるせいだろう。きっと記憶を下界に置いてきてしまったのだ。戻れば思い出せる。なんの根拠もなく私はそう考えていた。不思議なことに、いまは記憶を失う恐怖心は薄かった。

記憶が消えても、私が過ごしてきた日々が消えるわけじゃない。私が失った記憶は、私と同じ日々を過ごしてきた人たちの中に残っている。

私は携帯のフリップを開く。立川で電車に乗った時に電源を切ったまま、元に戻すのをすっかり忘れていた。電源を入れると、待ち受け画面に赤ん坊の顔が浮かびあがった。

赤ん坊もこの写真以外には、顔が思い浮かばない。抱いた時の感触だけが指に残っている。もっともその指の記憶が、孫娘を抱いた時のものなのか、はるか昔に娘を抱いた時のものだったのか、時間の認識が混乱している私にはわからなかった。

これは、私の孫娘。自分の頭の中にその事実を繋ぎとめるために、口の中で繰り返し呟く。私の孫。私の娘の子ども。私はフルートを何年か先の彼女に贈るつもりだった。「まだまだトウシロ」とはいえ何度もつくり直し、何度も何度も焼けば、そのうちにかたちが良くいい音色のものがつくれるだろう。私がヘボでも、きっと火がつくってくれる。

私は赤ん坊が少女になり、このフルートを吹く姿を想像してみた。自分の顎をなぜる。私の孫というからには少しは私に似ているのだろう。いまどきの子供がこんなものを喜ぶのかどうかわからないから、可愛らしい色と模様をつけておこう。

このフルートをきっかけに音楽の好きな少女に育つかもしれない。いつか自分の道具を自分でつくる喜びを体験してみたいと思うようになるかもしれない。世界的なフルート奏者か陶芸の人間国宝になったりしてな。私は勝手に想像をふくらませた。なにせ妄想はアルツハイマー病患者の特権だ。私が誰かに渡せるものはそう多くないが、何もないわけじゃない。

そろそろ乾いただろうか。作業を再開する。円筒形に細いヘラを突っこんで穴を開けていく。確か穴を大きくすれば音階があがるのだ。筒の片端の上部に吹き口にする穴をうがつ。不思議なものだ。だいぶ前に一度つくっただけなのに、指が覚えていた。頭は記憶を失っても、体には記憶が残っている。私にはまだ動く指がある。動かせるうちはだいじょうぶ、私はちゃんと生きているのだ。

自分の病気も、もう恐れはしなかった。私自身が私を忘れても、まだ生命が残っている。そのことを初めて嬉しいことだと思った。

「こら、勝手に人の仕事場を使うな」

寝ているとばかり思っていた菅原老人が、いつのまにか背後に立っていた。

「すいません。朝飯の後かたづけをしているうちに、ついむらむらと。肉じゃがはいかがでした？」

「朝メシ？」

「ええ、ご飯をおかわりされて、久しぶりにまともな料理を食った、と喜んでおられましたが」

老人が無精ひげに米つぶをつけたまま首をかしげた。私も気をつけねば。食事をしたことを忘れて食ってばかりいたら、ただでさえウエストがきつくなりかけているいまのズボンが穿けなくなっちまう。

「昼は何にします？　じゃがいもとたまねぎがたくさんありますから、カレー粉があれば本格インドカレーをつくりますが？」

冗談のつもりだったのだが、老人は流しの下の引き出しをかき回しはじめた。しばらくして輪ゴムで止めた袋を取りだし、私に差し出してきた。

小麦粉だった。賞味期限は二年前に切れている。冷蔵庫の中に牛乳が入っていたことを思い出した私は、老人に頷いた。

「じゃあ、昼飯もまかせてください。私はアルツハイマーですから、もしかしたらカレーじゃなくシチューになっちまうかもしれませんが」

老人が私のつくりかけのフルートに目をとめた。

「おい、この土は俺の瀬戸萩《せとはぎ》じゃないか」

「すいません、昔みたいに薪運びのアルバイト代がわりに分けていただこうかと……」

「だめだな、これじゃあ。何をつくっているのか知らんが、土練りが甘すぎる」

怒っていたのは、私の腕に対してだった。成形中のフルートを勝手に潰し、土の塊に戻してこねはじめてしまった。

老人の手は体に似合わず大きく、節くれだった指は太くたくましい。毎日毎日、練って土をねじ伏せ、ろくろを辛抱強く回して、やきものをつくり続けてきた手だ。その手でみるみるうちに土をきれいな菊の花にしていく。見事なものだった。私などやっぱりまだまだだ。

「力を入れるのは手じゃない。腰だ。肘は曲げるな」

昔はちっとも教えてくれなかったことを、気前良く伝授してくれる。

「次に来るまでに練習しておきます」

菅原老人は私の言葉には答えず、首に巻いたてぬぐいで土に汚れた手を拭《ぬぐ》う。

「カレーにはにんじんを入れないでくれ」

「わかりました」

「何をにやにやしている。薄気味の悪い」

「多幸表情っていうものらしいですよ。確かな理由はないそうで」

きっと笑い顔には、もともと確かな理由なんてないのだろう。

午後遅く、私は菅原老人のもとを辞した。酒と野焼きの手伝いの礼だと言って、老人はポリ袋いっぱいのじゃがいもと同じほどの量の土をくれた。

「またお邪魔します」

老人は、迷惑だと言いたげに鼻を鳴らしただけだったが、だいじょうぶ。どうせ忘れてしまうだろう。私もここを訪れたことを忘れてしまっているかもしれない。だから道順のメモはしっかりとつくっておいた。

昨日の道を逆に辿ってゆく。やきものの破片を埋めた道を下り、三叉路を折れ、木立ちの中の細い車道を抜ける。もう山桜の季節も終わろうとしているようだ。私の行く手には桜が降っていた。

いつの間にか日は西に傾き、木々や山稜や渓流や眼下の民家の屋根をひとしく黄金色に染めている。頬にあたる光は温かかった。

黄昏《たそがれ》がこんなに美しいものだとは思わなかった。風に舞う山桜の花びらひとつひとつまで黄金に変えていた。淡い光は私の体も少しずつ溶かしていくようだった。光の中で声がした。懐かしい声だ。

「一服していくか」

そうだ。例の岩場まではもうすぐだ。私は児島に答える。

「ああ、そうしよう」

岩に腰を下ろし、ポーチとナップザックと服のポケットを全部探したが、煙草はなかった。ライターをカチカチ鳴らしながら考えた。これから就職する広告代理店に関して。いまつきあっている彼女との将来について。年をとってからでいいから、こんなところで暮らしてみたいな。彼女は賛成してくれるだろうか。

「俺、結婚するつもりなんだ」

私は思いきって児島に言った。

「誰と?」

「いい娘なんだ。じつはお前もよく知ってる娘で——」

それだけ言えばわかるだろう。その先はちょっと言い出しづらかった。児島だって彼女を気に入っていたはずだから。私の背中で児島がため息をついた。ほんのかすかなため息だったから、まるで桜の散る音のように聞こえた。

児島にどんな顔を見せればいいのかわからなくて、私はしばらく眼下の渓流を見つめ、それから意を決して顔を振り向けた。

児島はいなかった。いつも児島が座る岩の先には、幼い少女が立っていた。

どこかで見たことのある顔に思えたが、はっきりとはわからない。なにしろ少女ははにかんでいるらしく、うつむいて自分の赤い革靴ばかり眺めているからだ。時おりうわ目づかいで私を窺ってくる。視線を合わせると少女が姿を消してしまう気がして、私も目を合わせないようにした。

少女がぺこりとお辞儀をした。手には笛を持っている。私のために演奏をしてくれるらしい。土のフルートだった。私がナップザックにしまったものとよく似ているが、もっとできが良く、子供の持ち物らしい可愛い色と模様がつき、そしてきちんと焼かれている完成品だ。いい音色だった。山林を抜ける風の音に似ていた。とても上手なのに少女は恥ずかしそうにしている。ありがとう。もう自分の家へお帰り。私は私でなんとかやっていくから。本当はずっと見つめていたかったが、私は遠くの山嶺に目を移した。

ふいに笛の音が止まる。私にはもうわかっていた。すべては黄昏の光と混濁した意識が見せている幻影。児島はもう死んでいる。少女は私の娘でも孫でもない。二人とも本当はそこにはいないのだ。

わかっているのに、私は少女のいた場所に視線を向けた。ふわふわと桜が散っているだけだった。私は大きく息を吐いて、再び立ち上がる。そしてゆっくり踏みしめるように坂道を下りていく。

吊り橋の手前まで来たところで、たもとに誰かが立っていることに気づいた。

女性だった。年齢はよくわからない。なにしろ私は自分自身の年齢すらはっきりわからないのだから。

素敵な女性だった。夕日が彼女の髪の輪郭を金色に染めている。新たな幻影かと思って目をしばたたかせたが、姿は消えなかった。どうやら今度は本物らしい。

女性は私の顔を見つめてくる。安堵の表情をしていた。地元の人間には見えないが、このあたりは女が一人でハイキングに来るような場所ではない。同伴者とはぐれて道に迷ってしまったのかもしれない。私は山で人に会った時、いつもそうするように、彼女に声をかけた。

「こんにちは」

彼女が何か言葉を返してきたが、渓流の音にまぎれてよく聞こえなかった。

「夕日、きれいですね」

私は女性に微笑みかけた。唐突すぎたのだろうか。私の言葉に戸惑った顔をする。

吊り橋を渡りはじめると、彼女も歩き出した。ひとりぼっちで誰かを待っていて心細かったのだろう。私の後ろではなく隣をついてくる。彼女に合わせて私が歩調をゆるめると、向こうは私に合わせて少しだけ急ぎ足になる。なんだかずっと昔から一緒に歩いてきたように私たちの息はぴったり合っていた。

吊り橋を渡り終える頃、もう一度声をかけようとして、私は口をつぐんだ。彼女の横顔が泣いているように見えたからだ。力づけてあげたくて、柄にもないせりふを吐いてしまった。

「心配しないで。だいじょうぶですよ。この道で間違いない。僕がずっと一緒にいきますから」

夕日は刻々と色を変える。ついいましがたまでの黄金の光が茜色になり、あたりの風景は急速に色を失っていった。

ふもとに着くまでには日が暮れてしまうだろう。私ですら一人で歩くには寂しい道だ。隣を歩く彼女の存在が心強かった。太陽の最後の光が照らす道に、私と隣の女性、ふたつの影が寄り添って伸びていた。

私はまず自分が名のり、彼女の名前を尋ねた。答えは少しのあいだ返ってこなかった。影の長さふたつぶん歩いてから、じっと前を見つめていた横顔がきっぱりとこちらを向いた。

「枝実子っていいます。枝に実る子と書いて、枝実子」

素敵な名前だ。

「いい名前ですね」

ようやく彼女は少しだけ笑ってくれた。そうすると、頬の上のほくろもすぼまった。

解説――認知症と共に生きる

本間《ほんま》　昭《あきら》
（精神科医）

認知症には、様々な原因があります。例えば、ある種の貧血に伴って起きる場合や、甲状腺機能低下障害によって認知症になる場合もあります。こういうケースは、ごく一部ではありますが、もとの病気を治療すれば治ります。ですから、全ての認知症が治らないわけではありません。アルツハイマー型の認知症も、医学的な治療が可能になっていて、適切な投薬で、進行を遅らせることができます。アルツハイマーというのは、原因は不明ですが、脳内で様々な変化が起こり、脳の神経細胞が急激に減ってしまい、脳が萎縮して知能低下や人格の崩壊が起こる認知症です。

『明日の記憶』の佐伯雅行は、若年性アルツハイマーを発症したわけですが、WHOが作った疾病分類と、アメリカの精神医学会が作った精神疾患の診断統計便覧という、一般的に使われている基準によると、初老期発症型と晩発症型、その区切りは六十五歳未満か六十五歳以上か、とされています。初老期発症型を一般的に「若年性」と呼んでいます。発症の年齢が違うだけで、病気としては認知症と全く同じです。

初期症状として、うつ病と認知症はとても似ているところがあります。認知症でうつ状態が一緒に起きてくることもあります。若い人、例えば四十代や五十代で、認知症が疑わしい場合、うつ病との識別というのはとても重要になってきます。実際に、その年代の方だと、認知症ではなく、うつ病の場合が多いのです。

本の中では、頭が痛かったり、目眩を起こしたり、もの忘れをしたりと自覚症状が描かれていますが、発症した方全てにその症状が起こるわけではありません。家族が「何だかおかしい」ということで発見に繋がるパターンが多いと思います。自分で分かっていても、なかなか自分から医療機関を受診できないものです。最近忘れっぽいな、というのに気が付いたときに、これは病気なのかそうではないのかを自分で見分けるのは至難の業だと思います。やっぱり、診断されたら怖いし、そうじゃないと思いたいわけですから。また、家族が気付いても、本人が頑として病院に行くのを嫌がって、家族が苦労するという例もすごく多いのです。

ではどうすれば、病気に掛からないですむかというと、「絶対そういう病気にならないようにする予防」、一次予防といいますが、それは難しいとされています。明確に、これが原因でその結果の認知症、という因果関係が分かっていないのです。遺伝子の突然変異、ということもありますが、これは全体の五%ほどに過ぎません。(二次予防は、できるだけ早期

発見をすること、三次予防は病気になってからもできるだけ、その進み方を遅くするという意味合いになります）

完全に予防できないとしても、どうすればいいのかということがないわけではありません。例えば、生活習慣病にならないようにするということ。「適度な運動をする」「緑黄色野菜をとる」「青魚を食べる」「ストレスをためない」。しかし、生活習慣病にならないようなライフスタイルというのは現代では、現実的には難しいでしょう。一人暮らしをしている若い方だと、自分で魚を買ってきて料理する人は少ないと思いますし、外食だと野菜が不足しがちです。でもこれは、認知症の予防だけでなく、全ての病気についてもかかわってくることなのです。是非、心がけていただきたいと思います。

実はアルコールも量の問題で、多少の飲酒は、認知症になるリスクを減らします。もちろん、飲み過ぎはいけません。煙草にしても、吸っているとアルツハイマーを発症する、しない、の前に、肺ガンになってしまう可能性の方が高くなってしまいます。

認知症は、一般的に高齢者の病気で、介護保険の中でも、「介護予防」を目的とした地域支援事業が新たに創設されました。その中には、認知症予防・支援というプログラムも入っています。認知症になる時期を少しでも後ろの方にしよう、遅くしよう、という意味です。

認知症の中で一番多いのはアルツハイマー型といわれていて、好発年齢（一番その病気になりやすい年齢）は七十四歳から七十五歳です。認知症になる年齢が一年遅れると、有病率

（一定の集団の中にある特定の病気を持った人がいる割合）が一割減る、といわれています。今の日本の六十五歳以上の人口の中で、認知症の人の割合は八％くらいですから、その八％が有病率になります。八％というと、六十五歳以上の、十三人に一人くらいの人が認知症ということになります。

現在、認知症患者は、右肩上がりで増えています。昔と今のライフスタイルや、食習慣が変わってきている、ということも影響しているのだと思いますが、今後も患者は増え続けると思われます。高齢者世帯（高齢者が世帯主の世帯）を分母にすると、認知症の人は今、六世帯に一人くらいですが、一番人数が増えると予想されている二十七、八年後には四世帯に一人くらいの割合になります。決してまれなものではなくなってきていますし、早く診断・発見できれば決して怖いものではありません。そういうことをきちんと理解した上で、自分の健康管理をしっかり行う。

そして、病気とどういうふうに付き合っていけばいいのかを考えていく時期が来ていると思います。

『明日の記憶』を読み終えて、二点ほど改めて考えさせられました。一つは、自分の仕事でもあり、現に携わっていることに関係しますが、如何に周囲の認知症に対する理解が重要かということです。自分自身の理解も含まれます。診断を告げられてすぐに受け入れることができる人は少ないと思いますが、それは、アルツハイマー病と告げられたときの主人公のパニック状態、職場での冷遇によく示されています。今までの精神科の教科書では、アルツハイマー病の特徴の一つとして、記憶障害を含めた病気を客観的に理解することが難しいと書かれています。確かに、先にも触れたように、認知症がある程度進んでしまうと、このことはよく当てはまります。しかし、本当に軽い段階では、本人に知識があり、周囲がそのことを受け入れることができれば、アルツハイマー病かもしれないと気付くことは決して難しいことではありません。以前には決してなかったことですが、最近では、もの忘れがひどくなったことを心配して、自らの意思でもの忘れ外来を訪れる患者さんが増えつつあることからもわかります。このような時期から治療を始めることができれば、そして、周囲の理解と支えがあれば、アルツハイマー病という病気であってもきちんと受け入れることができ、将来への備えができます。そして、穏やかな生活を送ることができます。最近は、テレビなどのマスコミでも認知症が取り上げられることが多くはなってきていますが、認知症のことをもっともっと理解して欲しいと思います。

考えさせられた二つ目は、「周囲の理解・支え」です。病気の始まりが若いときであれば、まず長期にわたる経済的な問題が持ち上がって来ることが容易に想像されます。また、巻きこまれる周囲の人の数は、高齢者の発病の場合に比べて多くなるでしょう。同時に、巻きこまれる周囲の人もまだ若い可能性が高くなります。しかしこのことは裏返せば、（理解ある周囲に恵まれればという前提でですが）支える力も若い力なので、お年寄り同士の支え合いとは比べものにならない強い支えになるかもしれないのです。もし、自分がアルツハイマー病に限らず病気になったときに、家庭も職場も含まれると思いますが、周囲との関係性はどうなるのかと思いました。関係性はそれまでの積み重ねによる信頼関係によるわけですが、改めてそのことを振り返ってみることができました。実際には、いざとならないとわからないこともあるかもしれませんが、がむしゃらに仕事だけするのではなく、時々は立ち止まることも必要なのだと思います。『明日の記憶』が、人との信頼関係という初心を思い出させてくれたことに、個人的には最も感謝したい気持です。

（「小説宝石」（光文社）二〇〇六年五月号の初出に加筆。
本間昭氏は映画「明日の記憶」の医事監修を務めた。）

二〇〇四年十月　光文社刊

初出誌
「小説宝石」（光文社）
二〇〇四年六月号〜十月号

光文社文庫　光文社

明日《あした》の記憶《きおく》

著者　荻原《おぎわら》　浩《ひろし》

2007年11月20日　初版1刷発行
2025年7月20日　18刷発行

発行者　三宅貴久
印刷　萩原印刷
製本　ナショナル製本

発行所　株式会社　光文社
〒112-8011　東京都文京区音羽1-16-6
お問い合わせ
https://www.kobunsha.com/contact/

© Hiroshi Ogiwara 2007
落丁本・乱丁本は制作部にご連絡くだされば、お取替えいたします。
電話 (03)5395-8125

ISBN978-4-334-74331-4　Printed in Japan

R <日本複製権センター委託出版物>

本書の無断複写複製（コピー）は著作権法上での例外を除き禁じられています。本書をコピーされる場合は、そのつど事前に、日本複製権センター（☎03-6809-1281、e-mail : jrrc_info@jrrc.or.jp）の許諾を得てください。

本書の電子化は私的使用に限り、著作権法上認められています。ただし代行業者等の第三者による電子データ化及び電子書籍化は、いかなる場合も認められておりません。

さよなら願いごと　大崎　梢
もしかして ひょっとして　大崎　梢
新宿鮫　新装版　大沢在昌
毒猿　新装版　大沢在昌
屍蘭　新装版　大沢在昌
無間人形　新装版　大沢在昌
炎蛹　新装版　大沢在昌
氷舞　新装版　大沢在昌
灰夜　新装版　大沢在昌
風化水脈　新装版　大沢在昌
狼花　新装版　大沢在昌
絆回廊　大沢在昌
暗約領域　大沢在昌
鮫島の貌　大沢在昌
撃つ薔薇　AD2023涼子　新装版　大沢在昌
死ぬより簡単　大沢在昌
闇先案内人（上・下）　大沢在昌

らんぼう　大沢在昌
彼女は死んでも治らない　大澤めぐみ
クラウドの城　大谷　睦
神聖喜劇（全五巻）　大西巨人
野獣死すべし　大藪春彦
みな殺しの歌　大藪春彦
凶銃ワルサーP38　大藪春彦
復讐の弾道　新装版　大藪春彦
黒豹の鎮魂歌（上・下）　大藪春彦
春宵十話　岡　潔
人生の腕前　岡崎武志
白霧学舎　探偵小説倶楽部　岡田秀文
首イラズ　岡田秀文
今日の芸術　新装版　岡本太郎
神様からひと言　荻原　浩
明日の記憶　荻原　浩
あの日にドライブ　荻原　浩

光文社文庫　好評既刊

さよなら、そしてこんにちは　荻原浩
海馬の尻尾　荻原浩
純平、考え直せ　奥田英朗
向田理髪店　奥田英朗
コロナと潜水服　奥田英朗
竜になれ、馬になれ　尾崎英子
劫尽童女　恩田陸
最後の晩餐　開高健
ずばり東京　開高健
サイゴンの十字架　開高健
白いページ　開高健
狛犬ジョンの軌跡　垣根涼介
トリップ　角田光代
銀の夜　角田光代
ボクハ・コココニ・イマス　梶尾真治
ゴールドナゲット　梶永正史
李朝残影　梶山季之

おさがしの本は　門井慶喜
応戦1　門田泰明
応戦2　門田泰明
完全犯罪の死角　香納諒一
祝山　加門七海
目嚢—めぶくろ—　加門七海
203号室　新装版　加門七海
黒爪の獣　加門七海
深夜枠　神崎京介
ココナッツ・ガールは渡さない　喜多嶋隆
A7　しおさい楽器店ストーリー　喜多嶋隆
B♭　しおさい楽器店ストーリー　喜多嶋隆
C　しおさい楽器店ストーリー　喜多嶋隆
Dm　しおさい楽器店ストーリー　喜多嶋隆
E7　しおさい楽器店ストーリー　喜多嶋隆
紅子　北原真理
暗黒残酷監獄　城戸喜由